MARCO POLO

DU MÊME AUTEUR :

Gênes au XVe siècle, éd. abrégée, Paris, Flammarion, 1971.
Fêtes, jeux et joutes dans les Sociétés d'Occident à la fin du Moyen Age, Paris, éd. Vrin 1972, (épuisé). Réédition Montréal, 1981.
Le Clan familial au Moyen Age, Paris, P.U.F., 1974.
L'Itinéraire d'Anselme Adorno en Terre sainte (1470), Paris, C.N.R.S., 1979. (En collaboration avec G. de Groer).
Christophe Colomb, Paris, Hachette, 1981.
Les Partis et la Vie politique dans l'Occident médiéval, Paris, P.U.F., 1981.
Esclaves et domestiques au Moyen Age dans le monde méditerranéen, Paris, Fayard, 1981.
Fêtes des fous et carnavals, Paris, Fayard, 1983.

JACQUES HEERS

MARCO POLO

Fayard

INTRODUCTION

Aucune incertitude ne pèse sur la personne de Marco Polo, fils et neveu de négociants vénitiens. Sa gloire rejaillit tout entière sur la cité de Saint-Marc, modèle de ville marchande, et sur ses hommes d'affaires aventuriers, capitaines d'industries, découvreurs de nouveaux marchés, acharnés à porter toujours plus loin les horizons de leurs entreprises.

Des générations d'historiens se sont appliqués à dépouiller les fonds d'archives, à l'affût du moindre indice capable de mieux guider nos pas dans ce monde si complexe, cet enchevêtrement de groupes et d'alliances que forme alors toute société urbaine constituée depuis des siècles, sans cesse enrichie d'apports nouveaux, constamment remaniée. Ainsi la figure du grand voyageur sort-elle de l'ombre. Aujourd'hui Marco Polo n'est pas seulement un nom parmi tant d'autres, car nous pouvons, sans risque d'erreur, situer sa carrière, suivre ses principales démarches, imaginer son cadre de vie, son niveau de fortune et son univers social.

Est-ce à dire, pour autant, que toutes nos curiosités soient satisfaites? Certainement pas... Nous n'avons de lui qu'un seul livre et il y parle peu de sa famille et pas du tout de ses affaires. Sur bien des points demeurent quelques obscurités et sur le destin de cette lignée des Polo, l'on s'interroge encore, de telle sorte que la grande aventure de Marco qui, en son temps, ne lui valut ni fortune ni renommée, s'inscrit, avouons-le, sur un fond de grisaille.

Ses contemporains n'ont pas chanté ses louanges et ne lui ont reconnu aucun mérite exceptionnel. On savait qu'avant lui d'autres avaient pénétré fort loin dans l'Asie profonde, jusqu'à la cour des nouveaux maîtres de fabuleux royaumes, les Mongols – que les Chrétiens d'alors appelaient plus volontiers les Tartares – jusqu'à Karakorum, première capitale de leur empire de Chine : missionnaires, ambassadeurs, marchands même; en tout cas, déjà dix ans auparavant, son père Niccolò et son oncle Matteo. Certes, Marco avait connu bien autre chose que ces simples expéditions de reconnaissance, rondement menées, souvent en toute hâte, sortes de raids de cavaliers pressés. Il s'était longuement attardé en route, avait fréquenté sans doute des chemins inhabituels à travers montagnes et déserts, visité ou du moins traversé des contrées variées, inconnues ou presque. Le premier depuis les auteurs grecs et latins, il pouvait parler autant des merveilles de l'Inde que des étrangetés de la Chine : pendant une vingtaine d'années, il était resté au service de l'empereur mongol, le Grand Khan de Chine, Kubilaï, parfaitement informé de son gouvernement et de sa politique.

Mais, à Venise, tout ceci ne pouvait peser bien lourd. Quel crédit, quel prestige accorder à un homme parti si jeune, naturellement ignorant des mœurs politiques de sa ville, sans alliés encore; à un homme qui, par force, se présentait comme un étranger, et qui avait mûri dans une cour lointaine, sans aucun profit pour ses concitoyens?

On a dû vite l'oublier. Lui-même ne tenta rien, semble-t-il, pour se rendre célèbre ou même se faire connaître. Il n'écrivit pas le récit de ses aventures dès son retour à Venise, en 1295; pendant trois bonnes années, il n'en trouva pas l'occasion ou, plutôt, n'en vit pas la nécessité.

Le livre que l'on a parfois appelé *Livre de Marco Polo* est, en fait, né de circonstances fortuites : la déroute de la flotte vénitienne devant les Génois en septembre 1298 sur la côte dalmate, la captivité de Marco, capitaine de l'une des galères, et la rencontre à Gênes avec un autre prisonnier, Rusticello, originaire de Pise, véritable auteur de profession, qui fut séduit par un beau sujet, et sut mettre en ordre les discours du Vénitien pour leur donner un tour à la mode.

Nous restons ainsi fort sceptiques sur l'intérêt de Marco à entreprendre une telle rédaction. D'ordinaire, les voyageurs, ambassadeurs, pèlerins et missionnaires mettaient bien plus d'empressement à faire part de leurs observations et impressions; ils écrivaient des lettres en route ou un récit de leur voyage à peine rentrés chez eux.

Et pourtant c'est à ce livre, à ce succès de librairie, que Marco Polo doit sa renommée, tardive sans doute, venue bien après sa mort, mais si brillante aujourd'hui. C'est par ce livre, le *Devisement du Monde,* d'abord recopié, puis imprimé et par la suite réédité dans plusieurs langues et, en réalité, sous d'autres titres que l'original, accommodé même

d'étranges façons, support de tant de commentaires
savants, de rêves exotiques et d'images fabuleuses,
que notre Vénitien est passé, à partir des années 1500,
à la postérité, et reste de nos jours encore une des
figures les plus prestigieuses de notre passé « médiéval ». Figure de proue même qui, pour beaucoup et
d'une façon plutôt inexplicable, symbolise l'avènement d'un nouvel esprit, d'autres curiosités, une très
large ouverture sur le monde, un premier humanisme
pourrait-on dire. Grâce à cet étonnant succès d'un seul
ouvrage, Marco se présente à nous, généralement,
comme l'homme déjà « moderne », qui va de l'avant,
capable de merveilleuses audaces, qui s'intéresse à
tout et s'interroge sur les destins des races et des
peuples; en tout cas, une personnalité exceptionnelle.

Ainsi l'homme des grands voyages, l'intrépide
marin, explorateur, découvreur de pays réputés quasi
inaccessibles et restés secrets, mais, à Venise, homme
encore assez ordinaire de condition et de réputation,
effacé même dans la course aux honneurs et, là, voué à
l'oubli, ne s'impose-t-il aux historiens qu'à travers un
ouvrage que, très vraisemblablement, il n'avait pas
songé à écrire seul. Or, cette fortune, essentiellement
littéraire donc, repose sur une œuvre qui, sur quantité
de points, nous laisse sur notre faim et ne répond pas
souvent à ce que l'on en attend.

Il faut reconnaître que, de nos jours tout au moins,
le livre déconcerte par son allure et sa démarche fort
lourdes, par une construction très répétitive, un
schéma fastidieux, toutes choses qui engendrent
inévitablement ou lassitude ou ennui. Est-ce faire du

mauvais esprit que de supposer nombre de curieux, attirés par le brillant du sujet, ne poursuivant leur lecture qu'à force d'application studieuse, tournant hâtivement quelques pages... ou abandonnant en chemin, accablés qu'ils sont par ce foisonnement de chiffres fabuleux, désincarnés et manifestement très approximatifs, par ces reprises innombrables de formules toutes faites, incolores? Le moins que l'on puisse dire est que le *Devisement* ne se lit pas aisément! Toujours cette monotonie de style, ce manque de notes personnelles et, dans l'ensemble, ce détachement du concret, ce refus de se livrer, de faire part de ses propres observations et expériences. Jamais ou presque le voyageur ne raconte ses aventures, ne se montre véritablement sur le chemin ou aux étapes, s'informant, prenant des notes. De ce point de vue, quelle indigence face à ces lettres en forme de comptes rendus, si vivantes, précises et pittoresques, écrites à la même époque ou un peu plus tôt par les missionnaires franciscains, par Plan Carpin ou Guillaume de Rubrouck surtout!

Manifestement, l'ouvrage n'est pas du tout ce que l'on veut croire, ce pour quoi on voudrait encore l'admirer; ce n'est ni un récit de voyage, ni un journal personnel, ni même, pour ces pays lointains encore si mal connus, un tableau des mœurs, des croyances, des activités.

En fait, ce livre n'est pas vraiment de Marco Polo ou du moins pas uniquement de lui; c'est un livre dû à la plume d'un autre homme, un professionnel rencontré par hasard, écrit dans une langue étrangère, le français du Nord. Il fut connu d'abord par un titre, le

Devisement du Monde, adapté à un public qui n'était certainement pas celui de Venise ou celui des marchands. Ce fut là œuvre de circonstance, presque de commande, le fruit ambigu d'une collaboration, relativement courante à l'époque croit-on, et qui laisse indéchiffrés bien des mystères.

Il ne s'agit pas ici de méconnaître les mérites de Marco Polo, de rabaisser son aventure au rang de petite chevauchée insignifiante ou de démystifier sa légende, mais, en complément d'une étude de l'homme, de son monde et de ses préoccupations, d'évoquer sans parti pris la genèse du livre, son élaboration, aventure littéraire tout aussi surprenante que celle même du Vénitien sur les routes de Chine.

Le grand voyage de Marco Polo, cet attrait pour un Orient toujours plus lointain, cette recherche d'un monde encore étranger, ne peuvent se comprendre, on en est convenu depuis longtemps, sans évoquer un vaste contexte économique et politique, sans tenir présents à l'esprit les grands trafics des épices ou de la soie dans le Levant méditerranéen et les avatars de l'empire vénitien dans ces pays. L'aventure du *Devisement* participe, elle, d'un autre monde, d'un autre faisceau d'intérêts. Elle ne s'éclaire que par la vie de Rusticello di Pisa, italien lui aussi, mais homme de cour, qui vécut longtemps hors de son pays, familier du roi d'Angleterre, conteur, jongleur même si l'on veut, féru de romans de chevalerie, habitué à n'écrire qu'en français et qui s'était déjà fait connaître par plusieurs compilations, récits des hauts faits des héros de la Table Ronde. Il nous faut alors penser aux curiosités des princes et des nobles, aux circonstances, à cette époque, de la production littéraire dans les cours et les cénacles d'hommes friands de contes et de fables. Non plus le monde des marchands mais celui du merveilleux; non plus l'Italie des grandes cités d'affaires, mais les chevaliers, conquérants et défenseurs de la Terre sainte, hommes des Croisades : guerriers mais aussi amateurs avertis de beaux romans « exotiques », de livres qui leur parlent des merveilles de la nature, à la fois recueils de fables et encyclopédies. Manifestement, le *Devisement* devait prendre place dans une de ces librairies déjà si riches que, dès les années 1100 et donc depuis fort longtemps, les rois et les princes gardaient précieusement dans leurs coffres.

Ainsi deux hommes venus d'horizons éloignés l'un de l'autre que l'infortune des armes a fait se trouver face à face, prisonniers, nourrissant alors un commun projet.

Du fait même de cette collaboration, puisque visiblement ce n'est pas lui qui tient la plume, la part de Marco Polo dans le choix des thèmes, le découpage et l'ordre des chapitres, le ton même du discours, sa part de responsabilité dans la conception et l'élaboration de l'ouvrage peuvent être sérieusement remises en question. Tous les auteurs, jusqu'à l'époque actuelle, ont trop volontiers méconnu ou fait bien peu de cas du rôle pourtant essentiel du Pisan à qui revient, à n'en pas douter, l'initiative et la conduite de l'entreprise.

Pourtant c'est bien cette double nature du livre, cette double écriture qui méritent attention et, dans une large mesure, justifient une nouvelle présentation, même si elle ne peut aboutir, sur tous les points, à des certitudes définitives.

Après tant d'études savantes sur les grands voyages des Italiens en Orient, sur leurs recherches des profits et des marchés pour se procurer la soie à meilleur prix, sur les itinéraires du Vénitien, ses missions ou ses offices au service de Grand Khan Kubilaï, ne convient-il pas de s'attarder un peu plus sur la véritable personnalité des deux « auteurs », en 1298, au moment de la rédaction du *Devisement* ?

Celle de Marco Polo, tout d'abord, peut-elle se définir d'une façon si simple ? N'est-il que le « marchand de Venise » ? A-t-il visité toutes ces lointaines provinces et vécu si longtemps en Chine en homme d'affaires ? Sûrement pas... Son livre, en tout cas, ne le montre pas et nous le sentons constamment conduit par d'autres préoccupations. Nous le voyons avant toute chose servir : ambassadeur du pape, puis vassal du Mongol, chargé d'enquêtes, de surveillances, d'emplois d'administrateur. Non pas tellement marchand mais, surtout, homme d'État, homme de cour, appliqué à rédiger non des mercuriales ou des manuels à l'usage des négociants mais des comptes rendus de missions lointaines pour tenir son maître informé des peuples et des ressources de son vaste empire, des curiosités et des étrangetés, des merveilles de tous les pays voisins ; pour satisfaire son grand désir de savoir, pour le charmer et lui plaire. Et Marco, bon conteur, dit bien lui-même comme il excelle dans cet art ; il s'en vante et prétend que ce fut là une des raisons de sa fortune, de la bienveillance de l'empereur ; il n'hésite pas, à côté de ses propres observations et expériences,

à enrichir son discours d'histoires merveilleuses col-
portées par d'anciens écrits ou par la tradition
légendaire : fables et merveilles que l'on retrouve en si
bonne place dans le *Devisement*.

Quant à Rusticello, malheureusement bien plus
malaisé à cerner et si peu connu, nous en savons tout
de même assez sur lui pour imaginer sans risque son
univers social, son bagage culturel et les goûts du
public qu'il désirait atteindre. Lui aussi est bon
conteur, maître d'une technique éprouvée, déjà
auteur apprécié, assuré sans doute d'une large audience.

Au total, Marco et Rusticello, tous deux italiens,
tous deux exilés longtemps hors de leur ville natale,
riches d'expériences si diverses dans des pays si
différents, se rejoignent ici parfaitement. Certes l'un
a visité la Chine et l'Inde tandis que l'autre s'est
nourri des écrits anciens ou plutôt de tous ceux,
savants, encyclopédiques, de ses contemporains. Leur
optique et leurs penchants peuvent, parfois, ne pas
s'accorder et donner au conte, ici et là, un tour
différent. Le *Devisement* reste une œuvre de collaboration et, par là même, encore à décrypter. Mais la
rencontre de Gênes n'apparaît pas, comme on le
croirait *a priori* et comme on l'a trop souvent dit,
celle du « marchand » et de l'écrivain tâcheron,
poète, conteur; c'est bien plutôt celle de deux hommes de cour qui se souviennent d'avoir composé des
récits où l'on parle, pour séduire les grands du
monde, des exploits des héros ou capitaines, des
merveilles de tous les pays.

N. B. – Les citations du *Devisement du Monde* sont prises dans l'édition de M. G. Pauthier (1865); on a préféré garder la langue originale, en indiquant simplement, pour certains mots, l'équivalent en français moderne.

CHAPITRE PREMIER

La fortune des Polo

LES FABLES ET LA LÉGENDE

« Et ils connurent la même fortune que le sage Ulysse qui, abordant dans sa chère Ithaque, après vingt ans de vagabondages, ne fut reconnu de personne. Ces trois hommes, éloignés si longtemps de leur ville natale, déjà passés pour morts chez leurs parents, avaient enduré bien d'étranges aventures, supporté tant de malheurs et d'anxiétés! Ils parlaient certes encore la langue de Venise mais avaient tout oublié de leurs manières d'autrefois; ils portaient en eux, par leur allure et leur façon de s'exprimer, des airs de Tartares; leurs habits dépenaillés, en lambeaux, usés jusqu'à la corde, étaient de la mode et du goût des Tartares. Aussi lorsque, dès leur arrivée dans la ville, ils allèrent à leur maison de la paroisse de San Giovanni Crisostomo, un très beau et très agréable palais que vous pouvez encore voir de nos jours et que l'on appelle la *Corte dei Milioni*, la trouvèrent-ils occupée par plusieurs de leur famille qui ne voulurent pas les croire. »

Nous sommes bien sûr à Venise, un jour de l'année

1295, lorsque les trois voyageurs, Marco Polo, son
père Niccolò et son oncle Matteo, retrouvent la cité au
retour de leur lointain séjour en Chine, après vingt-six
ans d'absence... Mais c'est Giovanni Batista Ramusio
qui décrit la scène... plus de deux cents ans plus tard.
Et ce n'est que discours fait pour émerveiller.

Rien ne manque, pas même l'heureux subterfuge
du dénouement! Nos trois hommes, fort dépités mais
habitués à d'autres coups du sort, décident, pour se
faire reconnaître, d'inviter tous les parents et familiers
de la maison à un banquet. Ils y paraissent, alors que
chacun a déjà pris place, magnifiquement vêtus de
trois grandes et belles robes de satin, de damas et de
velours, passées l'une sur l'autre, toutes de couleur
cramoisie et tombant jusqu'à terre, « comme on les
portait en ces temps-là »; ils les distribuent morceau
par morceau aux serviteurs. Puis Marco monte sur la
table, tenant à bout de bras les habits sordides qu'ils
avaient à leur arrivée : des coutures et des ceintures; il
sort alors une prodigieuse moisson de joyaux et pierres
précieuses – rubis, saphirs, émeraudes, diamants et
escarboucles. Et tous d'applaudir, de se jeter à leurs
cous, de les fêter comme des héros. Ce sont bien là
leurs oncles et cousins partis depuis si longtemps!

Ce n'est qu'un conte, évidemment, une histoire
romancée, farcie à chaque page d'exagérations, d'inventions et d'erreurs, du moins d'invraisemblances.
Comment imaginer que ces hommes, voyageurs certes, aventuriers sans doute, mais aussi marchands et
ambassadeurs rompus aux affaires et aux manières,
familiers des circuits et des comptoirs de la mer Noire
et de tout l'Orient, qui avaient gardé amis et relations
à Constantinople, aient pu monter sur quelque galée

ou nef, pour ainsi dire incognito? Que, de Trébizonde, ou en tout cas de Grèce, la renommée ne les ait pas précédés? Quant au fameux palais de San Giovanni Crisostomo, il ne fut acquis par la famille, on le sait de source sûre, que plus tard. Le subterfuge des bijoux cachés dans les coutures des pauvres hardes avait, sous la plume d'autres conteurs, déjà servi bien souvent!

En fait, toute l'histoire de Marco Polo et de ses étonnantes aventures, de ses exploits indiscutables, se teinte, de nos jours encore, des reflets de féerie plus ou moins vifs, qui masquent autant de zones d'ombre.

Ramusio n'écrit pas que des sottises; premier et plus célèbre historien des grands voyages du Moyen Age, on le trouve même, sur certains points, particulièrement bien informé et tout à fait en accord avec les vérités certifiées. Mais ce Vénitien enjolive naturellement et brode à l'envi. Né à Trévise en 1485, homme d'État autant qu'humaniste et géographe, chargé au nom de la Sérénissime de plusieurs ambassades dans différents pays, il est aussi, en quelque sorte, mémorialiste et chroniqueur officiel, secrétaire du Sénat puis du Conseil des Dix, jaloux de préserver la gloire de sa cité. Son grand ouvrage, *Delle Navigazioni e Viaggi,* écrit en 1553 – une vaste compilation de récits héroïques rehaussés de fables –, s'applique surtout à exalter les hauts faits de la République de la lagune, sa prééminence sur les autres nations. Il s'y montre homme de plume, porté à l'admiration plus volontiers qu'à une critique attentive des témoignages; ses préférences vont bien au récit en forme d'épopée et non à une étude circonspecte des souvenirs du passé. Il

veut plaire aussi et n'écarte rien qui puisse retenir
l'attention du lecteur, combler ses attentes et les
curiosités d'hommes friands d'étrangetés et de pittoresque.

Ainsi naissent les grandes figures de légendes et
celle que l'on nous présente encore de Marco Polo
n'échappe pas à ce processus d'élaboration très
suggestive. Les auteurs se répètent sans vergogne,
trop contents de pouvoir émailler leurs récits ou
discours d'anecdotes plaisantes; ils finissent par accréditer des clichés.

Mais comment pourrait-il en être autrement dès
que l'on cherche à cerner de plus près tel ou tel
personnage de cette époque? Comment débusquer des
certitudes alors que, pour ce passé déjà lointain des
années 1250-1300, nous ne travaillons le plus souvent
que sur des documents, certes bien écrits, fiables, mais
très rares, fragmentaires et dispersés, sur des débris
d'informations qui ne jettent que quelques timides
lueurs, se recoupent bien mal et ne donnent aucun fil
conducteur?

Si nous ignorons la façon dont Ramusio et, à travers
lui, tous les commentateurs des grands voyages d'Asie
ont nourri leur documentation, force est d'admettre
que sur bien des points l'historien d'aujourd'hui,
sérieux et consciencieux, armé de tout son appareil
critique, se trouve, s'il veut oublier la tradition établie
sur des bases évidemment fragiles, tout aussi démuni... ou presque. Retracer l'histoire d'une famille de ce
temps, et surtout d'une famille somme toute relative-
ment modeste n'ayant connu, avant et après son héros,
que des destins et renommées fort ordinaires, c'est se

lancer dans une aventure où l'on doit se résoudre à
trébucher à chaque pas... à moins de planer, inconscient, au-dessus de toutes les difficultés.

Les fastes de Venise ne retiennent pas les noms des
Polo. Aucun contemporain admiratif ne s'est attaché
à rechercher les origines du grand voyageur ou à
préciser une généalogie, pour deux ou trois générations même. Si l'on méditait un peu sur cette carence,
on penserait aisément que les gens du temps se
montraient peu empressés à chanter leurs grands
hommes ou que la gloire de Marco Polo ne leur
paraissait pas vraiment digne d'une telle attention. En
fait, elle ne s'est affirmée que tard, par une sorte de
« montage » des hommes de plume sur l'éclat d'un
passé déjà un peu perdu dans les brumes des souvenirs.

Rien, en effet, ne dit avec précision et certitude
l'origine de la famille. La tradition la mieux ancrée,
celle de Ramusio toujours et que nous avons tous plus
ou moins reprise dans nos manuels, la fait venir, dans
les années mille, de Sebenico, ville maritime de
Dalmatie. Idée intéressante, séduisante pour certains,
puisqu'elle affirmait (nous sommes encore dans les
années 1540-1550), le rayonnement, la puissance
d'attraction de Venise sur toute la mer Adriatique et
les liens étroits qui l'unissaient aux villes de la côte,
dominées, sujettes ou alliées pendant très longtemps.

Hypothèse qui n'est pas invraisemblable puisque,
dans le monde méditerranéen et sans doute sur tous les
rivages de la Chrétienté, chaque port tirait bien son
énergie de l'afflux des nouveaux venus, immigrés,
souvent fort entreprenants, appelés parfois à d'éton-

nantes fortunes : nous savons quelles réserves d'hommes et de matières premières Venise trouvait dans ses terres de Slavonie; hommes et marins, marchands et esclaves débarquaient sur le quai des Esclavons, le plus actif des appontements des îles de la lagune, à l'entrée du Grand Canal.

Mais hypothèse déconcertante tout de même, si assurée qu'elle paraisse, si l'on songe qu'elle ne s'appuie sur aucune sorte de référence, sur aucun début de preuve. Tous les historiens sérieusement préoccupés du problème, capables maintenant d'en parler avec un scepticisme de bon aloi, la contestent absolument depuis plus d'un siècle. Tous font remarquer comme le nom de Polo apparaît très tôt dans les légendes ou annales de la ville. C'est ainsi qu'une tradition très ancienne, légendaire bien entendu, dit les exploits du roi Venetus et (ou...) du prince Anthénor de Troyes, bâtisseurs des premiers établissements sur les rives de l'Adriatique, suivis de plusieurs compagnons, l'un d'entre eux portant le nom de Lucius Paulus. D'autre part, fait un peu plus sûr, le premier doge, disons plutôt l'un des premiers chefs de ces communautés de paysans-pêcheurs de la lagune, se serait appelé Paulus Lucas Anafestus, originaire d'une des agglomérations insulaires, Heraclea; on cite même la date de son avènement : 696.

Le colonel Yule, sinologue et orientaliste distingué, un des tout premiers savants indiscutables qui étudièrent ces grands voyages des Polo – il écrit dans les années 1860-1880, et ses travaux furent plus tard soigneusement complétés, annotés et revus par Henri Cordier – n'eut, semble-t-il aucun mal à découvrir un assez grand nombre de familles Polo, originaires ou établies dans les années 1100 à Torcello (1160), à Aquilée (1179-1206) et dans le Lido Maggiore, la bande de terre qui ferme la lagune (1154). Une importante lignée de Polo se manifeste à Chioggia, à l'extrême sud de cette lagune, tout au long du XIIᵉ siècle. D'autre part, bien plus récemment, Giovanni Orlandi, qui s'est penché avec une rare minutie sur les ramifications de la famille avant et après le héros voyageur, a rencontré des Polo nommément désignés par des actes irréfutables à Venise et même à Chioggia : en 1028, dans cette petite cité encore bien autonome, un Polo lègue des terres au monastère San Michele di Brandolo et, en 1091, plusieurs hommes de ce même nom, installés dans les îles de la lagune vénitienne, font don de sept salines au patriarche de Grado.

Tout ceci montre que les ombres restent entières et l'incertitude totale. Le nom se rencontre communément, très tôt puis continûment en différents points de la zone d'influence vénitienne, dans ce monde des îles et des lagunes, des *lidi* et des salines; mais personne ne saurait dire aujourd'hui, ni jamais sans doute, de quelle lignée descendaient nos voyageurs. Constat très banal au demeurant; il en serait de même pour toute tentative de ce genre, dans ces villes d'Italie où, bien sûr, les noms se différencient souvent très tard et où quantité d'hommes portaient le même, pouvaient se réclamer du même groupe et peut-être d'une ascendance plus ou moins légendaire.

A tout prendre, était-ce tellement nécessaire de sacrifier à des curiosités bien gratuites et de remonter si loin?

Les certitudes commencent, du moins peut-on l'ad-

La famille de Marco Polo

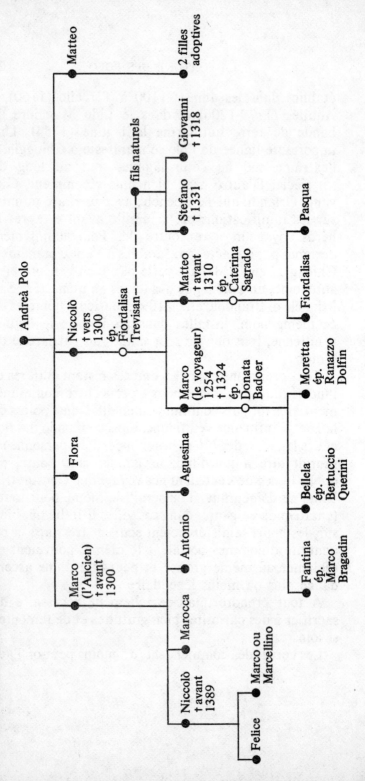

mettre, avec Andreà Polo, grand-père de notre Marco.
Mais on ne sait encore rien de lui, si ce n'est qu'il
vivait dans la paroisse de San Felice, à Venise même,
et qu'il eut trois fils : Marco, dit Marco il Vecchio,
Matteo et Niccolò, le père de notre Marco voyageur.
Tous trois, visiblement, se trouvent engagés dans le
commerce oriental et ont habité au-delà de la mer
intérieure, pendant un temps plus ou moins long,
scellant ainsi pour deux ou trois générations le destin
de leurs parents et descendants.

Dès lors, malgré, il est vrai, quelques risques de
confusion entre oncles, neveux voire cousins portant le
même nom de baptême, nous les suivons tous, non pas
à pas, mais de suffisamment près pour dresser, autour
de l'aventure et exploit de Chine, le cadre des
relations familiales et des activités de chacun, ainsi
que des petites querelles entre les membres du clan
pour se partager les héritages. D'assez près pour
suivre les destins d'une fortune et en apprécier l'éclat,
bien plus modeste que ne le raconte la légende.

Marco il Vecchio vécut longtemps à Constantinople. Rentré à Venise sans doute vers 1275, au plus tard
en 1280, il ne quitte plus sa ville, dirige en somme les
affaires de la famille et ne se lance dans aucune
aventure lointaine. Son testament, rédigé le 27 août
1280, le dit récemment installé dans son quartier, le
confinio di San Severo, mais encore propriétaire d'une
maison à Constantinople même.

Ce sont ses deux frères, Niccolò et Matteo, qui se
lancent à la découverte, sur les routes de l'Asie
lointaine, à la rencontre des capitales des Tartares, en
plein cœur du continent, jusque vers l'empire mongol

de Chine. Eux seuls d'abord, en 1261, de la Crimée
jusqu'à Karakorum et au nord de l'actuel Pékin; puis,
en 1270, pour un deuxième grand voyage – le seul
retenu souvent par la tradition et l'histoire –, en
compagnie du jeune Marco, fils de Niccolò, alors âgé
d'une quinzaine d'années : un très long périple dont ils
ne reviennent qu'en 1295. Tous trois connurent sans
doute en Chine des destins différents, nantis chacun
d'une charge particulière par l'empereur et même
envoyés en mission dans de lointaines provinces,
jusqu'en Inde. Mais tous trois rentrent ensemble sains
et saufs à Venise, chargés, sinon de rubis à pleins sacs,
du moins de souvenirs et de connaissances sur des pays
où peu d'hommes d'Occident avaient pénétré avant
eux.

Quelle fortune? quelle renommée?

Est-ce la grande fortune? On est tenté de le
croire, tant l'Orient lointain porte en soi l'idée de
mirages et d'étonnantes richesses, tant le livre de
Marco Polo s'attarde à dénombrer, inlassablement et
toujours émerveillé, de fabuleux trésors, des mines
d'or et de pierres précieuses, des tributs à faire
rêver.
En fait, sur le plan politique, frères, cousins et
neveux restent à leur place : membres de l'aristocratie
sans aucun doute, *nobili di stirpe,* nobles de race, mais
de rang encore très modeste, pas du tout en vue parmi
les premières fortunes et les honneurs. Tous – eux-
mêmes, leurs fils et leurs filles – épousent de grands

noms de la noblesse et de l'histoire vénitienne : les
Querini, Delfini, Bragadin, Trevisan, Gradenigo et
même Contarini ou Vendramin. Marco, au retour de
sa dernière aventure – le combat contre la flotte
génoise et la captivité à Gênes – prend pour femme
Donata Badoer. Ce sont des noms qui sonnent haut,
qui évoquent l'or, les fastes et le pouvoir. Mais, dans
ces groupes familiaux si nombreux et forcément si
complexes, la richesse ne rejaillit pas inévitablement
sur tous; le clan rassemble, sous le même nom,
fortunes et conditions échelonnées à toutes sortes de
niveaux, jusqu'aux petits parents et aux clients.
Comment dire si ces alliances prouvent un véritable
rang dans l'aristocratie?

Marco Polo, en tout cas, ne fut jamais élu au Grand
Conseil de la ville; on ne lui confia aucune magistra-
ture officielle; et pas davantage aux deux autres
voyageurs, Niccolò et Matteo. Tous trois, sans doute,
étaient restés bien trop longtemps absents, ignorés, un
peu étrangers. Ces hommes qui avaient vu le monde,
observé tant de diverses façons de gouverner, fréquenté princes et prélats en Orient, une fois rentrés
chez eux s'occupent de petites affaires : ni offices, ni
ambassades. Peut-être aussi ont-ils joué de malheur.
En 1297, peu de temps après leur retour, Venise, par
la *Serrata del Gran Consiglio,* dresse et clôt la liste
des lignées nobles autorisées à faire partie des conseils
et magistratures. Les Polo, nos voyageurs du moins,
qui ne sont pas encore inscrits à cette date, en auraient
été naturellement écartés.

Marco n'eut que des filles : Fantina, Bellela et
Moretta, bien mariées, mais dont on ne peut suivre la
trace sous peine de se perdre dans quelques sordides

querelles entre héritiers pour les biens meubles du palais familial.

Seul donc, puisque son père Niccolò meurt en l'an 1300 (ou environ...), et maître de ses affaires, Marco Polo vit-il en très grand marchand, en capitaine d'industrie, en homme comblé de richesses, capable d'investir dans d'étonnantes spéculations ou trafics lointains des sommes considérables? Sa grande aventure lui ouvre-t-elle la voie de prospérité, en même temps que ses concitoyens l'auraient consacré l'un de leurs maîtres dans ce domaine des fructueux commerces avec l'Asie?

Certainement pas...

Rentré à Venise, sa première démarche connue, toute ordinaire, vise d'abord à faire rentrer les fonds qui lui sont dus. C'est l'affaire des balles de marchandises précieuses confisquées à Trébizonde, par les Grecs de la ville; une querelle dont les péripéties évoquent les aléas et les périls du trafic marchand dans cet Orient byzantin, troublé par les conflits et les guerres, par les luttes d'influence que s'y livrent sans cesse les nations italiennes, Génois et Vénitiens surtout. Sur le chemin du retour, après près de deux ans de navigation, les trois Polo avaient abordé à Ormuz et, à travers la Perse puis les hautes terres d'Anatolie, atteint la mer Noire à Trébizonde. Mais, dans cette capitale d'un État acquis aux Génois, ils s'étaient heurtés à une vive hostilité des gens de la rue; ils échappent de justesse au massacre et à la perte de tous leurs biens, ramenés de si loin, au prix, on l'imagine, de tant d'efforts! Ils y laissent certains lots de soieries et de belles étoffes, peut-être même des gemmes; le tout estimé encore par Matteo, dans son testament, dix-sept ans plus tard, en 1310, à 4 000 hyperpères, monnaie d'or de Byzance.

Certes, Venise s'emploie à faire indemniser ses sujets spoliés... mais n'y réussit que pour une toute petite part. Et il semble qu'à eux trois et malgré leur insistance, les Polo n'aient jamais obtenu davantage qu'environ 1 000 livres, monnaie de Venise; et ceci seulement en 1301, grâce à l'action énergique, en 1296, de Giovanni Seronzo, capitaine d'une flotte vénitienne lancée contre le comptoir génois de Caffa et contre les navires grecs.

Faut-il croire que cette sombre histoire que nous n'appréhendons, comme toujours, que par quelques notes très lapidaires et que Ramusio et autres fidèles continuateurs passent sous silence, fut la brutale rupture sur le chemin d'une étonnante fortune, la source d'une médiocrité obligée pour toutes les années à venir? Personne n'a jamais rien dit à ce sujet.

Par la suite et pendant plus de vingt années, les affaires de Marco, pour ce que l'on en sait, ne prennent aucun relief particulier dans cette ville pourtant si ouverte à tous les trafics de l'Orient, parmi ces hommes qui commanditent ou brassent tant de commerces. Au contraire... De petits investissements bien sages, sans plus, qui, à aucun moment, ne font de Marco Polo et des siens de véritables capitaines d'entreprise ni même des négociants vraiment actifs. Aucun voyage, aucune participation à une société de quelque ampleur. Cet homme, dès ses quarante-cinq ou quarante-six ans, reste sédentaire, occupé seulement, de la façon la plus raisonnable, à faire fructifier. A le regarder, se dessine une image un peu déconcertante pour qui songe au marchand italien d'alors, toujours sur le qui-vive, guettant l'arrivée de belles cargaisons, mais une image intéressante du point de vue humain : celle de l'homme d'affaires averti, riche d'expériences plus que de capitaux, de flair peut-être et d'informations, de relations et de sympathies, associé tout simplement aux affaires des autres. Un retraité plutôt obscur, un de ces négociants un peu besogneux, si nombreux dans ces grandes métropoles du commerce international et qui, par leurs modestes interventions dans de multiples entreprises plus ou moins lointaines, entreprises souvent confraternelles ou familiales, entretenaient les fructueux courants du trafic outre-mer. Exemple frappant de la diffusion des pratiques et des mentalités d'un capitalisme de petite ampleur, à différents niveaux des échelles sociales.

En fait, Marco agit surtout avec ses proches, ses frères : Matteo, fils légitime de Niccolò, Stefano et Giovanni, tous deux fils naturels. Toujours pour l'Orient, il prête ou investit différentes sommes dans quelques actions vers Constantinople et vers la mer Noire : contrats de *colleganza,* forme d'investissement héritée sans doute de la *commanda* romaine, spécifique de la conduite des affaires à Venise, qui permet aux marchands voyageurs d'intéresser à leurs trafics tel ou tel capitaliste demeuré dans la ville. Les historiens de l'économie médiévale italienne, pendant deux ou trois générations, se sont penchés sur elle avec une sorte de tendresse, car elle donnait enfin l'occasion d'appréhender dans le domaine du concret et de l'humain, une des techniques associatives du « capitalisme naissant ». Mais, dans la plupart des cas, ne viennent à la surface de notre documentation, par le

biais des contestations et des règlements de comptes,
que les affaires qui ont mal tourné ou prêtent à
querelle. Ce qui fait, au total, pour notre héros et ses
proches, bien peu de choses...

De pauvres débris d'informations : Marco s'associe
à son frère Matteo et à un marchand vénitien de
Constantinople, un homme certainement modeste que
l'on nomme simplement Ansaleto sans mentionner le
nom de famille; tous trois confient 350 hyperpères à
un artisan de la ville, Alberto Vasirulo; une petite
affaire de boutiquiers. En 1316, apparaissent Marco
et Giovanni avec un Paolo Girardo qui, lui, fait le
trafic des épices. Mais, un peu plus tard, Stefano et
Giovanni Polo, installés ou du moins trafiquant en
Crète, à la Canée et à Candie, font naufrage avec la
nef qui les ramenait à Venise; sains et saufs, ils y ont
perdu, disent-ils, plus de 4 000 livres et Stefano crie
misère. Nouveau coup du sort après celui, pas encore
oublié, de Trébizonde... Des malheurs bien sûr, mais
qui n'étonnent pas car tous les marchands sur les
routes et dans ces mondes si lointains couraient ces
risques et comptaient avec eux. Des malheurs, au
demeurant, qui ne peuvent suffire à expliquer la
médiocrité d'affaires traînées an après an, sans relief,
sans grande fortune.

Comment songer encore aux mirages de l'Orient,
aux extraordinaires richesses qu'évoquent volontiers,
avec complaisance, les biographies ou les légendes –
ce qui, depuis Ramusio, revient souvent au même – de
la Cá Polo? Dans le monde des affaires vénitien et
pour les grands patriciens de la noble cité, ce sont de
petites gens. La grande aventure de Chine, les escales
sur les côtes de Coromandel ou de Malabar, les trafics

avisés sans doute, consciencieux certainement, mais
pas du tout coordonnés et plutôt besogneux, vers l'Est
méditerranéen n'apportent plus qu'honnête richesse.
Rien qui place la famille dans un rang digne d'être
remarqué.

Peut-on penser alors, contrairement à tout ce que
nous imaginons habituellement, que le commerce
d'outre-mer ne procure plus à Venise de grands profits
et considérations? Que de modestes négociants, en
tout cas hommes entreprenants, grands voyageurs en
leur temps, capables de vivre de longues années loin
du berceau de la famille, très au fait des choses et
usages de l'Orient, liés par diverses *colleganze* à leurs
frères et à leurs associés établis à Constantinople ou
dans les îles, peuvent s'y adonner pendant leur vie
entière sans atteindre des sommets de la hiérarchie
sociale? Que ces trafics des épices s'ouvrent sans
aucune restriction mais pour de maigres profits aux
hommes de lignées médiocres? Et que la vraie fortune
vient d'ailleurs : de l'appartenance aux grandes races,
des charges publiques déjà, des biens fonciers surtout,
maisons, terres et salines, des mines et des métaux, du
trafic de l'or et de l'argent, ou des changes? Ceci
mérite réflexion et l'historien s'est trop souvent laissé
porter par des rêves d'exotisme, associant trafics
lointains, plus spectaculaires, poivre et soieries, et
immenses richesses...

Mais de là, pour des hommes engagés dans les
négoces de l'outre-mer, à crier misère!... Ne
cédons pas non plus, comme pour d'autres héros du
passé, pionniers incompris pensons-nous, à l'image
consternante, romantique, de l'homme célèbre, mage
clairvoyant, mort pauvre, presque ruiné, méconnu, en

proie à toutes sortes de difficultés et d'amertumes.

Privés sans doute de grands honneurs et de charges publiques de premier plan, Marco, son père et son oncle, leurs proches parents aussi, disposent tout de même de quelques capitaux non négligeables; leur retour ne prend à aucun moment figure de déroute. Tout simplement, ils s'installent et, comme beaucoup d'autres, d'une façon modeste, plutôt besogneuse, ils se maintiennent dans le courant des affaires. Et les draps de soie échappés aux avatars du voyage, puis ces transactions, au demeurant très ordinaires, suffisent à leur assurer l'aisance dont bénéficie généralement le marchand bien ancré dans la société vénitienne et même une meilleure implantation parmi ces groupes et ces hiérarchies si complexes, signes d'une certaine réussite.

Non un destin exceptionnel mais des biens suffisants et une assise assez solide pour se faire « reconnaître ».

Marco Polo est mort en 1324, dans des circonstances absolument inconnues, mais très vraisemblablement dans sa chambre de la grande maison de Venise, sans s'être jamais imposé d'autres péripéties, après une maladie ou infirmité de près d'une année. Il devait avoir environ soixante-dix ans.

Certes, son testament, rédigé le 9 janvier 1323 en présence de deux seuls témoins de condition bien modeste, ne dit pas grand-chose : un acte d'une désespérante conformité, sans rien qui marque. Pour légataires universels, il désigne sa femme Donata et ses trois filles; Donata reçoit en outre son trousseau, ses biens meubles propres, trois lits complets aménagés, une rente de huit livres par an *pro suo uso;* les filles se partagent le reste à condition toutefois que la plus jeune, Moretta, ait, avant le partage, une dot égale à celles remises autrefois à ses sœurs. On déduira également une somme de 2 000 livres pour les legs pieux : tradition vénitienne ou du moins familiale car Marco reprend ici, à très peu près, les dons et les termes mêmes du testament de son oncle Marco il Vecchio (6 février 1310), mais pour des sommes bien plus modestes : 9 livres (au lieu de 20) pour chacune des congrégations et fraternités religieuses du Rialto, 2 livres (au lieu de 100) pour chaque monastère ou hôpital du district *(... cuilibet monasterium et hospitaliorum a Gradu usque ad Caput Aggeria).* Sont comptés au titre de legs la rémission de plusieurs créances : celle sur sa belle-sœur, Isabella Querini, sur un frère dominicain, sur les frères du couvent San Giovanni e Paolo. Enfin, Marco affranchit son esclave Pietro, de race tartare, et lui donne tout ce que celui-ci possède en propre dans la maison, avec une somme de 100 livres.

Fort heureusement, par un assez rare hasard documentaire, grâce à une complexe et solide querelle domestique, nous voici en mesure de connaître, dans les moindres détails, ce qu'étaient le mobilier, les décors, les ustensiles mêmes de la maison des Polo. Plus de quarante ans après la mort de Marco, le 12 juillet 1366, sa fille aînée Fantina, veuve de Marco Bragadin, obtient enfin une sentence favorable dans le procès qui l'opposait au clan des Bragadin, pour les biens qu'elle avait reçus en partage de la succession de son père, en 1324. Suit un inventaire très minutieux...

de plus de 200 articles, chacun estimé au sou près : surtout des lits (24 grands ou petits) avec leurs couettes, 34 paires de draps (12 grands, 16 pour serviteurs), 30 grands manteaux ou capes; puis des draps de soie et d'or, un très grand nombre de pièces de tissus précieux, soieries de Perse et peut-être de Chine – cendal et brocarts –, plus encore quelques objets damasquinés. Et ce n'est là, sans doute, que ce qu'elle n'avait pu déménager elle-même lors de son veuvage, avant que les Bragadin ne s'y opposent. Ses deux sœurs avaient certainement reçu, par ailleurs, l'équivalent : vaisselle, verrerie, orfèvrerie, bijoux.

Rien de médiocre donc, et ce catalogue de tissus, draps de lits et tentures décrit assez bien le cadre de vie de ces marchands de Venise dans les années 1300, alors que la ville ne connaît pas encore tous les raffinements des modes orientales; ceci même pour des hommes qui n'accédaient pas au faîte des honneurs.

UNE ASSISE SOCIALE : LE CLAN, LE PALAIS

L'intérêt d'une étude de la famille pour qui cherche, à travers les Polo, à définir un exemple concret d'implantation sociale au sein d'une grande cité marchande de cette époque, réside surtout dans l'évocation d'un groupe de parents qui, sans éblouir ni s'imposer, s'organise et s'implante d'une autre façon pour mieux se défendre et attirer considération. Seule une analyse de ces relations et réalisations familiales permet de saisir des réalités humaines souvent gom-

mées par des discours de ton trop général, de définir
dans le détail des processus d'intégration subtils qui, à
l'époque, mobilisaient bien des énergies.

Lorsque les Polo, en 1260 puis en 1270, quittent
Venise, leurs propres maisons et celles de leurs parents
ne formaient pas un bloc solidaire, compact, à la façon
des grandes demeures des familles bâties sur un ou
deux côtés du *campo,* petite place du clan bordée
aussi par un canal et par l'église, par les maisons des
clients et dépendants. Tout au contraire : les quelques
rares indications sur les implantations des Polo nous
les montrent, frères et cousins, habitant différents
quartiers de la cité : dans les paroisses ou *confini* de
San Felice, de Santa Croce, de San Severo pour
Marco il Vecchio et sa belle-sœur Fiordiligi. Et,
démarche décisive dont on mesure bien les prolonge-
ments et le retentissement sur le plan social, fin 1295
ou au plus tard dans les premiers mois de 1296, donc à
peine rentrés de Chine, les trois frères Polo acquièrent
une grande maison, un palais peut-on dire, ou plutôt
un complexe de bâtiments résidentiels et marchands
articulés autour d'une *corte :* celle qui devait atteindre
une certaine célébrité, plus tard, sous le nom de *Corte
dei Milioni* – ou *del Milione* – et dont, précisément,
parle Ramusio. C'est dès lors, comme le signalent
clairement testaments, procurations, sentences et
accords de toutes sortes, la *Ca' Polo,* maison d'un
groupe, d'une lignée.

Acquisition et propriété collective, en effet, qui
correspond parfaitement à l'idée que s'en fait une
race, une descendance désireuse de vivre ensemble.
Chaque chef de ménage n'en possède qu'une certaine
partie, d'ailleurs elle aussi divisible, à la convenance

de chacun et laissée en héritage aux enfants. D'où d'étonnants partages et enchevêtrements de propriété où les hommes ont bien du mal à reconnaître leur propre. C'est la source, surtout lors des successions et des promesses de dots pour les filles, de conflits interminables, parfois inextricables, qui engluent des familles entières dans des chicanes de plusieurs dizaines d'années... pour le plus grand bonheur de l'historien qui, sans ces procédures, ignorerait tout. Un bien familial donc, un nid d'embrouilles.

Achetée vraisemblablement avec les profits sinon de la seule grande aventure de l'Asie lointaine, du moins grâce aux fruits des multiples affaires d'Orient, la Ca' Polo concrétise en quelque sorte l'abandon de la résidence des trois frères à Constantinople, le rapatriement des capitaux et des énergies du groupe dans la mère patrie.

Comme pour les navires, pour la construction et l'armement, comme, dans plusieurs villes d'Italie, pour les investissements dans telle ou telle grande entreprise marchande ou financière, la maison se trouve ici divisée en 24 parts, 24 *carats*. On suit assez bien les vicissitudes de ces carats, au fil des générations, pendant plus d'un demi-siècle, sans que ces parts ne quittent à aucun moment les héritiers des trois frères Polo (Marco il Vecchio, Niccolò et Matteo). En 1310, vingt-cinq années après la prise de possession, Niccolò n'en possède plus que quatre et demi, tout le reste étant partagé également entre Marco le voyageur et son oncle Matteo. Marco n'ayant pas d'enfant mâle, ses carats sont allés pour une bonne part à ses frères. Bien plus tard, en 1362, une sentence règle un long procès, attribuant tout de

même 10 carats aux héritiers de notre Marco, donc à
ses filles, 6 à ceux de ses demi-frères Stefano et
Giovanni, 8 aux descendants de Marco il Vecchio, en
particulier à un homme de grande activité politique,
influent, semble-t-il, nommé lui aussi Marco ou
Marcellino.

C'est un palais ancré en plein cœur de la ville, dans
la paroisse de San Giovanni Crisostomo, au Rialto,
près du coude du Grand Canal, là où s'étaient déjà
développés les marchés les plus actifs de la cité, les
boutiques des orfèvres et des changeurs, là où
devaient s'implanter les entrepôts et magasins publics.
La Ca' Polo, sur la rive gauche du canal, occupe un
vaste espace entre deux canaux, le rio de San
Giovanni et celui de Santa Marina; sa cour fermée
s'ouvre par deux portes, d'une part vers le rio, de
l'autre sur une rue étroite qui conduit au *campo,*
parvis de l'église.

A plusieurs reprises, tentant d'accorder les préten-
dants aux partages, magistrats et témoins en rappel-
lent l'agencement et les imbrications. On s'y retrouve
fort mal et l'on se perdrait à suivre les notaires, aux
détours des escaliers, des passages intérieurs ou des
galeries. Matteo, l'oncle de Marco, occupait toute la
partie du rez-de-chaussée tournée vers Santa Marina,
tandis que Marco, sa femme Donata et ses filles
habitaient plusieurs salles ou chambres – *hospicia* – à
l'étage, au-dessus d'un portique, sur un autre côté de
la cour, dans un grand corps de bâtiments, bordé par
la rue et les maisons de deux familles voisines, la Ca'
Damasto et la Ca' Basegio.

Mais l'on vit tout de même les uns très près des
autres et l'on garde indivis, bien sûr, les entrées et les

escaliers, la cour qui donne son nom à l'ensemble, avec son puits, surtout la belle porte d'entrée sur la rue et la grande salle de réunion. Une vie patriarcale qui rassemble aussi domestiques, esclaves et familiers car les Polo abritent chez eux, on ne sait trop à la suite de quels accords ou de quels liens de dépendance, plusieurs protégés, plus ou moins soumis au clan. Le 13 mars 1314, Niccola, épouse de Valere, épicier de la paroisse de Santa Marina, lègue par son testament 10 livres à son mari et 50 livres à chacun de ses anciens serviteurs, Chaly et Benedetto, « qui maintenant demeurent à Ca' Polo »; plus encore 5 sous à une Caterina, du *confinio* de San Giovanni Crisostomo qui, elle aussi. habite à Ca' Polo; sa grande cape de cérémonie et sa ceinture d'argent, elle en fait don à Marco Polo lui-même « pour qu'il en fasse ce qui a été convenu entre nous ». Ainsi, des esclaves, mais aussi des domestiques familiers, hommes ou femmes de la ville, venus du voisinage immédiat, accueillis, nourris.

Là s'affirme la véritable dimension sociale, se marquent les progrès dans les équilibres et les influences. Forte cohésion familiale, copropriété et cohabitation, présence d'une clientèle, ce sont les signes d'une situation publique assise, respectable. Et ceci s'est fait, par une sorte de repliement sur une seule demeure, après le retour des grands voyages et l'abandon de vastes ambitions en Orient. Venise devient alors pour les Polo leur seule espérance; l'achat du palais marque le retour vers la mère patrie, et aussi comme un nouveau départ.

Cette demeure de Marco Polo n'existe plus depuis bien longtemps déjà. Celle que l'on montre encore comme résidence du grand voyageur – il le faut bien! –, cette belle et pittoresque maison dont on trouve une si jolie reproduction dans le livre de M. G. Pauthier, en 1865, située sur le côté ouest de la cour, n'est pas la bonne. La véritable maison, située, elle, sur le côté nord, fut complètement détruite lors d'un grand incendie à la fin du XVIᵉ siècle, puis laissée très longtemps en ruine, jusqu'à la construction, à partir de 1678, sur le même emplacement, du théâtre de San Giovanni Crisostomo, appelé plus tard le théâtre de la Malibran.

Mais nous l'imaginons aisément, si peu différente certainement des autres bâtisses de l'époque, de celles encore debout aujourd'hui, tout près de là. Une porte en forme d'arc, décorée de motifs géométriques d'inspiration orientale conduit à un passage voûté étroit vers une cour pavée, ombragée de deux ou trois arbres, ornée du puits et de sa margelle de marbre blanc. Sur le côté, le palais, d'allure sobre, presque modeste, mais d'une architecture et d'une décoration qui, partout, impriment à la cité ce paysage si particulier, reconnaissable, « à la vénitienne », et de style « gothique ». Des murs de briques ocre ou rouges, simplement rythmés ou plutôt scandés par quelques corniches en relief de tuiles rondes encastrées et par les bandeaux de marbre autour des portes et des fenêtres. Un rez-de-chaussée aveugle ou presque, avec une seule porte carrée et de petites fenêtres placées très haut. A l'angle des deux corps de logis, une tour carrée percée de rares ouvertures : une petite forteresse domestique, sévère, fermée, seulement égayée, à l'étage noble, par un grand balcon, comme une loggia suspendue, par ses fines colonnettes et ses arcs trilobés, à l'orientale, que l'on retrouve si souvent dans ce gothique vénitien du XIIIe siècle et dont la très célèbre Ca' d'Oro, bien plus tardive, exploite la tradition d'une manière à la fois raffinée et exubérante.

MILIONE OU VILIONI? DÉRISION OU DISTINCTION?

En 1295-1296, les frères Polo avancent d'un pas. Non par une éclatante réussite politique ou par l'étalage d'une fortune surprenante, mais simplement par cette nouvelle implantation, marque concrète, tangible, de leur position.

Pour apaiser quelques incertitudes sur le destin de cette lignée au retour de Chine, pour faire le tour d'autres problèmes et cerner d'un peu plus près encore ces personnages au sein d'une société si mouvante, si difficile à découvrir dans ses détours et imbrications, reste à résoudre une sorte d'énigme : pourquoi ce mot de *Milione,* que la tradition applique volontiers à Marco et même parfois, par contagion ou par facilité, à son œuvre? Serait-ce par émerveillement, au vu de tant de richesses, d'objets rares, de joyaux et de gemmes, de taffetas et de damas? Évidemment pas... Une fois encore, admettons bien que les Polo, dévalisés ou presque à Trébizonde, ne sont pas revenus dans Venise chargés d'étonnantes fortunes. Dans cette ville où s'étalaient déjà tant de richesses exotiques, ils ne pouvaient éblouir personne. Ils n'avaient occupé en Chine, on le verra, que des emplois somme toute assez ordinaires. Cette réputation de grande richesse, évo-

quée par diverses fables mirobolantes (telle celle des
habits donnés à un pauvre par la femme de Marco
mais cachant encore dans leurs doublures de magni-
fiques joyaux), inventées de toutes pièces par Ramusio, fut introduite et affirmée des siècles après la mort
de Marco : par Marco Barbaro par exemple et surtout
par le Vénitien Vincenzo Coronelli, qui publia son
Atlante Veneto en 1690 et son *Corso geografico* en
1694.

Est-ce plutôt, comme on l'a dit bien souvent, mais là
encore assez tard, par dérision, pour se moquer d'un
homme qui, parlant de ses aventures et des splendeurs
de l'Orient, citait constamment et complaisamment,
pour chaque ville ou province, des chiffres quasi
fantastiques, incroyables? Un homme extravagant,
hâbleur, qui trop voulait en faire croire... D'où le nom,
péjoratif, irrévérencieux et mal intentionné en tout
cas, d'homme « aux millions ». Ce qui rejoindrait une
autre légende née également de l'esprit inventif de
Ramusio : celle des doctes amis vénitiens refusant
d'accorder foi à tous ses récits merveilleux.

Mais ceci paraît très léger et, de ces aimables
explications, rien ne cadre vraiment avec la réalité.
Dans son livre, Marco Polo n'emploie pas volontiers le
mot de million, ou même pas du tout : il dit « beaucoup », « innombrable » ou compte par milliers. Le
mot même n'est pas couramment utilisé à l'époque.
Les commentateurs zélés de Marco Polo n'en ont
trouvé qu'un exemple patent, sous la plume de
Giovanni Villani qui, dénombrant le trésor des papes
d'Avignon, l'évalue à 18 millions de florins d'or et
croit nécessaire de préciser, pour être mieux compris :
« Et chaque million a la même valeur que mille florins

d'or. » Rien de bien convaincant donc. On voit mal
comment la verve populaire aurait pris plaisir à jeter à
la face d'un homme, au demeurant fort discret dans sa
vie publique, en guise de moquerie, un mot si mal
connu et encore difficile à définir dans le cercle même
des écrivains ou comptables.

C'est en 1957 que Roberto Gallo, dans une étude
sur de nouveaux documents se rapportant à la famille
Polo, présentait une interprétation différente, fort
intéressante, mais qui, trop étrangère aux idées en
place, n'a pas connu un grand retentissement et reste
toujours ignorée des manuels. Hypothèse pourtant
qu'il faut bien considérer, au risque de démolir tout un
aspect d'une personnalité, forgée, il est vrai, à coups
de tant d'à-peu-près.

Tout d'abord, il semble – jusqu'à preuve encore à
venir du contraire – que le nom ou adjectif de *Milione*
ne se soit jamais appliqué à Marco, notre voyageur,
mais à trois autres hommes de la famille. Le *nobilis
vir Marchus Paulus Milioni* qui, en décembre 1305,
se porte garant pour une amende de 152 livres infligée
à un Bonocio de Mestre, coupable de contrebande de
tonneaux de vin, est Marco il Vecchio, l'oncle. Le
23 juillet 1324, Niccolò, fils de ce Marco, fait rédiger
son testament et se qualifie lui-même de *ser Nicolaus
Paulus dictus Milion lo grando;* formule d'ailleurs
absolument impénétrable. Enfin, le *ser Marcus
Milioni,* qui figure en compagnie de Dardi Bembo
comme conseiller pour une sentence rendue en 1342,
est, évidemment, Marco, fils du Niccolò précédent et
petit cousin du voyageur. Ce Marco ou Marcellino
Polo fut, en son temps, un personnage plus remarqué

que tous les parents de son clan : ambassadeur près du
roi de Sicile en 1340, 1342, 1346, élu en 1350 au
Grand Conseil, électeur en 1354 du doge Marino
Falier et, en 1355, de Giovanni Gradenigo.

Ces trois actes, les seuls contemporains, nullement
« fabriqués » après coup, sont tous trois des actes
officiels. Comment imaginer que le scribe ait pu pour
de telles occasions employer un sobriquet? *Milione*
veut dire, bien sûr, tout autre chose.

Roberto Gallo pense qu'il pourrait s'agir là d'une
corruption du mot *Vilione,* nom d'une famille que
Marino Sanudo, dans sa *Vita dei Dogi,* dit s'éteindre
en 1303, avec la mort de Giovanni Vilioni. Effectivement, on trouve mention parmi les membres du
Grand Conseil, en 1185, d'un *Johanes Milioni* et, en
1187 puis 1188, d'un *Johanes Vilioni;* deux orthographes différentes, sans doute pour le même personnage.

Au temps où les Polo parcourent les routes d'Asie,
un des membres de cette famille Vilioni, et même
peut-être plusieurs d'entre eux, se trouvaient demeu-
rer en Perse ou en Chine. On a découvert à Yang-
tchéou, près de Nankin, ville que Marco Polo appelle
Janguy et qu'il dit avoir gouvernée pour le Grand
Khan, la tombe d'une jeune fille dont le nom prête à
controverse mais que les auteurs les plus sûrs s'accordent à identifier comme une Vilioni de Venise. Par
ailleurs et surtout, un Pietro Vilioni, vénitien, était allé
exercer son commerce en Perse; son testament, daté
de Tabriz en 1264, fait l'inventaire des marchandises
entreposées dans ses magasins en son propre nom ou
au nom de ses associés. Son père, Vitale Vilioni, teste à
son tour en 1281, à Venise, et rappelle les âmes de ses

parents décédés, de son fils Pietro donc, de ses petits-enfants même et de ses neveux : seul un autre fils, Giovanni, est en vie; c'est bien lui que doit citer Sanudo comme dernier survivant de la lignée, et tout concorde. Vitale parle de leur palais de San Giovanni Crisostomo et peut-être est-ce celui acheté quinze ans plus tard par les trois Polo, la Ca' Polo. Ces Polo, en tout cas leur aîné Marco il Vecchio puis ses descendants, auraient alors pris le nom de *Milioni* pour se distinguer des autres Polo qui, apparentés à eux moins directement, vivaient dans un autre secteur de la ville, dans le sestier de Canareggio.

L'appropriation par une famille du nom d'une nouvelle résidence n'a rien de surprenant. C'est souvent le palais qui affirme la puissance du lignage, qui transmet le prestige et, parfois, impose le nom même. La race des Vilioni éteinte, race illustre, les Polo ont pu prendre en quelque sorte le relais et, de cette façon, recueillir, pour la renommée, une part d'un héritage de considération; soit parce que leurs relations avec ces Vilioni, en Orient et à Venise, impliquaient une association marchande étroite et, par ce biais, une de ces adoptions si communes en Italie entre clans de l'aristocratie urbaine; soit, tout simplement, parce que les voisins, le petit monde du Rialto, puis les notaires et les magistrats prirent l'habitude d'appeler les nouveaux occupants du palais ancestral du nom de la famille qui l'avait fait construire et habité pendant des générations. Habitude inconsciente et démarche très ordinaire : les nobles, au moment où se fixaient ou se modifiaient les noms de famille, prenaient volontiers, on le sait, celui de leur principale seigneurie, de leur insertion topographique dans la ville, de leur rue ou de leur place.

Ce mot de *Casa* apparaît, bien entendu, pour désigner d'une façon générale la lignée, la race : on parle des *Case Vecchie* et des *Case Nuove*. Mais il vient parfois s'appliquer au nom de la famille elle-même et en fait alors partie intégrante. Les voisins des Polo, les Da Mosto, finirent par prendre le nom complet de *Ca Da Mosto*. La liste des lignées les plus riches de la cité, chargées en juillet 1294 d'armer les galères pour affronter les Génois, comprend un certain nombre de noms qui soulignent clairement l'importance accordée à la maison familiale, au palais commun : ainsi *Ca Venerio, Ca Brizi, Ca Gabriel* ou encore *Ca Delfino*. Un peu plus tard, en 1297, on cite les exploits, face aux Génois toujours, sur les côtes de Sicile, de Matteo Querini *della Ca Grande*.

Cette appropriation du nom peut aussi bien marquer une récente prise de possession et il semble que les familles d'Italie, installées dans les villes ou comptoirs d'Orient, ne soient pas restées étrangères à cette façon de faire. Quelque temps plus tard, les Génois conquérants de l'île de Chio, en 1346, établissent leur société financière, guerrière, coloniale, la fameuse *Mahona de Chio,* dans le palais occupé jusqu'alors par la famille vénitienne des Giustiniani et, dès lors, tous les lignages de la *Mahona* génoise, dont le nombre et les alliances varient d'ailleurs sans cesse, adoptent un deuxième nom, celui, vénitien, de Giustiniani, pour compléter le leur, pour marquer leur appartenance à un nouveau groupe social.

Toutes ces considérations, si elles n'apportent rien de définitif, viennent cependant à l'appui d'une hypothèse bien plus satisfaisante pour l'esprit que la légende brodée puis enjolivée sans aucune sorte de preuve et maintes fois répétée depuis, sans l'ombre d'une analyse. Assurément, *Milione* n'est pas un sobriquet. La *corte del Milione* serait bien l'ancienne *corte Vilioni*.

Et comment ne pas évoquer, enfin, pour la Ca' Polo comme pour toutes les autres, cette sorte de mystique, de puissance et de symbole qui s'attache à la maison, aux liens de voisinage, cet impérieux désir de s'ancrer dans la ville d'une façon durable, inébranlable? Séparés, longtemps absents, habitant tantôt tel quartier de Venise, tantôt Constantinople ou leur comptoir de Soldaïa, sur la côte de Crimée, les trois voyageurs rejoignent, en 1295, leur chef de lignée, Marco il Vecchio, resté seul dans la ville. Ils lui apportent non une grande fortune mais quelque argent; surtout, ils l'épaulent. Tous trois trouvent une demeure laissée libre, refuge et abri pour une nouvelle solidarité, et pas n'importe quelle maison : le palais d'une ancienne lignée, dressé, dans cette ville conquise sur les flots, dans cette ville instable, menacée, gorgée d'eau et battue par les marées, au plus haut et au plus dur des terres sur cette île du Rialto. Avec, aussi, des voisins sur lesquels compter : d'un côté, les Basegio, armateurs, marchands en Orient, associés dans les affaires des frères de Marco le jeune; de l'autre, les Da Mosto, une autre famille de négociants d'outre-mer, lignée où devait s'illustrer bien plus tard – rencontre étonnante des destins de voisins – le célèbre Alvise Cadamosto qui, pour le compte des Portugais, alla reconnaître, en 1455, les côtes d'Afrique jusqu'aux bouches de la Gambie. Deux voisins, deux grands découvreurs...

Plus que toute autre ville de la mer, Venise se
nourrit et s'enrichit de ces hommes venus ou revenus
de loin. Tout près du marché traditionnel du Rialto
où les campagnards viennent vendre leurs paniers
d'œufs, leurs bottes d'herbes et leurs couples de
volailles, où arrivent directement, sur les quais du
Grand Canal, les balles d'épices et de colorants
d'Orient, tout près de la grande boucherie et des
ardoises aux poissons, près de la petite place de San
Giacomo encore mal dégagée de sa ceinture étroite de
maisons de brique, là où bientôt les officiers de la
Seigneurie clameront les enchères pour les galées de
Grèce ou de Syrie, les marchands et voyageurs de
Constantinople et de Candie côtoient les Allemands,
marchands eux aussi, commissionnaires et facteurs de
grandes maisons, hommes des mines de fer et d'argent, solidement établis autour du monumental caravansérail, leur *Fondacho dei Tedeschi*. Ruptures de
charges, débarcadères et entrepôts, rencontres des
caravanes de mulets, des barques portées par les
fleuves jusqu'à la mer, des nefs et des galées au retour
de semaines d'attentive navigation méditerranéenne,
leurs routes rythmées des plus belles escales, creuset
de peuples, ce Rialto, ce *confinio* de San Giovanni
Crisostomo, que choisissent les Polo pour se rassembler au lendemain d'une si longue aventure, incarne à
lui seul tous les mirages et les destins de Venise et,
surtout, ceux de ses grandes entreprises orientales.

CHAPITRE II

Venise et l'Orient

L'AUTRE VENISE

Pour leurs deux grands voyages, les Polo ne partent pas de Venise, mais des comptoirs d'Orient. Niccolò et Matteo appartenaient à cette société coloniale des Latins solidement implantés sur les rives est de la Méditerranée et même déjà bien au-delà dans les ports de la mer Noire ou les *fondouks* (caravansérails d'étapes) des villes musulmanes du Proche-Orient, de Perse même. La genèse de leur aventure s'inscrit dans un contexte typiquement oriental et se lie étroitement aux bouleversements politiques, à toutes sortes d'avatars, aux conflits et catastrophes des mondes grecs de la mer Égée et de l'Asie. Examinés de ce point de vue, devant cette toile de fond si mouvante, et pour nous en tenir au seul aspect économique de l'entreprise, les cheminements et les travaux des deux puis des trois Vénitiens ne se présentent plus comme une aventure terriblement risquée, comme une recherche de profits hasardeux ou une exploration pure et simple, mais bien comme une opération parfaitement logique d'hommes soucieux de préserver ou de servir certains intérêts, de se reconvertir dans de nouvelles directions.

En aucune façon, un coup de folie, un saut dans l'inconnu : plutôt une réflexion sur la conjoncture politique, économique, une vue très claire et bien mûrie des situations et des possibilités de l'Orient vénitien, de ces terres coloniales, de cette autre et nouvelle Venise.

Toute l'histoire de la cité de la lagune, depuis les plus anciennes origines, porte la marque de l'Orient, par sa civilisation, par sa soumission puis son alliance avec Constantinople.

Dès les derniers temps de l'empire romain d'Occident, les vagues de réfugiés venus des cités de l'intérieur, de Padoue à Trévise et à Udine, fuyant pendant des siècles les Goths, les Hongrois, puis enfin les Lombards, chercher refuge dans les îles et les *lidi,* les cordons littoraux face à la mer, se plaçaient inévitablement sous la protection et la dépendance de l'empire byzantin, maître encore de l'exarchat (province) de Ravenne. Pendant longtemps, les officiers grecs, l'exarque, le « maître des soldats », gouvernèrent ces petites cités romano-byzantines de la basse Vénétie; une de ces communautés recevant d'ailleurs le nom d'Héraclea, en l'honneur de l'empereur Héraclius. Plus tard, malgré la proclamation du premier doge, après l'invasion des Francs de Pépin le Bref (751) et les campagnes de Charlemagne, en dépit de ses prétentions à l'empire universel, malgré un certain repli du siège politique, de la côte même (Malamocco) à l'île du Rialto bien plus liée à la terre ferme, tous les doges conservent une stricte indépendance face aux maîtres de l'Italie et, au contraire, d'excellentes relations avec Byzance, se plaçant volontiers dans une position de sujets privilégiés de l'empire

L'Orient vénitien au XIIIe siècle

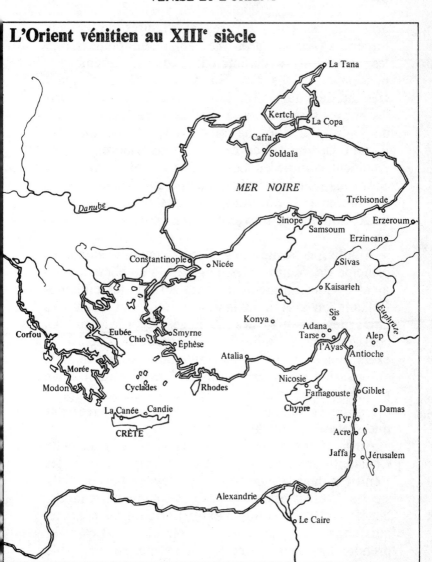

grec. Ils portent les titres et dignités de la cour impériale (*patrice, protosébaste*), en adoptent parfois les usages et le cérémonial, reçoivent même une pension en pièces d'or. Surtout leur flotte s'engage très tôt, déjà agressive, dans une lutte difficile contre les pirates slaves alors retranchés dans leurs repaires de Dalmatie; elle maintient, pour le compte des Byzantins, une police de la mer intérieure puis, en Occident comme en Orient, attaque et repousse les Sarrasins; elle aide même l'empereur Basile Ier, dans les années 1010, à transporter ses troupes pour ses deux campagnes d'extermination contre les Bulgares.

Auxiliaires armés des Grecs, toujours sujets en principe de l'empire, les Vénitiens s'établissent aisément à Constantinople et dans différentes cités des Balkans ou d'Asie Mineure. Ceci bien avant les Croisades, en vertu des privilèges accordés dès 993, confirmés par la bulle d'or – *chrysobulle* – de 1082 : exemption d'une part importante des taxes portuaires, autorisation de tenir boutique dans Constantinople même et libre circulation des biens dans l'empire; privilèges également pour le règlement des litiges, par une sorte de tribunal mixte.

Ainsi, au temps où les Polo tiennent leur maison de Constantinople, vers 1250 donc, l'implantation des Vénitiens dans la ville date-t-elle déjà de plus de deux siècles. C'est là une belle et forte colonie marchande, bénéficiant d'un statut d'exterritorialité ou presque, qui, dans l'intervalle, n'avait fait que s'affirmer et prendre dans tout l'Orient chrétien figure de véritable capitale d'un empire.

Déjà les premières Croisades, à partir de 1097,

avaient offert, par l'acheminement du ravitaillement des Latins puis des troupes elles-mêmes, par la participation active aux sièges des villes maritimes de Terre sainte, d'autres occasions d'intervenir et d'établir des têtes de ponts, comptoirs et escales : à Tyr surtout et dans plusieurs cités du royaume latin de Jérusalem. Venise assure, par ailleurs, sa domination sur la Dalmatie et sur l'Adriatique (« lac des Vénitiens »), sur les villes et sur les îles du chemin d'Orient. Mais, dans les provinces grecques et à Constantinople, ses marchands se rendent insupportables, provoquent de vives réactions de xénophobie qui, après diverses alarmes, conduisent à de sanglants massacres en 1182.

D'où un nouveau pas pour les Vénitiens, soucieux de contrôler plus sévèrement le gouvernement de l'empire. Ils interviennent dans les querelles dynastiques, soutiennent leurs protégés. Sous prétexte à la fois de représailles et de préserver la paix intérieure, ils poussent les Croisés amenés par leurs vaisseaux, endettés et déjà complices d'une action armée contre la ville dalmate révoltée de Zara, en 1204, à prendre Constantinople, qui est mise à sac, pillée, réduite à merci et à raison. Action brutale et paradoxale de chevaliers de la Chrétienté contre d'autres Chrétiens, ceux d'Orient. Action que l'on s'est appliqué à présenter comme une « déviation » de la Croisade, mais qui n'était en somme que l'aboutissement logique d'une politique croissante consciente, concertée, au service des ambitions de nobles et de marchands conquérants.

Aussitôt après la prise de Constantinople, pour la répartition des charges et des dépouilles, s'affirment les prétentions de la cité de la lagune. Tout d'abord, douze électeurs avec, parmi eux, six Vénitiens, désignent comme empereur latin de Constantinople, Baudouin de Flandre contre Boniface de Montferrat, proche des Génois; puis une commission de vingt-quatre répartiteurs attribue un quart des territoires pris aux Grecs au nouvel empereur, le reste étant partagé également entre l'ensemble des Croisés d'une part, et les Vénitiens de l'autre. Leur doge Dandolo devient ainsi le « seigneur d'un quart et demi de l'empire de Romanie » (la *Romania* étant, pour les Italiens, la *terre des Romains*, c'est-à-dire l'héritage de l'empire romain en Orient, donc les terres de l'empire byzantin).

Cette *partitio Romanie* donne à Venise un véritable empire colonial : la Grèce continentale à l'ouest des montagnes du Pinde, le Péloponnèse, les îles du Sud, en particulier les Cyclades et la Crète, plaque tournante de leur politique et de leurs affaires. C'était leur ouvrir et même leur donner le contrôle de la route maritime d'Orient vers le Bosphore, par quelques points d'appui essentiels tels Modon et Coron, c'était surtout leur assurer une suprématie décisive dans ce conflit acharné où Marco Polo devait se trouver plus tard impliqué, contre les Génois, chassés d'abord de Constantinople, en tout cas placés dans de très mauvaises postures.

Victoire des Latins donc, croisés et marchands, non sur l'Islam mais sur les Grecs. Victoire aussi de l'Église de Rome sur celle d'Orient, séparée et honnie, méprisée depuis le Grand Schisme de 1054. La Croisade de 1204 s'inscrit dans une vaste politique de Rome pour réunir ou reconquérir les Églises orientales, celle du patriarche de Constantinople en premier lieu. De ce point de vue, les Vénitiens s'affirment serviteurs de la foi romaine. Le sac de Constantinople, les massacres des Grecs, les pillages et l'accaparement des terres ne s'expliquent évidemment que par de vifs et cruels antagonismes entre les frères en religion, ceux d'Orient accusés d'hérésie, accusés plus encore – mais les apparences pour le moins étaient bien contre eux – d'avoir, depuis vingt ou trente ans, pactisé avec les Musulmans de Saladin.

La nouvelle Église latine, imposée dans la capitale, fut tout entière confiée à un clergé de prêtres de Venise, qui, après avoir prêté serment de ne choisir comme patriarche qu'un Vénitien, se rendirent à Constantinople et désignèrent alors Tommaso Morosini, descendant du doge Domenico Morosini. Ces nouveaux prêtres s'installent fermement; en fait, devant une certaine faiblesse de l'autorité impériale, les Vénitiens, maîtres en propre d'un grand quartier de la ville, entreprenant pour leur compte une véritable reconquête du pays, dominent la grande métropole marchande dans tous les domaines de l'administration et de la vie quotidienne.

Venise, dans l'Orient grec, est, comme à Constantinople, chez elle. Ses grandes familles se taillent de véritables États quasi indépendants : Marino Sanudo, « duc de l'archipel », dans les îles du Sud de la mer Égée, les Orsini dans les Ioniennes, d'autres seigneurs, les *terciers,* dans l'Eubée. Pendant une vingtaine d'années, ces terres vénitiennes d'Orient se proclament, face à la ville-mère de la lagune, dans un état de semi-indépendance, refusant de recevoir des ordres, prétendant conduire elles-mêmes leur politique. A vrai dire, Constantinople n'est plus la capitale d'un empire latin très réduit par la contre-offensive des Grecs, mais vraiment le cœur et la tête d'une Romanie vénitienne. Sous Giacomo Tiepolo, qui fit toute sa carrière en Orient, premier duc de Crète, puis à deux reprises gouverneur, *podestat,* de Constantinople (en 1218-1220 et 1224-1227), on songea à transférer là le siège de tout l'État vénitien, empire de la mer, empire des rives d'Orient. Prétention abandonnée peu après, de toute façon vouée à l'échec, mais qui avait trouvé de nombreux partisans à Venise même, puisque Tiepolo, l'homme de l'Orient, y fut élu doge en 1229.

Pendant plus d'un demi-siècle, au temps où les frères Polo établissent leur comptoir d'affaires et leur demeure commune sur les rives du Bosphore, l'État vénitien, bicéphale, ses communications soumises aux courses des galées, hésite entre ces deux pôles. Les comptoirs d'Orient ne sont ni des excroissances ni des échelles hasardées en pays hostiles, coupées de tout renfort et de tout soutien, mais de solides implantations supportées par une prise de possession politique, par un appareil bureaucratique déjà très sourcilleux, par une forte colonisation humaine. Plus que des colonies, ce sont d'autres Venise faites – pour le paysage urbain, pour les maisons, les usages et les institutions, pour les genres de vie –, à l'image de la patrie laissée derrière soi depuis longtemps ou même complètement ignorée. Vénitiens hors de Venise, les marchands, des hommes comme les Polo, s'ancrent solidement, se font hommes de l'Orient. De là peuvent partir, pour un autre pas en avant, d'autres ambitions plus lointaines.

Les épices, la Corne d'Or

Dans le même temps, au fil des siècles, le trafic outre-mer prenait des dimensions considérables. Navires et marchands de Venise s'imposaient partout. Si les premières fortunes, dans les âges obscurs, tenaient surtout à l'exploitation des salines de l'Adriatique, à l'échange du sel contre quelques produits de la terre ferme, très vite Malamocco, Torcello, Héraclée, Rialto et autres bourgades du complexe lagunaire de la future Venise s'étaient insérées et intégrées dans les vastes circuits des commerces avec l'Orient, grec d'abord, musulman ensuite. A partir des années mille au moins et peut-être avant, Venise unifiée, rivale alors des ports de Pouille ou de Campanie, d'Amalfi surtout, lance ses navires, plus nombreux, plus audacieux, sur la haute mer vers le Levant méditerranéen. Un trafic complexe, infiniment varié, profitable bien sûr et capable de s'adapter à tous les avatars, à tous les changements.

Évoquer ces négoces, c'est vouloir tenir une gageure, dire en quelques mots tous les fastes, les luxes et les modes d'échanges perpétuellement renouvelés qu'évoquent encore pour nous les pays exotiques. Mais des échanges, des équilibres et des rapports de force qui ne cessent d'évoluer. Pendant longtemps, avant les Croisades, Venise, comme tout l'Occident, doit payer les merveilles du Levant et de la lointaine Asie avec des produits bruts. Commerces triangulaires semble-t-il : dans les années 1000-1100, les galères vénitien-

nes, légères alors, quittaient la lagune chargées de sel,
de bois, de fer, de grains même, que leurs marchands
proposaient en Égypte contre quelques épices – le
poivre surtout – et contre l'or du Soudan; la cargaison
était ensuite conduite à Constantinople, capitale et
miroir du monde; de là, les Vénitiens ramenaient
d'autres épices, les inestimables produits tinctoriaux,
plus encore les soieries de luxe, les ivoires, les bijoux et
les pièces d'orfèvrerie. Une balance donc déséquili-
brée que compensaient seulement les services des
marins et mercenaires : transports à l'intérieur du
monde grec et vers les ports de l'Islam, ravitaillement
des métropoles, engagement des soldats et des navigateurs. Une nécessité qui fut une des constantes de la
présence italienne en Orient et qui explique des
interventions de plus en plus fréquentes dans les
affaires intérieures de Byzance, les monopoles économiques, la politique même; une nécessité qui incite les
Vénitiens, et leurs rivaux génois, ici comme en Terre
sainte, à prendre parti et à agir, à aller toujours plus
loin, à explorer ces mondes étrangers et leurs possibilités : non pas des passants épisodiques, indifférents,
des « exploitants », mais, véritablement, des acteurs
très entreprenants, initiés et rompus à toutes les
techniques, à toutes les approches sociales.

Peu à peu, la situation des gens d'Occident s'affermit et leurs galées n'apportent plus seulement des
matières brutes, lourdes, « stratégiques » en quelque
sorte, mais des produits plus chers, manufacturés
même : les draps de Flandre et les toiles de Champagne, le corail si précieux en Orient, l'argent des
mines de Serbie. Capitale du métal argent, Venise
domine tout ce grand commerce international : un

atout considérable dans sa stratégie marchande car l'argent vaut très cher chez les Musulmans sollicités par une forte demande de l'Asie lointaine, à une époque où la Chine ne frappe que des monnaies de ce métal.

S'il n'est assurément aucun port de la mer intérieure, aucune retraite des rivages que les Vénitiens ne fréquentent pour leur commerce, s'ils se sont solidement implantés à Alexandrie et au Caire, à Tyr et à Acre, aucune de leurs colonies marchandes n'égale, à beaucoup près, celle de Constantinople au temps où les frères Polo y tiennent leurs affaires.

Cette maison de Marco il Vecchio, Matteo et Niccolò, aucun texte ne permet de l'évoquer à coup sûr et la vie interne de ce grand comptoir de négociants, entrepôt pour tout l'empire, ne s'éclaire que de rares lueurs documentaires. Mais nous voyons très bien le voisinage et les conditions de vie, les modalités de transactions de ces marchands venus de Venise : un petit groupe parmi d'autres Latins, pour beaucoup plus besogneux sans doute que nantis, anxieux de tirer argent et profit ou simplement de survivre dans un monde du bout du monde, cosmopolite, changeant, instable, sans cesse menacé.

A Constantinople, les Vénitiens, comme les autres Occidentaux, sont établis dans une sorte de quartier réservé, une série de concessions maritimes situées dans un faubourg de la grande ville, tout au long de la rive sud de cette baie profonde appelée la Corne d'Or, en bordure des « murs maritimes » qui, de ce côté, défendent la cité. Identifié dès le Xᵉ siècle, ce quartier vénitien, un des plus anciens, s'étendait à l'ouest, tout

à l'extrémité de cette longue frange côtière; en 1082,
il semble annexer la concession amalfitaine toute
proche puis, plus tard (privilège impérial de 1189) les
quartiers allemand et franc. Ce fut toujours, pendant
ce temps, une zone mal bâtie, de structure très lâche
où les maisons de résidence, mal groupées, se disper-
saient parmi les terrains vagues, les jardins et les
vergers. Venise détenait là, nichées dans les échan-
crures de la côte, six échelles, noyaux de peuplement
et d'activités et, par ailleurs, deux grands entrepôts
publics, appelés plus tard *Balkapan hani* (entrepôt au
miel) et *Hurmali hani* (entrepôt aux dattes), vastes
caravansérails articulés autour d'une grande cour
intérieure.

La vie sociale et spirituelle, l'attachement à la mère
patrie, se marquait dans le paysage par la prééminence de quatre belles églises, paroissiales ou de
monastères : Sant'Akyndinos, la plus ancienne, qui
possédait un moulin, un four, quelques tavernes ou
auberges et où étaient conservés les poids et mesures
de la colonie; San Niccolò, San Marco et Santa
Maria, acquise seulement ou construite vers 1200.

1261 : L'ANNÉE TRISTE

Pourquoi, dès lors, en 1260, les deux frères Polo,
abandonnant leur maison de Constantinople et leur
entreprise familiale, cherchent-ils si loin fortune?

C'est que, depuis quelques années déjà, les rapports
de force évoluent et compromettent les beaux privilèges vénitiens. L'empire latin résiste mal aux atta-

ques des peuples du Nord et autres « Barbares » ainsi qu'aux entreprises de reconquête surtout des Grecs, repliés près de la capitale, à Nicée, bientôt maîtres de l'Anatolie entière. Les Vénitiens maintiennent des relations assurées entre Constantinople et l'Occident grâce à leur marine et à leurs comptoirs des îles ou du Péloponnèse, mais cette domination latine n'est plus qu'un empire de la mer, accroché aux rivages, affrontant, en Crète principalement, des mouvements pro-hellènes, des fidélités aux aristocraties grecques locales et à l'Église orthodoxe. Les armées de l'autre empire, celui de Nicée, sous la dynastie des Paléologue, progressent et menacent; en 1260, elles sont précisément sur la route de Constantinople et commencent à l'investir. Sur mer, Michel VIII Paléologue compte sur les galères et les nefs des Génois qui, par le traité de Nymphée, le 13 mars 1261, obtiennent toutes sortes de privilèges... ou de promesses.

Si bien que cette reconquête byzantine dresse une fois de plus Vénitiens contre Génois et, pour les marchands, semble prolonger cette interminable querelle entre les deux grandes nations maritimes pour la maîtrise des marchés, des routes et des terres du Levant. Un conflit opiniâtre, longtemps sourd, qui avait éclaté au grand jour quelques années auparavant à Saint-Jean-d'Acre pour la possession d'une concession territoriale plus étendue, avec la petite église de Santa Saba et le contrôle du port : le 24 juin 1258, les deux flottes s'étaient affrontées à quelques lieues de la ville, lors d'une bataille acharnée, sanglante, qui finalement vit la complète victoire des Vénitiens : 25 galères génoises prises d'assaut, les autres en fuite; à Acre même, les immeubles génois de la ville détruits et leurs magasins pillés. Mais une querelle qui reprend sans cesse, pendant plus d'un siècle, dans tout l'Orient, sur les rivages de Syrie et d'Anatolie comme dans les parages des îles, ou même dans l'Adriatique et qui, à plusieurs reprises, allait peser lourd sur le destin des Polo, du jeune Marco surtout.

A Constantinople, Venise met toutes ses forces disponibles avec les ressources de son or et de sa diplomatie au service des Latins : flotte de secours sous le commandement de Mario Gradenigo; emprunt de 3 000 hyperpères d'or; accord avec les princes latins, francs ou vénitiens, de la Morée et de l'archipel. Mais les Paléologue tenaient déjà les places fortes des Balkans; ils avancent en Thrace avec 800 cavaliers suivis d'une foule de piétons, de volontaires attirés par la promesse du pillage. Avant l'entrée triomphale du nouvel empereur grec, le 26 juillet 1261, ce furent plusieurs jours de massacres, d'incendies, la mise à sac systématique des magasins. Baudouin, l'empereur franc, le patriarche latin Giustiniani et le podestat vénitien Gradenigo fuient ensemble sur une nef. Les Vénitiens se cachent dans la ville et, d'une autre flotte vénitienne arrivée trop tard, marins et combattants contemplent, impuissants et horrifiés, les hautes flammes qui gagnent tous les bâtiments, magasins, églises et palais de leur arrogante colonie si bien assise.

Fin de cet empire latin imprudemment conquérant, qui n'est pas en mesure de s'imposer face au particularisme des Grecs, à leur force de résistance, à leur foi. Échec aussi de cette domination des Vénitiens, prépondérante dans la capitale depuis plus de deux siècles. Non plus alliés privilégiés, incapables d'intri-

guer, d'influencer ou de commander, les voici réduits
au statut de simples étrangers, soumis à tous les aléas,
en butte à tant d'antagonismes longuement rancis,
nourris de mauvais souvenirs : une position certainement très inconfortable qui ne pouvait que provoquer
des drames d'adaptation à une nouvelle conjoncture si
maussade et même des renoncements, des replis.

Plusieurs familles regagnent alors Venise, s'installent dans les maisons de leurs races et, de là,
continuent à diriger leurs affaires en Orient par
personnes interposées, capitaines de navires, petits
associés, commissionnaires. Les aînés entrent au
Grand Conseil : exemple de reconversion, d'absorp-
tion dans la métropole, d'une société coloniale maintenant davantage soucieuse de faire fructifier ses
capitaux sur place, d'investir aussi dans les possessions foncières de la terre ferme. Ainsi Venise, dès ces
années 1260, Constantinople compromise, tourne-
t-elle ses énergies et ses ambitions dans des directions
plus variées qu'autrefois : en Occident ce sont, d'une
part les trafics avec l'Allemagne et, de l'autre, ses
convois de galées, avec la Flandre et l'Angleterre; ce
sont aussi les jeux subtils de la politique continentale;
la ville des lagunes prend à son service des troupes de
mercenaires et participe d'une façon plus active aux
affaires d'Europe; elle multiplie les ambassades dans
toutes les directions et, en Orient, se démarque
complètement des destinées de Byzance. Visiblement
son empire est maintenant dans les îles et les comptoirs de Grèce. Mais c'est là une autre société, en
quelque sorte diminuée, privée de ses grands noms,
menacée, qui a perdu une bonne part de sa puissance
conquérante. Le temps n'est plus où les podestats

vénitiens de Constantinople et des autres établissements ou les dynasties de l'archipel pouvaient imposer
leur volonté jusque sur les îles de la lagune et rivaliser
avec le doge.

C'est à ce moment-là que Marco Polo il Vecchio,
personnage assez modeste, peut-être même obscur,
confronté à certains grands négociants, regagne
Venise, s'y installe et abandonne définitivement sa
maison et ses affaires sur les rives de la Corne d'Or,
tandis que ses parents, plus jeunes, poursuivent les
rêves d'Orient.

D'AUTRES ESPOIRS VERS L'EST

De fait, leurs privilèges et leurs espoirs à Constantinople perdus, tous les Vénitiens ne renoncent pas
aussitôt. Certains s'accrochent à leurs possessions des
îles, y affirment un pouvoir plus contraignant, y
développent une économie spéculative de bon rapport;
ainsi, par exemple, à Chypre et en Crète, pour la
canne à sucre et les vignobles.

D'autres, plus hardis aventuriers, s'engagent sur de
nouvelles voies. L'échec de 1260-1261 et l'effondrement des anciennes positions si confortables incitent
quelques marchands plus entreprenants à chercher
ailleurs, à dominer d'autres marchés ou, du moins, à
s'y établir, à s'immiscer dans de lointains trafics
jusqu'alors encore complètement étrangers à leurs
univers. Constantinople leur échappe en partie car les
Génois y tiennent pour le moment une place prépondérante; mais d'autres secteurs de l'empire ou des

pays voisins restent à explorer. Ils peuvent aussi, pour contourner l'étape de la capitale et des douanes de Byzance, chercher, pour les produits d'Orient, d'autres embarcadères ou aller plus loin à l'est au-devant des caravanes de la lointaine Asie.

Mais, pour la plus grande gêne des marchands italiens, ces caravanes, ce trafic si précieux des épices de l'Inde et de l'Insulinde, des soies de Perse ou de Chine, transitait toujours, et parfois à deux ou trois reprises, par les provinces ou les comptoirs sous contrôle des Musulmans de Bagdad, de Syrie, d'Arabie et d'Égypte, dont les navires prenaient les cargaisons de poivre et d'autres condiments – gingembre, cannelle, girofle – dans les ports de la côte de Malabar pour les porter à Ormuz ou dans les escales de la mer Rouge; de là, leurs caravanes atteignaient Damas, Bagdad ou Le Caire. De même pour la soie d'Asie centrale qui se négociait dans les villes caravanières d'Iran, à Tabriz principalement, puis était conduite par Erzeroum et les caravansérails des hauts plateaux d'Anatolie jusqu'aux ports de la Méditerranée.

Ces intermédiaires et ponctions fiscales considérables alourdissaient, décuplaient parfois les prix. Situation contre laquelle les Italiens prétendent s'insurger en provoquant la mise en place d'autres circuits commerciaux, sur des routes encore peu explorées qui, précisément, permettraient de contourner le bloc des terres d'Islam, de se passer de leurs navires et de leurs *fondouks*.

CHAPITRE III

Les Mongols et l'Asie lointaine; les ambassades

En 1260, les conditions politiques en Asie, peut-être pas aussi excellentes que l'on a bien voulu l'écrire – pour une période plus tardive il est vrai –, permettent une circulation aisée, convenable en tout cas, des caravanes et des marchands. Ceci grâce à l'installation d'un État solide, bien organisé, capable de faire régner un certain ordre sur d'immenses empires. Les Mongols ont alors conquis toute l'Asie centrale et y imposent une paix suffisante pour que les produits de l'Extrême-Orient arrivent sans trop d'obtacles et à moindres frais jusqu'aux escales de la mer Noire ou même du Levant méditerranéen fréquentées par les Italiens.

LE GRAND EMPIRE DES STEPPES

Depuis des temps immémoriaux, les peuples nomades originaires ou établis sur les hauts plateaux de l'Asie centrale, dans la région dite souvent du Turkestan, menaçaient les États de leurs voisins séden-

taires. Ils y conduisaient leurs troupeaux et s'empa-
raient de leurs terres. Certaines de leurs tribus
servaient volontiers comme mercenaires, souvent gar-
des particulières des souverains. Puis on les voyait
conquérants, exigeant de vastes domaines, lançant des
raids ravageurs sur les grandes cités mises à sac,
arrêtant pour le moins les caravanes, et même,
forgeant de toutes pièces de véritables États dont les
capitales, mal fixées, se déplaçaient au rythme des
transhumances.

Autrefois l'empire byzantin avait dû pendant
longtemps combattre puis compter avec les Khazars
et avec les Petchenègues. Dans les années mille, les
Turcs Seldjoukides, d'abord guerriers pour le calife de
Bagdad, s'étaient taillé un vaste sultanat en Asie
Mineure, rassemblant sous une même férule provinces
et villes arrachées à Constantinople. Plus tard, à partir
de 1150 environ, d'autres peuples de cette Asie des
plateaux, ceux que l'on appelle les Kara-Khitaï ou les
Mongols, vont vers l'est, franchissent à plusieurs
reprises la muraille de Chine, menacent la Chine de
Pékin, occupent les régions qui forment actuellement
la Mandchourie et la Mongolie. Vers le sud, une autre
fédération de tribus nomades, celle des Gourides,
attaque et prend tout le Nord de l'Inde.

Dans l'histoire séculaire de ces raids et invasions,
l'événement fut, dans les années 1200, l'unification de
tous ces peuples nomades sous l'autorité d'un maître
ou, du moins, d'un clan, d'une famille. Jusque-là, les
empires n'avaient que des contours très flous et des
durées souvent éphémères, liées aux hasards d'alliances incertaines et aux conflits entre les chefs. Des
destins fragiles et, vraisemblablement, aucune unité,

ni de langue ni de religion. Les tribus ou confédérations de peuplades s'opposaient constamment les unes aux autres. De cet état d'anarchie, de confusion, témoignent évidemment les incertitudes du vocabulaire chez les auteurs tant chinois que musulmans ou même chrétiens qui parlent indifféremment, pour désigner ces peuples d'un autre monde si étranger aux leurs, de Tartares, de Turcomans, de Keraït, de Mongols enfin.

C'est en 1210 que le chef d'un clan des plateaux de l'Est de la Mongolie actuelle, nommé Tamudjin, maître seulement d'une petite troupe de guerriers, peut-être aidé par quelques conseillers ou alliés musulmans, réussit par une longue série d'aventures, d'escarmouches et surtout d'intrigues à rassembler sous son autorité toutes les tribus « mongoles ». Il prend dès lors le nom d'empereur, se fait appeler Gengis Khan mais échoue, semble-t-il, lorsqu'il veut envahir la Chine et se contente de harceler ses frontières. Il étend cependant rapidement son empire vers l'ouest, par des conquêtes brutales. Semant partout la terreur et se laissant complaisamment précéder d'une réputation détestable, il sait aussi profiter des divisions dynastiques, des querelles religieuses et se fait souvent accepter ensuite par une politique tolérante à l'égard des croyances et des rites, par l'établissement d'une véritable paix et d'une administration scrupuleuse. En tout cas, Gengis Khan occupe le Turkestan occidental, puis la Perse et l'Afghanistan; il pousse ses armées jusque dans les vallées du Caucase et même, à travers les steppes, jusqu'au fleuve Volga. Après sa mort, en 1227, son troisième fils et successeur, Ogotaï (1227-1241),

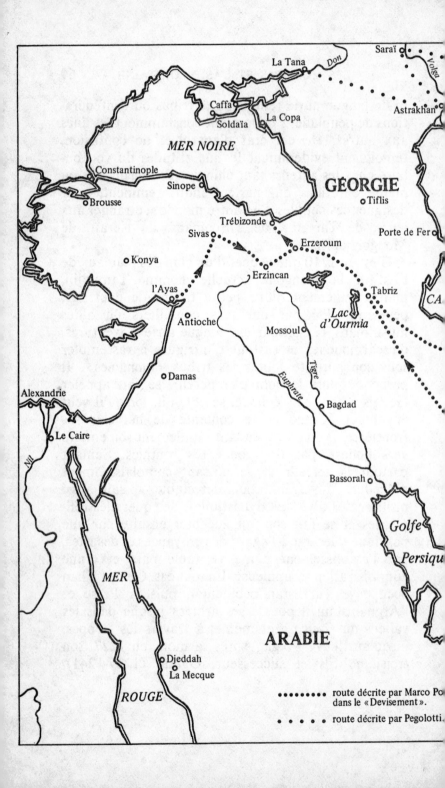

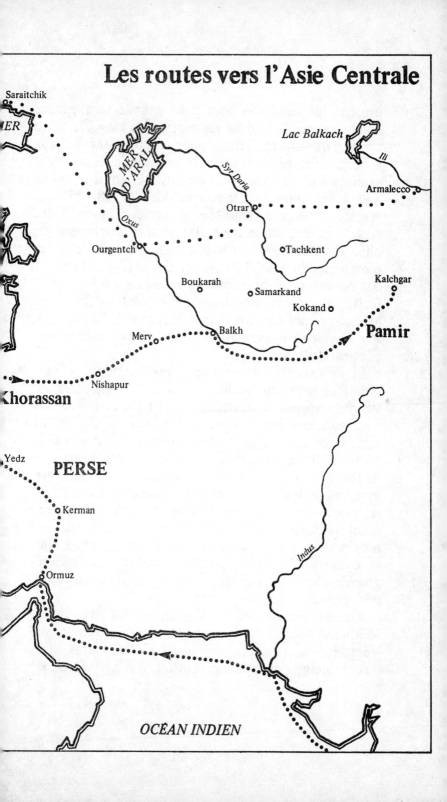

Les routes vers l'Asie Centrale

Saraitchik

Lac Balkach

MER

MER D'ARAL

Syr Daria

Ili

Armalecco

Oxus

Otrar

Ourgentch

Tachkent

Boukarah

Samarkand

Kalchgar

Kokand

Merv

Balkh

Pamir

Nishapur

Khorassan

Yedz

PERSE

Kerman

Indus

Ormuz

OCÉAN INDIEN

attache lui aussi son nom à de grandes entreprises
conquérantes; il envahit les plaines de Hongrie et ne
s'arrête que devant Vienne pour se replier ensuite plus
à l'est, derrière la Vistule et le Danube. Surtout, il
attaque dans le Proche-Orient musulman; il prend et
met à sac Bagdad, Damas et Alep (1258-1259), il
réussit à venir à bout de la secte religieuse des
Assassins, société secrète dangereuse, maîtresse de
châteaux fortifiés, repaires inexpugnables dans les
montagnes du Nord-Liban et de Syrie; le grand maître
des Assassins négocie, puis se rend et est mis à mort.
Cette suite d'épisodes dramatiques mettait fin à une
longue période de terreur que Marco Polo relate dans
son *Devisement* avec force détails, sans cacher son
admiration.

Succès spectaculaires donc, qui frappent les imaginations jusqu'en Occident où l'on voit les Mongols
surtout ennemis et vainqueurs de l'Islam. Mais, de ce
côté, succès tout de même très limités. Ni Ogotaï, ni
ses successeurs ou parents ne s'établissent à Bagdad;
ce sont des chevauchées sans suite, des raids qui
suffisent à accréditer une image, celle des cavaliers
mongols invincibles et dévastateurs. Tout au contraire, leurs conquêtes vers l'est leur livrent complètement la Chine qu'ils submergent d'abord par les
provinces du Nord, occupant Pékin (1279), renversant
la dynastie des Song pour y installer leur propre
gouvernement et une autre dynastie mongole, celle
des Yuan.

Au moment où Marco Polo quitte les rives de la
Méditerranée, en 1271, pour le second voyage de nos
Vénitiens donc, l'empire mongol s'étend ainsi sans
discontinuer, sans aucune rupture, des plaines de la

Russie à la mer de Chine. Trois royaumes ou empires
– *khanats* – s'étaient formés dans la partie occidentale, avec leur chef – leur *khan* – et leur gouvernement
particuliers, mais dépendant toujours du maître mongol de la Chine, le Grand Khan de Pékin : le khanat de
Perse dont la capitale ne s'est pas installée dans l'une
des grandes métropoles politiques ou religieuses traditionnelles mais, près du lac d'Urmia, à Meragha,
bien plus à l'ouest, face à la vallée de l'Euphrate et
aux armées syriennes; puis le khanat de la Horde
d'Or, dit aussi de *Kiptchak*, dans la Russie du Sud,
qui exigeait tribut de ses voisins, les princes de
Moscou; enfin, le khanat du Turkestan, ou de *Djag-
hataï*, avec sa capitale Ourgentch, au sud de la mer
d'Aral, grand carrefour des routes caravanières.

Kubilaï (1260-1294), le Grand Khan de Pékin que
connut et servit dans plusieurs provinces de Chine
Marco Polo, étendit encore ces territoires et ces
dominations dans plusieurs directions. Certes, il
échoua dans ses deux entreprises de débarquement au
Japon, en 1274 et 1281; sa flotte fut arrêtée et en
grande partie décimée par d'affreuses tempêtes
déclenchées par ce vent violent et providentiel que les
Japonais célèbrent comme un dieu. Il échoua aussi
dans une autre tentative maritime, cette fois contre les
îles de l'Insulinde, en 1291. Mais il conquit et pacifia
les provinces extérieures et les marges de la Chine,
vers le sud et le sud-ouest surtout. Il envoya ses armées
contre le royaume de *Manzi*, c'est-à-dire la Chine du
Sud, puis fit occuper et annexer les pays des contre-
forts de l'Himalaya et soumit même le Tibet. Autant
de campagnes victorieuses et de conquêtes qui marquent l'extraordinaire force des Mongols et le génie

politique de leur souverain. Marco Polo, dans son livre, se fait historiographe de cette épopée mongole. Il y participe, comme administrateur du moins, et ne tarit pas d'éloges : les Mongols sont mieux organisés, plus rigoureux dans leurs préparatifs militaires, mieux entraînés au maniement des armes, plus belliqueux que leurs voisins qui, amollis par les richesses, ne pensent qu'à amasser de l'or et se complaisent dans des jeux et des plaisirs subtils.

Ainsi nos Vénitiens ont-ils connu, observé, d'abord dans les années 1260, la montée de la puissance mongole, assistant à cette étonnante entreprise de soumission d'un continent entier; puis, lors du second voyage, après 1270, l'apogée de cet empire, non seulement dans sa capitale de Pékin d'où partaient les ordres et les initiatives politiques, mais aussi dans les provinces, envoyés en mission.

DE L'EFFROI À L'ALLIANCE

Mais comment imaginer ce que les deux frères, Niccolò et Matteo Polo, savent de ces Mongols qu'ils appellent plutôt les Tartares, lorsqu'ils quittent Constantinople et Soldaïa, en 1260?

Pendant très longtemps, tout ce que l'on disait des peuples nomades et guerriers de l'Asie centrale relevait surtout de la légende, entretenue par des récits purement imaginaires de leurs exploits et de leurs cruautés, par leur réputation de violence, de barbarie. Très vite, avant même le déferlement des bandes armées sur des pays relativement proches d'où

les nouvelles pouvaient venir à coup sûr, tout l'Occident fut frappé de stupeur à l'annonce du péril. La
peur des Mongols, naturellement alimentée par toutes
sortes de rapprochements avec les peuples mauvais
des Écritures saintes ou les monstres de l'Apocalypse,
prit alors l'allure d'une véritable panique.

La première mention écrite semble remonter à une
chronique obscure de l'an 1122 qui se fait l'écho des
ravages de ces guerriers nomades. Puis, après un
siècle de textes incertains, d'un flou complet, arrivent
les notes bien plus précises de Mathieu Paris (1195-
1259), moine anglais de l'abbaye de Saint-Albans,
auteur d'une monumentale *Chronica majora* où il
présente comme une somme de toutes les connaissances du monde des événements de son temps et où il
disserte longuement des Mongols. Mais, pour lui, tout
se perd encore dans d'étranges affabulations ou
fantaisies d'identification : les Mongols c'est l'armée
de Satan, aux combattants innombrables, inhumains,
monstres buveurs de sang, mangeurs de chiens et
d'hommes; ils ignorent tout des langues pratiquées
dans les pays jusque-là visités des Chrétiens et
personne ne peut parler la leur. C'est, surtout le
peuple de Gog et Magog, celui des mauvais géants
évoqués dans le *Livre d'Ezéchiel* : le roi des Scythes
habite le pays de Magog qui symbolise le peuple des
ennemis de Dieu.

D'autres fantaisies ou confusions suivent chez les
auteurs du temps ou juste après : « On peut croire que
ces Tartares sont bien les dix tribus qui ont méprisé la
loi de Moïse, ce sont les sectateurs du Veau d'or, ceux
qu'Alexandre le Macédonien s'efforça d'enfermer
dans les montagnes sauvages de la mer Caspienne. »

Et l'on voit bien dans quantité d'écrits, dans les récits
des voyageurs surtout, tels ceux de Benjamin de
Tudèle, du Franciscain Guillaume de Rubrouck, du
prince arménien Héthoum, se développer comme à
plaisir cette légende, constamment enrichie d'éléments nouveaux plus ou moins fabuleux, qui établit
une totale confusion entre les peuples de Gog et
Magog « ennemis d'Alexandre », contenus par lui
derrière les Portes de Fer, au bord de la Caspienne, et
les Tartares déferlant jusque vers la muraille de
Chine...

En tout cas, ils sont les persécuteurs des Chrétiens,
dangereux, redoutables : en 1241, on ordonne des
prières publiques à Notre-Dame de Paris pour demander à Dieu de protéger son peuple de l'exécrable
fléau des Mongols... ou de les convertir à la vraie foi.

Puis, très vite, dans les années 1250, les Chrétiens
d'Occident, leurs princes et le pape, l'Église romaine
et les ordres mendiants en premier lieu, voient les
Mongols d'une tout autre façon. Ils s'intéressent à
leurs chefs, à leurs mœurs politiques et à leurs
croyances, aux progrès de leurs conquêtes et de leurs
établissements. Ils semblent, à n'en pas douter,
beaucoup mieux renseignés et veulent en savoir
davantage.

Ainsi se forme une autre prise de conscience de la
situation en Asie et du fait mongol. A l'effroi, aux
paniques irraisonnées ou provoquées par les récits
horrifiques d'invasions et d'atrocités, succèdent maintenant une vive curiosité, comme une volonté de
compendre et, surtout, de grands espoirs.

C'est qu'en effet les hordes nomades venues de ces

steppes d'Asie semblent abandonner l'idée de conquérir la Hongrie, et leurs raids dévastateurs contre les
pays d'Islam, les sacs de Bagdad, de Damas leur
valent une autre image : ce sont, déjà, presque des
alliés et bientôt se précisent le rêve puis le projet de les
enseigner, de les convertir à la foi chrétienne, romaine,
de les lier par des ambassades, des échanges de
présents et de bons procédés, par des pactes d'alliance, et de prendre ainsi les Musulmans entre deux
fronts.

D'où, inévitablement, une rencontre entre, d'une
part, les intérêts économiques des marchands à la
recherche de routes nouvelles et de meilleurs profits
et, d'autre part, les intentions « politiques » du pape et
des rois d'Occident, le roi de France Louis IX le
premier. Coïncidence de l'expansion marchande avec
l'effort d'évangélisation, les initiatives diplomatiques.

Mais ces diverses intentions sont-elles inconcilia-
bles? Ou, tout au contraire, ne vont-elles pas de
concert?

On oublie trop souvent, par une sorte d'habitude
sinon d'acharnement à toujours séparer rigoureuse-
ment les genres et à donner aux entreprises humaines
des raisons simplistes, monolithiques, que cette expansion marchande va de pair ou s'appuie, ici comme
ailleurs, sur une œuvre d'évangélisation. Il en est pour
le Christianisme romain comme pour plusieurs autres
religions. Qui dira que le moine n'ouvre pas la voie aux
hommes d'affaires ou que le marchand ne se fait pas
ambassadeur de sa foi? La question se pose inévitablement pour Marco Polo et les siens, bien que, sur la
route de Chine, les missionnaires semblent avoir

précédé les négociants de plusieurs années, peut-être même d'une ou deux décennies.

Ne voir dans les entreprises des Latins en Orient et donc dans les voyages et séjours des Italiens dans l'Asie lointaine que des opérations strictement commerciales, répondant à des impératifs et des appétits économiques, c'est s'enfermer dans un seul registre d'analyses, au demeurant relativement limité et même décevant, conforme seulement à une prise de position exclusivement matérialiste; c'est se priver d'une autre dimension essentielle. Ces initiatives, ce grand mouvement d'expansion vers les nouveaux mondes répondent naturellement, comme toujours dans l'histoire des peuples, à des causes multiples et complexes. Et ici le désir de propager la foi chrétienne, plus précisément celle professée par l'Église de Rome, soutient tout autant les conquêtes, les explorations, les établissements aventurés en pays étrangers voire hostiles, que de simples rêves de profits fabuleux.

Aux Croisades qui, sur le terrain, s'épuisent mais dont l'esprit reste très vif, aux conquêtes et à la domination politique succèdent, dans les années 1200 et aussitôt après, soutenues et coordonnées par les papes, de très nombreuses entreprises d'évangélisation pour rattacher à Rome des Églises chrétiennes orientales, pour prêcher en pays d'Infidèles, plus encore pour convertir les peuples païens de l'Asie profonde, plus ou moins bien connus. Ce sont là des mouvements d'une ampleur considérable, conduits avec une rare persévérance, qui tous ou presque partent de Rome et engagent très souvent les nouveaux ordres religieux des mendiants, Franciscains et Dominicains.

Dans le temps même où les papes envoyaient des légats italiens dans les évêchés ou archevêchés de missions créés de toutes pièces dans les pays baltes, en Prusse et en Livonie (Guillaume de Modène en 1225), d'autres missionnaires partis de Hongrie, Dominicains surtout, puis d'Italie, pénétraient – première étape pour une connaissance de contrées plus éloignées – chez les Coumans (ou Koumans), peuple d'origine turque installé sur les steppes entre la Volga et la Bessarabie actuelle. En 1227, le pape Grégoire IX organisait un diocèse des Coumans qu'il confiait à Thierry, prieur des Dominicains de Hongrie. Ce diocèse, très original par rapport aux structures habituelles et aux traditions de la Chrétienté, ne s'ancrait dans aucune grande cité, ne comportait même pas de résidence fixe, mais ses prêtres suivaient les déplacements des troupeaux ; exemple parfait déjà de cette adaptation de l'évangélisation aux genres de vie, et première approche pour une exploration plus aventureuse. Grégoire IX pensait d'ailleurs utiliser ce pays des Coumans pour lancer, à travers les plaines, une Croisade au secours des Géorgiens et Arméniens attaqués constamment par les Turcs d'Anatolie (J. Richard).

Une dizaine d'années plus tard cependant, en 1240-1241, cette première œuvre de conversion et d'implantation d'une Église latine s'effondre lorsque les Mongols envahissent ces steppes, refoulant les Coumans en Hongrie.

C'est alors que naît à Rome et dans les chapitres généraux des ordres religieux le grand dessein d'une

prédication chez ces peuples nomades, conquérants
d'un si vaste empire, alliés précieux si l'on pouvait
gagner leur aide ou du moins leur sympathie contre les
Infidèles musulmans. Projet qui rejoint très exactement les préoccupations politiques des princes d'Occident. Nous imaginons aisément que le roi de France,
engagé dans la Croisade en Orient, attentif aussi aux
intentions des Franciscains et des Dominicains, ne
pouvait qu'approuver et encourager ces entreprises de
conversion. De plus – tous les auteurs l'ont souligné –
ce projet se présentait sous les auspices les plus
favorables car les Mongols ne suivaient pas une seule
foi, ne se rangeaient pas sous l'autorité d'une Église
bien structurée et prédominante et n'avaient pas non
plus été gagnés à l'une des religions de leurs voisins.

L'EMPIRE MONGOL ET LES ÉGLISES

La situation religieuse dans les différents khanats
mongols et plus particulièrement dans l'empire du
Grand Khan pouvait autoriser en effet bien des
espoirs. Une situation changeante naturellement, fruit
d'influences multiples, qui, par sa complexité,
paraîtrait défier toute analyse précise, mais dont les
grands traits se définissent clairement, marqués par
un étonnant voisinage de cultes différents et, au total –
on se plaît sans cesse à le rappeler – par un certain
climat de tolérance.

Ces conquérants n'ont aucunement cherché à imposer leur foi. Adonnés dans les premiers temps à une

sorte de monothéisme abstrait – le chamanisme –, ils ont su surtout montrer, dans leurs relations et leur façon d'administrer leurs sujets, une grande souplesse. Ils devaient généralement faire leur cette manière de penser très rassurante de l'un de leurs chefs, d'ailleurs fils et époux d'une princesse chrétienne de rite nestorien : « Nous autres Mongols, nous croyons qu'il n'y a qu'un seul Dieu. De même que Dieu a donné à la main plusieurs doigts, il a donné aux hommes plusieurs voies. »

En fait, il semble que cette tolérance, signe sans doute d'une grande ouverture d'esprit chez certains chefs et princes tartares, signe de la séduction que pouvaient exercer sur eux les civilisations sédentaires aux Églises fortes, parfaitement organisées et leurs penseurs renommés, participait aussi d'une intention politique à peine dissimulée, parfois même affirmée au grand jour. Pour ces Mongols, nouveaux maîtres d'immenses territoires aux traditions religieuses, aux structures sociales solidement enracinées, les nouveaux clergés pouvaient paraître d'admirables agents de gouvernement, capables de mieux structurer leur nouvel empire, de rassembler et de surveiller peuples et tribus, de leur imposer des formes d'unité. Curiosités spirituelles certes, mais aussi recherche d'une plus grande efficacité.

Très impressionnante et lourde de conséquences fut, dans l'Asie centrale, la diffusion du Nestorianisme, Église chrétienne hérétique fort ancienne qui affirmait d'abord la nature humaine du Christ, condamnée dès 431 par le Concile d'Éphèse. Cette religion avait, depuis lors, cherché repli vers l'est, en Mésopotamie, organisant une Église chaldéenne avec

son patriarche à Bagdad, puis dans toute l'Asie.
Introduite en Chine, elle n'avait connu que des
fortunes difficiles et même un long déclin dans les
années 900 et 1000, époques où on la trouve pratiquement éteinte sauf dans les provinces Nord-Ouest,
en contact avec les Mongols. Dès les premiers raids de
ces nomades, le Nestorianisme avait gagné des régions
entières comme la Mongolie, chez les peuples Keraït
et Ongüt où les filles des familles princières épousè-
rent des chefs tartares. Tous les ambassadeurs ou
missionnaires d'Occident et Marco Polo lui-même les
trouvent nombreux, parfois influents, en Asie centrale, chez les tribus de races turques.

Quittant leurs steppes des hauts plateaux d'Asie,
les Mongols rencontrent en Chine une forme de vie
spirituelle, une religion totalement différente qui leur
reste parfaitement étrangère et qu'ils s'efforcent
même de combattre, dans les premiers temps du
moins, par toutes sortes de faveurs concédées, précisément, à de nouveaux cultes.

Le Confucianisme, triomphant des autres religions
orientales depuis au moins deux siècles, incarnait là,
en la personne surtout des mandarins lettrés, la
résistance aux barbares et aux influences étrangères;
il s'affirmait le garant d'une société traditionnelle et
d'une civilisation spécifique. Jusqu'à l'arrivée des
Mongols, en effet, aucune religion ou doctrine venue
d'Occident n'avait réussi à s'implanter solidement, si
ce n'est, de façon toujours très discrète, parfois dans
de petites communautés isolées, quasi marginales.
Ainsi, par exemple, pour le Judaïsme introduit sous les
Song et que Marco Polo mentionne à plusieurs

reprises, mais comme un fait vraiment inhabituel, très limité.

On peut noter aussi le rayonnement particulièrement faible de toutes les Églises chrétiennes, quelles qu'elles soient. Celle soumise au patriarcat de Constantinople n'avait étendu ses hiérarchies qu'aux Russes, aux Circassiens et aux Alains; son influence, pendant longtemps, ne dépassa pas le Caucase et ce n'est que vers le milieu du XIII° siècle que se met en place un clergé orthodoxe dans les steppes de la Russie méridionale soumises à la Horde d'Or.

De son côté, l'Église arménienne n'avait pas non plus étendu son action, ou du moins son organisation structurée, au-delà des portes mêmes de l'Asie centrale; on ne trouvait au Turkestan et en Chine que des voyageurs, des missionnaires arméniens, et, tout au plus, quelques petites colonies de peuplement très isolées.

De toutes ces Églises orthodoxes, seule l'Église melkite – celle maintenue en Syrie et en Palestine sous domination arabe – s'était avancée fort loin, sous l'autorité d'un évêque du Khorassan installé à Merv ou à Nisapuhr.

Seules s'établissent d'une façon solide d'autres Églises chrétiennes, hérétiques celles-ci face à Constantinople, et c'est également des pays conquis par les Musulmans, Syrie et Mésopotamie surtout, qu'elles ont encadré, au long des siècles, de vastes diasporas de Chrétiens cherchant refuge toujours plus loin vers l'est, au plus profond de l'Asie, puis entrepris d'évangéliser. Les Jacobites de Syrie, monophysites qui affirmaient que seule la nature divine habitait la personne du Christ, avaient établi des sièges épisco-

paux très loin en Asie : évêchés ou métropoles de
Hérat (dans les montagnes à l'ouest de l'Afghanistan
actuel) et du Khorassan (plus à l'ouest, en Perse).

Marco Polo les rencontre aux deux extrémités du
Turkestan : une de leurs colonies étant, dit-il, installée
à l'ouest, à Yarkend, là où s'amorce la grande route de
la soie; l'autre à l'est chez les Oïgours, au nord de
Turfan.

Les Manichéistes, qui opposaient un Dieu du mal et
un Dieu du bien, tenants d'une hérésie longtemps
combattue par Constantinople, chez les Bulgares,
contre les Bogomiles, puis par Rome sous sa forme
cathare, avaient pénétré en Chine dès le VIIIe siècle et
s'étaient installés principalement dans une province
très marginale, cernée entre mer et montagne, mal
sinisée et, par ailleurs, mal dominée par les gouverneurs de la capitale : le Fou-kien. Marco Polo les
assimile plus ou moins à des Bouddhistes hérétiques,
groupés en sectes ou sociétés secrètes, celles, par
exemple, du Lotus blanc ou du Lotus bleu.

Ainsi, en Chine, au temps des premiers raids des
Mongols, le Confucianisme, une religion traditionnelle, toute-puissante, contrôlait les aspects de la vie
sociale et, par ses hommes de loi et de science, tenait
solidement en main les rouages de l'administration et
les tribunaux. Les autres religions ne faisaient encore
que de timides apparitions, dans des milieux sociaux
ou régionaux très particuliers. Les Chrétiens n'y
avaient que des communautés d'hérétiques peu organisées, cherchant refuge contre les persécutions de
l'Église de Constantinople. Mais, avec la conquête
mongole, le Confucianisme se trouve délibérément

attaqué, ravalé au rang d'autres cultes, pour la plupart introduits par les envahisseurs, non pas brutalement, à la manière de guerriers triomphants, imposant de force de nouveaux clergés et exigeant des conversions en masse, des soumissions ou allégeances; ni, non plus, par l'implantation de forts contingents de soldats, colons du sol, adeptes de religions étrangères. Nous voyons bien, par exemple, que les contingents caucasiens ou alains des armées tartares ont peu contribué à diffuser leur foi orthodoxe, celle de Constantinople; ils sont restés, là même où ils devaient s'installer, sans grande influence.

De même pour l'Islam qui – mise à part la nouvelle ville musulmane de Sien-ma-lin, créée de toutes pièces à proximité de la Grande Muraille, non loin de Kalgan, pour des déportés de Samarkand –, ne s'implante en Chine, et d'une façon très mesurée, que par la prédication ou par l'exemple, par la fréquentation des marchands, des voyageurs, des saints hommes et docteurs de la loi. Ainsi dans les grands ports en relation avec l'Inde, à Canton, à Chan-féou, à Ning-po et à Hang-tchéou. Ainsi surtout dans le Yunnan, seule région touchée par l'Islam, grâce à l'action d'un prédicateur et gouverneur, appelé Sayyid Ajal, Musulman originaire d'Asie centrale, envoyé en 1274 par Kubilaï dans ce pays qui n'est d'ailleurs pas encore vraiment sinisé et où la pénétration d'une doctrine étrangère, avec tout ce que cela comporte de contraintes sur la vie sociale, se heurte à de moindres difficultés.

Les Nestoriens certes se rencontrent maintenant dans toute la Chine. Ils sont nombreux et puissants

dans la capitale et jusque dans les provinces du Sud, à
Quinsay (Hang-tchéou), dans le delta du Yang-tsé, où
le gouverneur appelé Mar Sargis (= Serge) fait, en
1278, construire deux églises pour eux.

Cependant, ce développement de l'Église chrétienne nestorienne, dès les débuts de l'occupation
mongole, sous le règne de Kubilaï, fut en quelque sorte
un simple phénomène de contagion. Sur le plan
ethnique et social, ces Nestoriens, pour la plupart,
n'étaient pas des étrangers : une résurgence donc
plutôt qu'un apport vraiment nouveau. Mais il paraît
évident que les Tartares ne pouvaient que privilégier,
pour des raisons politiques impérieuses, une religion et
un clergé capables d'affaiblir la toute-puissance du
Confucianisme et de ses sages. Toute diversité les
aidait dans leur tâche de gouverner et les Nestoriens
rencontrèrent, les premiers temps du moins, leurs
faveurs.

En tout état de cause, les religions nouvelles, venues
d'autres pays d'Asie ou du lointain Orient, se sont
imposées presque toujours et exclusivement par l'action de prédicateurs, de sages, érudits de grand renom,
conseillers et familiers de l'empereur qui leur confiait
volontiers nombre d'offices, et c'est grâce à eux
qu'elles se font connaître et gagnent des fidèles. Très
souvent, ce sont ces hommes des nouvelles Églises –
savants, lettrés ou philosophes – que le khan mongol
rendait responsable des bureaux chargés de maintenir
la paix, de régler les conflits entre les diverses
confessions, de faire respecter les règles de tolérance.

Gengis Khan, jusqu'à sa mort en 1227, protégea,

par différents privilèges, par exemption entre autres des taxes et des prestations, les adeptes du Taoïsme, qui connut alors un réveïl remarquable et, dans plusieurs provinces de son empire, supplanta aisément les autres cultes tel le Bouddhisme dont les temples furent désaffectés, les moines chassés. Ceci grâce à l'appui du prince et à l'action d'un maître à penser venu de l'Afghanistan, nommé Tch'ang-Tch'ouen (« Éternel Printemps »), installé à la cour. Ces Taoïstes se maintiennent longtemps : Marco Polo les nomme les *sensin* et les décrit comme « des hommes de grande abstinence ».

Après la mort de Gengis Khan, les préférences de ses lieutenants puis de Ogotaï, de la veuve de celui-ci puis de Kubilaï lui-même – le souverain qui accueillit les trois Polo –, vont au Bouddhisme depuis longtemps affaibli en Chine, en particulier sous la dynastie des Song, aux Xe et XIe siècles. En 1246 paraît à la cour mongole l'abbé d'un grand monastère tibétain accompagné de plusieurs lamas, et les hommes du Lamaïsme s'imposent de plus en plus dans l'entourage du souverain. En 1254, la capitale du Grand Khan à Karakorum compte deux mosquées, une seule église de Chrétiens nestoriens et douze temples bouddhistes. Kubilaï, qui avait parcouru les confins du Tibet, leur confie – Marco Polo le note bien – le gouvernement de toutes les provinces bouddhiques au Sud de la Chine et place un lama tibétain à la tête d'un grand Office d'administration générale. Ce régime des lamas favorisait toutes sortes d'excès et de corruptions, les monastères bénéficiant de privilèges fiscaux, pratiquant le commerce et l'usure, armant des flottes privées pour le transport de leurs marchandises.

Surtout, ils se rendirent tristement célèbres par
d'affreux règlements de comptes, telle la profanation
des tombeaux des empereurs et impératrices Song,
près de Chao-king.

Taoïsme et Bouddhisme tibétain, deux grands
courants religieux d'origine orientale qui, visiblement,
l'emportent et s'imposent, chacun en son temps, pour
avoir su se concilier la complaisance et les protections
de l'empereur.

Ce pays si divers, encore en pleine force d'expansion, qui semble avoir bien résisté aux sollicitations de
l'Islam pourtant plus proche mais souvent ennemi, ces
États mongols, ces khanats et surtout le grand khanat
de Chine appelaient tout naturellement l'intérêt des
missionnaires chrétiens de Rome. Les papes, redou-
blant d'initiatives, y consacrent une constante attention. Comme toujours, ces missions visent à la fois, ou
tour à tour, la sympathie sinon la conversion des
princes, et l'évangélisation des peuples : ambassades,
voyages d'exploration et implantations d'églises, de
centres de prédication, mise sur pied d'une véritable
organisation et hiérarchie ecclésiastiques.

Les premiers ambassadeurs de Rome : Plan Carpin et Rubrouck

Les premiers voyageurs missionnaires désiraient
incontestablement atteindre le Grand Khan et ses
familiers. Dès le Concile de Lyon, en 1245, le pape
Innocent IV déclarait solennellement vouloir instruire

les Mongols dans la foi chrétienne. On peut même penser que, depuis dix ou vingt ans déjà, Rome se trouvait relativement bien informée sur les possibilités d'une action par les ambassades de Nestoriens envoyées par le khan auprès d'Innocent IV, puis du roi de France Louis IX. Certains auteurs, historiens de ces missions, invoquent aussi les écrits ou le rapport oral d'un « archevêque de Russie », nommé Pierre, mal ou pas du tout identifié. Il reste assuré que Rome recueillait différents renseignements, naturellement plus ou moins appuyés sur des témoignages directs.

D'autre part, dans les années 1230, deux groupes de frères Dominicains avaient entrepris deux voyages successifs vers ce que l'on appelait alors la Grande Hongrie, les plaines ou steppes de la Russie centrale, entre Kazan et Perm, afin de rassembler des relations sur ces Tartares, voisins à l'est. L'épopée malheureuse du premier groupe se termine fort mal. Le second voyage, illustré par la présence de Jean dit de Hongrie se situe dans l'été 1236; Jean, abandonné par ses compagnons, est allé à Contantinople et, de là, a pu pénétrer, par le pays des Alains, jusqu'au fleuve Éthyl où il rencontre des Hongrois fuyant devant les Mongols. De ces expéditions, il nous reste deux très beaux textes riches d'informations, capables de susciter d'autres élans : une lettre de Jean lui-même, *De bello Mongolorum,* récit subjectif et alerte, et une sorte de *Memorandum* sur les deux voyages de ces Dominicains, récit intitulé *De facto Ungarie Magne.* L'un et l'autre furent, on s'en doute, très vite diffusés, jusqu'à Rome qui, on le voit, ne s'engageait pas au hasard.

De Lyon, Innocent IV fit partir, lui, quatre ambas-

sades afin de rencontrer les Tartares chez eux et, soit
au passage, soit dans les pays voisins, renforcer la
position de son Église en Orient. Le Franciscain
Dominique d'Aragon devait visiter les Arméniens. Un
Dominicain, André de Longjumeau, devait porter des
lettres aux princes musulmans de Syrie et aux évêques
des Églises chrétiennes de Syrie et de Chaldée, aux
Jacobites et aux Nestoriens; il rapporte en tout cas de
précieux renseignements sur les Mongols eux-mêmes.
Autre Dominicain, Acelino di Cremona, chargé de
visiter les Mongols, débarque en Terre sainte, gagne, à
travers l'Anatolie, le pays de Grande Arménie et
Erzeroum, puis Tiflis, et va jusqu'au camp du chef
tartare Baiju... il s'en revient sans avoir dépassé la
région de Bakou et sans atteindre la cour du Grand
Khan. Une mission infructueuse, menée par un
homme d'action sans souplesse, peu diplomate; c'est
du moins ce qu'en dit la relation, assez précise, en
forme de vrai récit circonstancié, écrite par son
compagnon de voyage, Guillaume de Saint-Quentin.
La quatrième de ces missions diplomatiques si bien
concertées confiée à Giovanni di Pian Carpino devait,
à l'origine, chercher à s'allier les Russes; c'est lui qui
atteignit le but le plus lointain et ce voyage, plus
audacieux, nous semble ouvrir la voie aux grandes
pérégrinations à travers toute l'Asie, celle des Polo y
compris.

Pian Carpino (Plan Carpin), originaire d'un petit
village d'Ombrie dont il prit le nom, n'est, d'aucun
point de vue, un homme ordinaire. De famille noble
ou, du moins, chevaleresque, il avait acquis chez les
Franciscains mêmes une forte position : « provincial »,
responsable des provinces d'Allemagne puis d'Espa-

gne, puis de Saxe – donc toujours aux limites de la
Chrétienté, dans des pays voués à l'action de missions,
face aux Infidèles et aux païens. Il voyage beaucoup,
de la Scandinavie à la Castille, et se charge de
missions en Pologne et en Hongrie. Il garde toujours
de nombreux liens avec ces pays où il avait pu, sans
doute déjà, préparer des expéditions bien plus auda-
cieuses et former des frères capables d'affronter ces
tâches si délicates : pour sa grande aventure chez les
Mongols, les deux frères qui l'accompagnent sont
Étienne de Hongrie et Benoît de Pologne. Curiosité et
préparation intellectuelle aussi : il se lie avec tous les
docteurs de son ordre curieux de l'Orient et, à son
retour, on sait qu'il rencontra à Sens ce Franciscain de
Ferrare, Fra Salimbene, auteur d'une célèbre et
passionnante chronique, véritable journal de voyage,
alerte et perspicace, riche d'observations sur le
royaume de France et la cour du roi. En somme, la
mission franciscaine de Salimbene en France et
principalement à Paris pour décider Louis IX à bien
accueillir les frères présente bien des analogies avec
celle conduite par Plan Carpin à la cour mongole :
toutes deux s'adressent à un souverain pour obtenir
établissement et protection, et toutes deux donnent
lieu à des observations précises, circonstanciées,
comptes rendus pour les supérieurs de l'ordre en
Italie. Les mêmes préoccupations et la même ouverture d'esprit sur le monde animent les deux missionnaires.

Plan Carpin part de Lyon, la ville du concile, le
26 avril 1245. Première étape pour s'assurer informations et conseils, il se rend d'abord à Prague, chez le
roi de Bohême Wenceslas Ier, qui lui recommande de

passer par la Pologne et la Russie où certains de ses
parents peuvent l'aider. Il gagne ensuite Breslau en
Silésie, à la cour du neveu du roi de Bohême, le grand-
duc Boleslas II, et poursuit sa route vers l'est en
compagnie d'une petite troupe de marchands. Nouvelle étape près du duc de « Lauciscia », c'est-à-dire de
la région de Varsovie et des provinces plus au sud, à
Halicz (= Galice, capitale de la Galicie), vers la
mi-décembre 1245. Il y rencontre Vasilko de Russie,
duc de Vladimir, lui-même fort attentif à recueillir de
nombreux renseignements sur ses voisins, les Tartares : il venait d'y envoyer des messagers et d'en
recevoir des nouvelles ; Daniel, duc de Galicie, frère
de Vasilko, était à ce moment-là en route vers l'est
pour rejoindre le camp des Mongols sur le bord de la
Volga à la tête d'un corps de cavaliers.

Toujours est-il que Plan Carpin, muni de cadeaux et
d'encouragements largement prodigués par les grands
de Pologne et par l'évêque de Cracovie, accompagne
Vasilko jusqu'à Kiev, où il arrive début février 1246,
neuf mois et demi après avoir quitté Lyon. Lenteurs
dues ici aux difficultés de l'hiver et surtout aux soins
pris à rassembler tous les éléments d'informations
possibles, à prévoir les étapes et les escortes, marchands ou guerriers des princes. Une entreprise
minutieusement préparée dont nous pouvons – ce n'est
pas si fréquent – analyser les prémices et voir
exactement comme elle s'organise, sur quels appuis
elle peut compter. De plus, à Halicz, en janvier 1246,
s'était tenue avec Vasilko et ses évêques une confé-
rence pour envisager l'union de leur Église orthodoxe
avec celle de Rome : c'est là un autre aspect,
généralement trop négligé mais non négligeable, de la

mission franciscaine qui cherche aussi la réunion des Églises orientales. Comme toujours, pour les Croisades comme pour les évangélisations, les Latins visent en Orient, outre la conquête des terres d'Islam ou la conversion des païens, à atteindre et à affaiblir l'Église de Constantinople, à soustraire à son influence certaines de ses branches : Arméniens, Géorgiens, Russes... C'est là une constante de la politique de Rome depuis le Grand Schisme oriental; une politique dont on avait vu, en 1204, le triomphe à la suite de la prise de la capitale byzantine même, et que n'oublient pas les missionnaires un demi-siècle plus tard.

Quittant Kiev très vite, le lendemain ou surlendemain de son arrivée, Jean de Plan Carpin, « emmené à franc étrier par les Mongols et changeant de chevaux plusieurs fois par jour », mit deux mois pour atteindre la Volga, passant par plusieurs campements de nomades fortifiés, dont celui d'un prince nommé Carbou (ou Tirbou), sur le Don, où il rencontre Daniel de Galicie, de retour de l'est. Il complète ainsi une documentation de plus en plus précise et fraîche; on ne sait trop pourquoi, il doit s'arrêter environ un mois dans la région de Kanev, arrive au camp de la Volga chez le chef Batu au début du mois d'avril et continue sa route, après deux semaines de halte. Le voici fin juillet 1246, le 22 semble-t-il, à la cour du Grand Khan, à Güyuk (Karakorum), en pleine Mongolie.

Au début de l'année 1247, il est de retour en Occident, soit au total une absence de moins de deux ans et quelques semaines seulement de voyages et séjours en pays tartares. C'était bien une simple mission d'approche, de reconnaissance, sans préten-

tion d'évangéliser : il s'agissait de gagner les chefs
guerriers et les princes, de s'attirer des protections;
action bien plus diplomatique que de prédication ou
même de conversion.

Plan Carpin, après sa rencontre avec Salimbene,
après la rédaction de son *Histoire des Mongols,*
continue à se consacrer aux entreprises de Rome et
des Franciscains vers l'Orient lointain, vers les pays
slaves en tout cas; il devient évêque de la ville
d'Antovori, en Dalmatie, où il meurt en 1252.

Dans le même temps ou aussitôt après, d'autres
missions où Rome n'intervient pas directement tentent d'atteindre le même but avec, semble-t-il, des
fortunes diverses et plutôt malheureuses. Nos textes
parlent du voyage, en 1246-1247, d'un Bernard
d'Andechs, patriarche d'Aquilée, beau-frère du roi de
Hongrie. De son côté, le roi de France Louis IX envoie
André de Longjumeau accompagné de plusieurs
religieux de France : mission dont on sait peu de
choses, si ce n'est que, partie de Nicosie, dans l'île de
Chypre, en 1249, elle était de retour en Occident dans
l'été 1251, après être allée jusqu'en Mongolie.

La seconde des grandes expéditions franciscaines,
qui ne suit que de quelques années celle de Plan
Carpin, fut certes décidée par l'ordre et acceptée par
le pape. Mais, directement inspirée par le roi de
France, elle s'inscrit d'une façon immédiate dans la
politique de Louis IX, le roi croisé qui séjourne si
longtemps, ces années-là, en Terre sainte. Au printemps 1253, Guillaume de Rubrouck, moine franciscain, se lance lui aussi dans la grande exploration
d'Asie. Rubrouck est de langue flamande, originaire

d'un petit village de Flandre, près de Cassel. Il avait très vraisemblablement fréquenté Paris et sa région : il utilise volontiers quelques gallicismes pour alléger son latin et se règle souvent sur des exemples français, citant ainsi le vin d'Auxerre, dont Fra Salimbene disait si grand bien, et le vin de La Rochelle. Religieux d'un couvent de Chypre, il s'y trouvait déjà en 1248 lorsqu'arrivent les Croisés français du roi Louis; il a sûrement combattu en Égypte, à Damiette, aux côtés du roi et revient ensuite avec lui à Acre; c'est là, sans doute, qu'il rencontre André de Longjumeau lorsque celui-ci revient de Mongolie. Une mission donc qui prolonge très exactement la Croisade et sert le grand dessein français d'une alliance avec les Mongols contre l'Islam.

Guillaume de Rubrouck est à Constantinople en avril 1253, prêche alors à Sainte-Sophie et quitte la ville le 7 mai, accompagné d'un autre Franciscain, Bartolomeo di Cremona, qui avait longtemps résidé auprès de l'empereur grec de Nicée, et d'un nommé Gosset, clerc de l'entourage du roi de France, chargé peut-être d'écrire le récit de l'expédition, d'un truchement nommé Omodeo, dont chacun se plaignait amèrement en se demandant quelle langue il pouvait bien savoir, et d'un jeune esclave acheté à Constantinople. Son voyage, rapide aussi, le mène d'abord, à travers la mer Noire, jusqu'en Crimée puis, de là, par le pays des Coumans, jusqu'à la Volga. Comme Plan Carpin dont il semble suivre la route, il atteint le Nord de la mer d'Aral, les hauts plateaux du Turkestan, pays des Kara-Khitaï, et enfin Karakorum. Il rencontre le prince mongol Mongka fin décembre 1253, et, dès lors, le suit dans ses déplacements : première audience solennelle au cœur de la Mongolie, le 4 janvier 1254, et arrivée à Karakorum le 5 avril; il en repart le 10 juillet.

De retour par une route un peu plus nordique, il parvient au campement du chef Batu, dans les environs de la Volga, un an exactement après l'avoir quitté, et part de Saraï le 1ᵉʳ novembre. Par la Géorgie, le long de la rive occidentale de la mer Caspienne et dans les montagnes du Caucase, par l'Arménie, l'Anatolie et Konya, Rubrouck atteint l'Ayas, au sud de l'Asie Mineure, puis son couvent de Nicosie, dans l'île de Chypre. De là, son principal l'emmène au chapitre de l'ordre qui se réunit à Tripoli de Syrie le 15 août 1255 et lui refuse l'autorisation d'aller sur-le-champ rendre compte à Paris. Il le fit donc par lettre et ne séjourna en France que plus tard.

Ces deux grands voyages de Plan Carpin et de Rubrouck, plus célèbres que plusieurs autres, mais non différents et tout à fait contemporains, ne se recommandent pas seulement par leur heureux succès, par le fait que les deux Franciscains aient effectivement atteint la cour de Grand Khan, fort loin vers l'est, à Karakorum ou dans les environs immédiats; ce qui importe à l'historien et, de toute façon, avait assuré très tôt leur renommée est qu'ils ont tous deux fait connaître leurs observations et leurs réflexions sur une politique d'évangélisation future par des écrits de qualité, qui connurent une grande fortune, sinon littéraire du moins politique. Plan Carpin rédigea aussitôt une *Histoire des Mongols*, dite quelquefois *Relation des Mongols ou Tartares*, sorte de rapport destiné au pape Innocent IV et Guillaume de Rubrouck envoya au roi, dès son retour en France, son *Itinerarium,* écrit en forme de lettre

Ainsi deux ambassades qui cherchent surtout à s'informer et à faire connaître; qui, sur le plan de la pure découverte, ne présentent absolument rien d'extraordinaire ni de vraiment audacieux, mais qui résultent d'une volonté bien arrêtée des souverains d'Occident et servent avec un réel bonheur une politique tout à fait concertée. Voyages très rapides, séjours très courts, surtout préparation soignée et aide des princes russes puis des chefs mongols, informations données par les marchands de l'Ayas, de Crimée, de Kiev.

De leur côté, ces chefs ou souverains tartares ne ménagent pas non plus leurs efforts pour établir des liens diplomatiques, voire politiques, des ébauches d'alliances avec les rois d'Occident ou la Papauté. Ils désirent avant tout s'informer des mœurs des Chrétiens, de leur religion, de leurs institutions, de la puissance et de l'organisation de leurs armées. Ils interrogent les marchands de passage ou installés dans leurs villes, près de leur cour en particulier; ils les chargent volontiers de missions de confiance, leur demandent de porter des lettres à Rome, à Paris ou à Londres, de leur ramener des objets précieux, des livres saints et, même, de se faire accompagner, au retour, par des religieux capables d'enseigner leur foi.

Plusieurs ambassades montrent bien la volonté du souverain de Perse de conclure alliance avec les Latins pour faire face à la menace que les armées du sultan d'Égypte Baïbars faisaient peser sur tout le Proche-Orient et sur ce qui restait encore du royaume latin de

Jérusalem, limité alors à la région de Saint-Jean
d'Acre. Des *nunci Tartarorum* arrivent à Gênes en
1280; puis c'est Bar Sauma, envoyé par le khan de
Perse Argoum, porteur de lettres pour le pape et les
rois d'Occident. Celle adressée à Philippe le Bel,
écrite en langue mongole, précise clairement l'intention d'alliance et dresse même un plan de campagne :
« Le roi de France nous a fait savoir qu'il lancerait ses
armées contre l'Égypte et donc, nous, confiant en
Dieu, nous partirons les derniers mois d'hiver [janvier
1291] et nous irons camper devant Damas. Si tu tiens
parole et envoies tes troupes à l'époque fixée, et que
Dieu nous favorise, lorsque nous aurons pris Jérusalem, nous te la donnerons. »

L'histoire du Génois Buscarello Ghisulfi nous
paraît exemplaire pour cerner d'un peu plus près le
destin et le profil social de ces Chrétiens d'Occident
lancés ainsi dans la grande aventure du lointain
Orient, marchands, politiques, guides d'ambassades,
commissionnaires et conseillers des princes. Il quitte
sa ville de Gênes en 1279 (ou 1280) et on le voit
aussitôt après installé à l'Ayas. Nous le perdons de vue
pendant sept ou huit ans, pour le trouver ensuite à la
cour d'Argoum, placé à la tête de la mission envoyée à
Paris et à Londres. Porteur de plusieurs lettres de
créances, honoré d'une charge d'officier mongol, celle
de *qordi* ou porte-carquois dans la garde royale, il
avait avec lui, pendant tout le voyage, son frère
Percivalle et son neveu Corrado : trois parents comme
les trois Polo. Buscarello voit le pape, le roi de France,
va à Londres et, de retour à Gênes, ayant emprunté
près de mille livres, il accompagne l'ambassade
anglaise de sir Geoffroy de Langele au moins jusqu'à

Samsoum, sur la côte sud de la mer Noire (1292). La mission continue sans lui, munie d'un sauf-conduit que Corrado Ghisulfi était allé chercher en Perse, jusqu'à la cour du nouveau souverain, Gaikhatu; Langele va à Tabriz et est à Gênes, à nouveau, en janvier 1293. De son côté, Buscarello revenu entre-temps en Italie, repart, à la fin de l'année 1300, auprès du khan de Perse qui rêvait de conquérir la Syrie; il lui remet une lettre de Boniface VIII puis reprend le chemin de Rome et de Londres l'année suivante, accompagnée d'un chef mongol et d'un nommé Tuman, qui serait Tommaso Ugi, de Sienne.

De cette façon, les princes d'Occident, comme le pape, comme les villes d'Italie, étaient constamment tenus informés des intentions des Mongols et de leurs luttes contre l'Islam. La victoire de leurs armées et la prise de Damas, le 30 décembre 1289, furent joyeusement célébrées comme un grand succès par les Chrétiens d'Occident. La nouvelle arriva d'abord, comme il se doit, à Rome par une ambassade du khan de Perse; une lettre adressée à cette occasion au roi d'Aragon en fait aussi mention en termes plus qu'élogieux. De même, un témoin émerveillé, chroniqueur enthousiaste : « En l'an 1300, au temps de la grande indulgence [le jubilé romain], pendant que le pape Boniface était à Saint-Jean-de-Latran, plusieurs rois et princes lui envoyèrent des ambassadeurs solennels, tous Florentins, parmi lesquels le septième fut Messire Guisciardo de Bastani, ambassadeur du grand khan tartare, avec cent compagnons, tous vêtus à la mode tartare. » Visiblement l'arrivée de ces missions venues de la lointaine Asie excite l'admiration des foules un peu éberluées : ce sont des événe-

ments. Lisons Giovanni Villani, généralement le plus
précis des chroniqueurs florentins; il était alors à
Rome, et il apprit comment les Tartares de Perse
avaient vaincu les Musulmans, lançant contre eux une
troupe de 200 000 hommes à cheval (!) : « ... Et nous
sûmes ceci d'un Florentin client de la Maison des
Bastani, nourri depuis son plus jeune âge à la cour du
khan et envoyé ici par lui, avec d'autres Tartares
comme ambassadeur. »

En tout cas, l'opinion des Chrétiens d'Occident et
de leurs princes change du tout au tout : les Mongols
ne sont pas des Musulmans et pourraient même
devenir leurs alliés contre l'Islam. Resurgit alors le
vieil espoir de traiter avec un souverain tout-puissant,
chrétien ou neutre, tolérant, capable de prendre les
terres des Infidèles, Bagdad et la Syrie à revers,
d'anéantir leurs armées, de joindre ses forces à celles
des Chrétiens. Les Mongols n'ont-ils pas pillé Bagdad,
la ville du calife, en 1258? Et l'on sait que des
mercenaires servaient alors sous leurs ordres; on dit
aussi que, plus tard, des marins italiens, génois
surtout, sur de grandes barques armées, des galères
même, assuraient pour le compte des Mongols la
police des côtes et du delta dans la région de Bassorah.
D'autres hommes d'armes ont certainement suivi des
chefs de bandes dans de lointaines expéditions.
Initiatives individuelles bien sûr, qui n'engagent que
des groupes d'aventuriers, peut-être chassés de chez
eux, en quête sans aucun doute de fortunes hasardeu-
ses.

Mais l'idée d'une réelle alliance prend corps chez
les souverains, chez Louis IX de France surtout qui
passa plusieurs années en Terre sainte pour défendre

ce qui pouvait l'être encore, qui attaqua lui-même le sultan d'Égypte sur ses terres. Chaque prince d'Occident, soutenu évidemment par la Papauté, nourrit des projets d'entente, veut être informé et rêve de contribuer d'une façon ou d'une autre à cet encerclement des Musulmans en Orient, grâce à l'alliance des Mongols, qui, il n'y a pas si longtemps encore, étaient présentés comme des fléaux de Dieu. Un complet retournement d'intentions que l'on peut, sans grand risque d'erreur, mettre au compte d'une meilleure information, d'une intense activité diplomatique.

Le temps des fables; le prêtre Jean

Ces vastes projets politiques et militaires de contournement et d'attaque des pays d'Islam rejoignent ou complètent ceux d'une alliance avec un autre ennemi des Musulmans, le célèbre prêtre Jean, qui hante les rêves et les espoirs dans tout l'Occident pendant plusieurs siècles. Le mythe du prêtre ou du roi Jean s'introduit puis se développe et prend toutes sortes de faces séduisantes pour l'imagination des Chrétiens au cours du XIIᵉ siècle, au moment précisément où l'on commence à entendre parler des Mongols.

Les bases historiques ne seraient pas tout à fait inexistantes : le nom Jean serait simplement une déformation phonétique du mot désignant le titre royal chez les Mongols : *wang* ou *khan* (en langue turque pour ce dernier); la tradition se réfère ici à un souverain mongol qui, dans les années 1140 – certai-

nes chroniques disent exactement 1141 – aurait
remporté de grandes victoires contre les Perses et, par
ailleurs, occupé la ville de Samarkand. D'autres
historiens pensent que le royaume du roi, ou du prêtre
Jean s'identifie même bien plus tôt, dès le XI* siècle,
avec celui des Kara-Khitaï, nomades d'ethnie mongole, peut-être convertis au Christianisme, qui occu-
paient tous les vastes plateaux entre la mer d'Aral, le
lac Baïkal et le fleuve Iénisséi, englobant l'ancien
royaume de l'Oxus (l'Amou-Daria). Ces nomades
lançaient constamment des expéditions contre les
Turcs Seldjoukides, vers l'ouest, et contre l'Iran, vers
le sud. Leurs divers succès leur valent alors, chez les
voyageurs, une réputation d'adversaires de l'Islam, de
champions de la Chrétienté et leurs exploits furent
bientôt chantés dans plusieurs récits légendaires,
fabuleux. Ces Kara-Khitaï eurent pour roi un chef
nommé Togrul qui, à la vérité, fut défait et tué, non
par des armées musulmanes, mais par Gengis Khan
lui-même, en 1203.

Tout naturellement cette histoire, déjà mal assurée,
assez confuse, subit bien des avatars et embellisse-
ments lorsqu'elle pénètre et se diffuse en Occident.
Dès 1145, l'évêque Otto de Freising, conseiller de
l'empereur Frédéric Barberousse, rapporte gravement
que, se trouvant à Viterbe, il a entendu un évêque
syrien lui parler de ce roi Jean et affirmer qu'il
descendait de l'un des rois mages. Une vingtaine
d'années plus tard, cependant, en 1165, circule dans
toutes les cours d'Occident, lue par les évêques et les
prêtres dans leurs églises, une lettre écrite, dit-on, par
ce prêtre Jean lui-même et adressée à l'empereur de
Byzance Manuel Comnène, à Frédéric Barberousse et

au pape Alexandre III. C'était un appel à l'aide, à une alliance pour lutter contre les Infidèles musulmans et reconquérir la Terre sainte.

Cette lettre décrivait aussi toutes les richesses d'un royaume merveilleux. Véritable chant de sirènes, teintée d'un fort parfum d'exotisme, elle connut un succès et une publicité extraordinaires, et fut traduite dans toutes les langues de l'Occident chrétien; on en garde même une version en vers anglo-normands. Ce n'était très vraisemblablement qu'un faux, composé, pense-t-on, par un chanoine de la cathédrale de Metz, pour stimuler chez les Chrétiens un nouveau zèle pour la Croisade et réconcilier, autour d'un grand dessein, l'empereur et le pape.

La légende du prêtre Jean résiste vigoureusement et avec un étonnant bonheur aux démentis qu'apportent pourtant les nouvelles de l'Orient. Surtout, elle s'adapte aux circonstances et se perpétue sous diverses formes par certains rétablissements plus ou moins déconcertants. En 1218, Jacques de Vitry, évêque d'Acre et l'un des grands prédicateurs de Terre sainte dans son *Histoire de Jérusalem*, voit en Gengis Khan le fils ou pour le moins l'un des descendants du prêtre Jean. Il est vrai, et cela mérite bien réflexion, que cet homme par ailleurs érudit, très cultivé, chargé d'affronter et de convertir Musulmans et Chrétiens orthodoxes, ne savait pas l'arabe (« ... par interprètes souvent, je prêchais et confessais... »). Il professait sur Mahomet et sur l'Islam les idées les plus extraordinaires et sa *Vie de Mahomet* n'est qu'un tissu de fables : il l'appelle Sosio, sans dire pourquoi et en fait un moine hérétique condamné par Rome, expulsé, fuyant en Arabie assoiffé de vengeance, scellant un

pacte avec le diable et avec un Juif. On comprend que
ses idées, comme celles des autres lettrés de l'époque,
sur les peuples de l'Orient et surtout sur le roi Jean se
maintenaient ainsi dans une totale confusion.

Parallèlement à cette famille de légendes qui font
du prêtre Jean un souverain d'Asie centrale, s'en
développait une autre liée à d'autres bases historiques
et à la présence à Jérusalem de moines, prêtres et
pèlerins d'Éthiopie. Ces Chrétiens, qui étonnaient les
Francs par le faste de leurs cérémonies, leurs chants et
rites curieux, possédaient un monastère dans la ville
sainte et leur existence même, leur pays et leur
souverain suscitaient toutes sortes d'interprétations
fantaisistes. On ignore que ces Éthiopiens vivent en
Afrique. Or, en 1122, un « patriarche » indien, du nom
de Jean, était venu à Rome... Si bien que, après les
conquêtes des Mongols surtout, l'histoire légendaire
du prêtre Jean trouve là un terrain d'accueil parfait :
le roi ou prêtre Jean devient le souverain d'une terre
située, dit-on, du côté de l'Inde et de ses merveilles; et
plus de deux siècles plus tard, dans les années 1450,
les Vénitiens puis les Portugais tentent d'atteindre ses
terres dans ces parages.

On pourrait, bien sûr, épiloguer longuement sur la
façon dont les deux courants légendaires se sont
confondus ou opposés. En tout cas, vers 1250-1270, au
moment des voyages des Polo, la première légende
l'emporte toujours : le prêtre Jean règne quelque part
dans cette Asie profonde, sur un pays fabuleux, riche
d'or et de merveilles, peuplé de Chrétiens. On peut en
attendre aide et réconfort.

Remarquons-le sans nous en étonner et sans porter
de ces jugements méprisants auxquels cède si facile-

ment l'historien : on ne voit alors aucune contradiction, aucune incompatibilité entre la connaissance
prise sur le vif par les récits des voyageurs, par les
études de récits quasi historiques d'une part, et les
croyances aux mythes, d'autre part; celles-ci résistent
à tout, jamais balayées par la montée d'un quelconque
esprit « scientifique », « moderne ». Marco Polo lui-
même qui a voyagé, vu de près, entendu de très
nombreux témoins dignes de foi, qui certainement a
pu se faire lire quelques textes des historiens des
Mongols ou les rapports de leurs officiers, n'hésite pas
à consacrer de longs développements au prêtre Jean,
aussi fabuleux, aussi conformistes que ceux de n'importe quel compilateur enfermé dans son *scriptorium*
de France ou d'Angleterre. Exploitant avec un réel
talent les hauts faits que rapporte la tradition orale et
ce qu'il pouvait connaître directement ou par ouï-dire
des récits chinois et persans, notre Vénitien, à deux
moments de son livre et d'une manière alerte, campe
son personnage. Tout d'abord, il nous le montre usant
de ruse pour s'emparer du « roy d'Or », prince que les
Mongols appellent Altoum khan et qui régnait sur le
château de Cathay et plusieurs provinces au nord-
ouest de la Chine. Surtout, il ne consacre pas moins de
six chapitres à l'histoire des conflits entre ce prêtre
Jean et les envahisseurs. Ces Mongols, dit-il, habitaient dans un pays qu'il nomme Ciorcia – et qui serait
la Mongolie –, une « contrée à grant plains où il n'avait
nulle habitation si comme cités et chasteaux »; ils
payaient tribut « à un grant sire qu'ils nommoient en
leur langage Une can, qui veut dire en françois
" Prestre Jean " ». Voyant s'affirmer le nombre et la
force de ce peuple, Jean les éloigne vers le nord mais

ils reviennent très vite, innombrables, arrogants, demandant en mariage pour leur nouveau chef, Hengis khan (donc Gengis Khan) la fille de Jean. D'où le drame que, pour une fois, abandonnant son style d'ordinaire assez plat, Marco Polo rapporte comme une scène vécue, faisant parler ses personnages : « Comment n'a-t-il grant vergoigne de demander ma fille à femme? Et si sait bien qu'il est mon homme et mon serf. Retournez à lui et li ditez que je feroie, avant, ma fille ardoir [= brûler]... » Et l'autre, bien sûr, sitôt informé, de s'emporter – « et prochainement li monstrerait se il estoit son serf! » –, de semoncer ses gens et rassembler ses hordes, d'envahir tout le pays et, après avoir dûment consulté des astronomes chrétiens, nestoriens donc, et sarrasins, d'offrir bataille dans une vaste plaine : « ... et se reposserent chascun des osts deux jour, pour estre plus frais et plus ardents à la bataille. » Le prêtre Jean est tué sur place et les siens perdent tout le pays.

Ainsi n'est-il pas significatif de constater, à la lecture de son livre, que Marco Polo – expert, pourrait-on penser, familier de la cour mongole, officier pendant plus de vingt ans de l'empereur – ne puisse retracer l'histoire de la conquête mongole, ou du moins de l'un de ses principaux épisodes, qu'en se référant à cette légende du prêtre Jean qu'il lui fallait, bien évidemment, inclure à tout prix dans son discours. La connaissance des faits ne peut ici ébranler le mythe, une image déjà formée. Nous pourrons, dans le *Devisement,* le vérifier en maintes occasions : le voyageur, pourtant capable d'observer et de recueillir de bons témoignages, s'efforce toujours d'accorder du mieux possible la réalité avec une autorité reconnue par d'anciens écrits, avec les souvenirs et légendes. Mais, que de confusions évidemment, d'avatars, d'à-peu-près dans la transmission des récits épiques! Effectivement, sur cette défaite et la mort du roi Jean, aucun de nos textes, ni ceux d'Orient, ni ceux d'Occident, ne s'accordent : ni sur la date, même approximative de la grande bataille, ni sur les noms exacts des protagonistes, ni sur son issue.

Souverain d'Asie de confession chrétienne, approché par telle ambassade ou tel moine évangélisateur venu de Rome, puis « prêtre Jean » légendaire, les Chrétiens d'Occident croient fermement à son existence, dans un lointain Orient, fabuleux, exotique, à un royaume ami, prospère, bien administré par un prince chrétien toujours vivant ou par ses parents, garants d'un bon accueil et d'une convenable sécurité pour les voyageurs. Ils croient surtout – certitude renforcée par les premières relations de ces voyageurs – à un ordre établi, donc à la possibilité d'entreprendre ces interminables parcours à travers les immenses solitudes des hauts plateaux d'Asie.

CHAPITRE IV

Les grands voyages des Polo : la genèse

MATTEO, NICCOLÒ ET MARCO POLO, AMBASSA-
DEURS DE ROME?

C'est exactement de cette façon que se présentent
les deux voyages des Vénitiens, le second surtout,
auquel participe Marco, voyage qui sans aucun doute
tient bien davantage de l'entreprise politique, voire de
la mission chrétienne, que de l'exploration marchande.

Certes, le *Devisement* nous renseigne assez mal et
seulement par allusions sur les raisons qui ont amené
les deux frères, Matteo et Niccolò, en 1261, à quitter
le comptoir vénitien de Crimée, Soldaïa, pour se
lancer sur les chemins d'Asie centrale. Vont-ils ainsi
de leur propre mouvement, à l'aventure? Ont-ils reçu
des encouragements? Sont-ils chargés d'une véritable
mission, porteurs de lettres? Toutes ces interrogations
restent sans réponse. Mais certains faits demeurent,
clairement rapportés dans le préambule du livre et, si
les commentateurs ne se résignent pas volontiers à
leur accorder leur véritable poids, ils n'en restent pas
moins tout à fait significatifs et éclairent d'un jour

suffisant plusieurs aspects de l'expédition, les intentions des voyageurs et, en tout cas, la façon dont les
chefs ou souverains mongols d'une part, la Papauté de
Rome de l'autre, ont eu recours à leurs services.

Ainsi, déjà pour les deux frères, Matteo et Niccolò,
lors du premier voyage de 1261-1265. Lorsqu'ils
s'apprêtent au retour, à quitter la cour du Grand
Khan, celui-ci « leur demanda : du Pape et de l'Église
et tout le fait de Rommes et de toutes les coutumes des
Latins... »; il leur enjoignit d'aller à Rome, leur donna
pour les accompagner « un de ses barons qui avoit nom
Cogatal »; il fit écrire au pape des lettres en langue
tartaresque pour lui demander « que si il vouloir
envoyer jusques à cent sages hommes de notre loi
crestienne et que ils seussent de tous les sept ars, et
que bien seussent desputer et monstrer apertement
aux ydolastres et aux autres conversations de gens, par
force de raysons, comment la loy de Crist estoit la
meilleur ». Il les pria aussi de lui ramener de l'huile de
la lampe du Saint Sépulcre. Fidèles à leur engagement, de retour en Occident, après avoir appris la
mort du pape Clément et rencontré le légat Guillaume
d'Agen à Acre puis être allés à Venise, ils repartent
vers le Levant, font le pèlerinage de Jérusalem et en
reviennent avec de l'huile de la lampe.

Les circonstances du second voyage, tout aussi
claires et bien établies, tant à l'aller qu'au retour,
définissent d'une façon bien plus nette encore les buts
et la nature de l'expédition. En 1271, étaient arrivés à
Acre Édouard d'Angleterre accompagné de 300 soldats, pour combattre les Musulmans et le légat
pontifical, Thibault Visconti, d'une famille noble de
Plaisance. Thibault, qui avait fait vœu d'aller en Terre

sainte, rencontre donc à Acre les Polo qui y attendent la lettre d'un nouveau pape non encore élu. Lassés de patienter (Clément IV est mort depuis près de trois ans), ils quittent Acre pour l'Ayas où ils apprennent l'élection de Thibault, qui devient pape sous le nom de Grégoire X (élection du 1ᵉʳ septembre 1271). Les trois Vénitiens, plus soucieux de bien accomplir leur mission que de poursuivre aussitôt leur route, reviennent à Acre sur une galère que leur prête le roi d'Arménie Léon III. De Grégoire, ils reçoivent diverses instructions et, pour les accompagner, non pas les cent sages que réclamait Kubilaï, mais deux frères dominicains : Niccolò de Vicenze et Guglielmo de Tripoli, connu par ailleurs comme auteur d'une étude intitulée *De l'État des Sarrazins et de Mahomet*.

Mais, arrivés à nouveau à l'Ayas, ils y apprennent l'attaque lancée par le sultan d'Égypte Baïbars (*Bendocquedar,* écrit Marco Polo) contre l'Arménie et « quant les deux frères prescheurs virent ce, ils eurent moult grant peur d'aler avant ». Ils confient aux Polo « toutes les chartes et touz les privilèges que il avoient et se partirent d'eulx ». Ainsi s'amorce enfin la mission de Marco et des siens, jeune homme appelé à porter les lettres du pape au Khan des Mongols.

Mission, au demeurant, très ordinaire : un peu plus tard, sans doute en 1278, Kubilaï suscite une véritable enquête sur Rome et l'Occident, confiée à deux Chrétiens nestoriens. Ce sont deux moines, Rabban Sauma, né à Pékin, d'abord sacristain d'une église de la ville puis tonsuré, et le jeune novice Marqus, qui avaient décidé de se rendre en Mésopotamie et en pèlerinage à Jérusalem. Le Grand Khan les charge alors d'une mission de confiance : lui rapporter des

vêtements qu'ils auraient sanctifiés en les trempant
dans les eaux du Jourdain et en les laissant ensuite
toute une nuit sur le tombeau du Christ. Seul Rabban
Sauma entreprit ce long voyage, visitant Byzance,
Rome, Paris et la Gascogne, « magnifique contrepartie de ceux de son contemporain Marco Polo ». Deux
Chrétiens d'Occident l'accompagnent : Ugeto, interprète, et Tommaso, banquier, dit aussi Tommaso de
Anfusiis, identifié comme un membre de la famille
génoise des Anfossi. C'est là un autre exemple de cette
collaboration constante entre hommes d'affaires et
gens d'Église, pour la conduite des ambassades, pour
préparer ces expéditions.

A lire le *Devisement* même, comment n'y pas
trouver sans cesse, presque à chaque chapitre, le reflet
de ces préoccupations religieuses, de ces curiosités
pour tout ce qui se rapporte aux croyances et aux
cultes, aux possibilités de prêcher et de convertir, aux
succès des premiers missionnaires? Comment oublier
les constants rappels de la foi chrétienne, des vérités
enseignées par les Écritures, ces témoignages d'une
piété certaine dont on chercherait en vain l'équivalent
dans le récit d'un « marchand » ou même d'un homme
politique?

Dans le livre de Marco Polo, tout animé d'un souffle
chrétien, le conteur avance assuré de ses certitudes.
On trouverait difficilement, dans un récit de pèlerinage de cette époque, tant de références à l'excellence
de la loi du Christ et aux miracles.

Voici notre Vénitien en Perse, « grant province
laquelle anciennement fut moult noble et moult grant
afaire ». En commence-t-il la description par une

sorte de tableau géo-politique ? Par une liste des provinces ? Par une évocation des grandes villes ? Par un inventaire des ressources ? Absolument pas... Il parle d'abord de la cité de Saba (Sawah) d'où sont partis, dit-il, les rois mages pour aller adorer le nouveau-né, et où ils furent tous trois ensevelis : « Et dessus chascun sépulcre y a une maison quarrée mult bien enquièrrée [soignée]... les corps sont encore tout entiers, et ont cheveu et barbe. » Il rapporte aussi qu'il a interrogé longuement de nombreuses personnes de la ville pour en savoir davantage. A ces rois mages, il consacre, fait exceptionnel, deux chapitres entiers. C'est là qu'il apprend, des gens qui habitent une forteresse dont le nom signifie « chasteaux qui est des adorateurs du feu », de nouveaux épisodes sur la légende des trois rois, des présents portés à Jésus, l'or, la myrrhe et l'encens, et aussi de leur retour, et de la construction du temple du feu. Étonnant amalgame, bien sûr, de traditions chrétiennes orientales et de celles des Parsis, mais, affirme-t-il, recueillies sur place : « Et aussi le contèrent ceux de celui chasteau a Messire Marc Pol et lui affirmèrent par vérité que ainsi avoit esté... » Ce qui ne l'empêche pas de donner aux rois les noms acceptés par l'Occident et par l'Église d'Arménie (Gaspard, Melchior et Balthasar), sans allusion aucune aux autres traditions et dénominations orientales très différentes. Ce pèlerinage attentif aux sources de la foi, en plein pays des « ydolâtres », s'inscrit exactement et d'une façon très émouvante dans la pure tradition des dévotions chrétiennes aux Lieux saints, partout de par le monde; il prolonge, si loin de Jérusalem, celui au Saint Sépulcre.

Beaucoup plus avant, Marco Polo consacre tout un chapitre au tombeau de saint Thomas, premier propagateur du Christianisme en Inde, qui se trouve dans une petite ville du royaume de Maabar, dont il ne donne pas le nom mais qui était Meliapur, non loin de Madras. C'est un lieu fréquenté par les Chrétiens et par les Musulmans (« car ces Sarrazins y ont grant dévotion »). Pour les Chrétiens, pèlerinage thaumaturge dont on vante les vertus sans les mettre en doute un instant : « ... Si prennent de la terre là où le saint fu mort, et si en donnent au malades qui ont fièvre quartaine ou tercienne. Et tout maintenant par la vertu de Dieu et du saint, le malade guerist. » Et de rapporter un véritable miracle qui eut lieu très exactement l'an 1288, peu de temps donc avant son passage; mais « autres grant miracles y adviennent souvent ».

Cette référence, toujours admirative et confiante, aux miracles dont Dieu comble les vrais fidèles témoigne, chez Marco Polo, non pas seulement du plaisir de rapporter une anecdote édifiante, pittoresque parfois, mais aussi du désir de montrer comme les Chrétiens sont, eux, dans le vrai chemin et de quelles façons Dieu en fait éclater de merveilleuses preuves aux yeux des mécréants : histoires qui portent en elles des leçons que pouvaient utiliser les missionnaires pour amener les Infidèles à la vraie foi. En fait, les récits de ces miracles sont à plusieurs reprises largement développés, bien plus même que ceux d'événements politiques ou militaires. Notre conteur s'y attarde avec complaisance et ne ménage pas ses effets; ce sont, dans le livre, des morceaux de bravoure et les frères franciscains, Monte Corvino lui-même, n'auraient pas écrit davantage, ni clamé plus haut le triomphe des croyants.

Près des Portes de Fer, le long de la mer Caspienne, on trouve un couvent bâti près d'un beau lac qui recueille l'eau de toutes les montagnes avoisinantes; mais, dans ces eaux, aucun poisson tout au long de l'année, « ni petit ne grant »; si ce n'est, par miracle, pendant le carême, où l'on fait alors les plus belles pêches du monde. C'est évidemment une légende qui court le pays, reprise déjà dans quelques récits bien plus anciens que celui-ci : M. G. Pauthier signale que Willebrand d'Oldenbourg, pèlerin et combattant en Terre sainte, qui n'était naturellement pas allé jusque là, s'en faisait déjà l'écho dans son *Itinéraire de Terre Sainte,* rédigé vers 1210; mais il s'agissait selon lui, d'un grand fleuve et d'un château des Hospitaliers.

Autre miracle, celui-ci présenté comme un fait historique, unique et parfaitement daté : la foi déplaçant la montagne. En 1225, raconte Marco Polo, le calife de Bagdad, voulant confondre et humilier les Chrétiens de ses États (« ... et ce est chose véritable que touz les Sarrazins du monde vouloient toujours moult grant mal à touz les Crestiens... »), leur rappelle les paroles de Jésus affirmant que s'il se trouvait un Chrétien ayant vraiment autant de foi qu'un grain de sénevé, il pourrait commander aux montagnes de changer de place et serait obéi. Le calife réunit les Chrétiens apeurés et leur donne dix jours pour trouver parmi eux un seul homme qui puisse le faire; sinon, « ou vous mourrez ou vous retournerez Sarrazins. » C'est un savetier borgne qui, à la grande joie de tous, fit mouvoir la montagne. Quelque temps auparavant, il s'était lui-même percé l'œil pour avoir trop bien regardé une cliente au joli pied (« or voyez se il estoit saint homme et juste et de bonne vie... »). Quatre chapitres entiers pour chanter ce haut fait, pour stigmatiser l'arrogance et la cruauté du prince musulman, la mauvaise loi et les mauvais commandements des Infidèles.

Autre victoire miraculeuse, celle des Chrétiens de Samarkand qui avaient construit une magnifique église en l'honneur de saint Jean-Baptiste, où toute la charpente reposait sur une colonne portée par une pierre; mais les Infidèles leur réclament la pierre qui avait, disent-ils, autrefois recouvert le corps de Mahomet; les Chrétiens prient Jésus de les aider, et la pierre se soulève d'elle-même; elle fut miraculeusement emportée au-dehors tandis que la colonne, posée sur le vide, soutenait les poutres aussi fermement qu'auparavant.

Ainsi le *Devisement* traduit-il souvent, avant toute autre préoccupation, celle du Chrétien et même du missionnaire. Les trois Vénitiens, de toute évidence, sont envoyés en ambassade : ils ont plié leur itinéraire et leur calendrier aux exigences de leur mission, jusqu'à revenir sur leurs pas pour recevoir du nouveau pape lettres et instructions. Leur voyage – mieux connu que d'autres, bien sûr, mais sans doute guère plus remarquable – s'insère dans une série de nombreuses missions à la fois diplomatiques et religieuses, conduites soit par des moines seuls (Plan Carpin, Rubrouck) aidés des conseils des marchands, soit par des religieux accompagnés de marchands (Monte Corvino), soit par des marchands chargés de messages par Rome ou par les souverains mongols, hommes d'affaires certes mais intéressés à la propagation de la foi, désireux de servir cette évangélisation. Les Polo le sont incontestablement : le livre le dit sans cesse.

Cependant, et l'on ne verra là aucune contradiction ou incompatibilité, les Polo, engagés dans cette entreprise missionnaire, eux-mêmes porteurs de message, témoins de leur foi, n'en négligent pas pour autant les données d'une conjoncture qui, dans l'Orient méditerranéen, porte tout naturellement la marque des activités marchandes et des initiatives des hommes d'affaires. De telle sorte que leurs voyages s'appuient sur une infrastructure économico-sociale bien solide et ne se présentent pas comme simples fruits de hasards. Nous les voyons plutôt longuement mûris, bénéficiant de multiples expériences et informations, ne serait-ce d'abord et surtout par le choix des bases de départ, différentes à dix ans d'intervalle, choix qui s'accorde parfaitement avec les progrès des implantations italiennes dans le Levant.

Une nouvelle stratégie marchande, déjà esquissée depuis vingt ou trente ans, prend corps et s'affermit dans ces années 1260-1261. Ces initiatives finissent par connaître un succès durable dans deux directions différentes, au profit de deux grands comptoirs italiens : les deux ports où, précisément, commencent les voyages des frères Polo, en 1261 puis en 1271. D'une part Soldaïa, sur les rives de Crimée, d'autre part, l'Ayas, sur la côte sud de l'Anatolie, au pied des montagnes du Taurus.

LA MER NOIRE ET LES ROUTES DE L'ASIE

La conquête marchande de la mer Noire, domaine
strictement et jalousement réservé jusque-là aux
Grecs eux-mêmes, marque donc l'ultime étape de la
pénétration latine dans les eaux et les terres de
Byzance. Ce fut certainement la plus difficile; non
seulement à cause des détroits, le Bosphore surtout,
que les navires d'Occident doivent franchir en vue des
défenses de la côte et de l'hostilité des hommes
d'affaires et des marins du pays, mais parce qu'il
s'agissait bien d'un très grand pas en avant, fort
éloigné des habitudes et des certitudes, de l'entrée un
peu effrayante dans un autre monde qui n'est plus
celui de la Méditerranée, des climats et des paysages
familiers. C'était un total dépaysement que d'affronter cette mer ouverte sur de si vastes espaces, sur les
steppes : des rives souvent solitaires, peu accueillan-
tes; des ports où viennent les peuples des grandes
plaines et des forêts, ceux de l'Asie centrale aussi, les
Bulgares et surtout les Tartares. Des mondes vraiment
étranges, déjà ceux des *Merveilles;* c'est là que
commence l'aventure, l'insolite ou l'inconnu. Les
marins y affrontent d'effroyables tempêtes; les vents
glacés du Nord soufflent l'hiver et les maisons de bois
y composent, par des modes très différentes, une
architecture bien différente de celle, si agréable à
l'œil des marins italiens, de la mer intérieure.

Sans doute les Vénitiens, les premiers peut-être,
avaient-ils profité de l'implantation latine à Constantinople, de la semi-autonomie de ces provinces lointaines et de leur détachement de l'autorité de Nicée,

pour s'installer sur les rives de la mer Noire : à Sinope et à Trébizonde au Nord de l'Asie Mineure, et en Crimée où le port de Soldaïa, que le livre de Marco Polo nomme parfois Soudak, semble déjà bien fréquenté par leurs navires. Si les Grecs règnent sans conteste dans ces trois villes administrées par leurs officiers, s'ils y contrôlent tous les trafics et perçoivent leurs taxes, on y voit déjà, dit Plan Carpin, le premier des voyageurs à pénétrer loin dans les terres des Mongols, quelques marchands italiens bien installés à demeure.

C'est donc de Soldaïa que partent, en 1261, Niccolò et Matteo Polo et c'est là que, très vraisemblablement, les trois frères avaient transféré une bonne part de leurs capitaux et de leurs activités : « Ils achetèrent plusieurs joyaux et se partirent de Constantinople et allèrent par mer en Soldaïe. » Matteo, l'oncle de Marco, rappelle encore leur maison dans cette ville, au moment où il rédige son testament, en 1280 : il la cède aux Franciscains, en réservant seulement l'usage pendant toute leur vie à son fils et à sa fille qui y résident toujours. Voici, dans le destin oriental de la famille Polo, non un simple épisode mais une seconde implantation, solide et durable, le siège social d'une activité ouverte vers de grands et nouveaux horizons.

Pendant ce temps, avant que ne s'impose et l'emporte, pour les commerces de la mer Noire, la spectaculaire création coloniale des Génois à Caffa, Soldaïa reçoit presque tous les navires et les trafics des Italiens. Déjà bien active dans les années mille, complaisamment décrite par les voyageurs arabes, par Edrisi surtout, vers 1150, Soldaïa, ville pas ou peu fortifiée (ses grandes murailles ne furent dressées que par les Génois, bien plus tard, vers 1365), tomba, comme la Crimée et les steppes de la Russie du Sud, à deux reprises sous l'attaque des troupes mongoles, en 1223 puis en 1239. Cette domination permit aux hommes de se connaître, de s'informer. C'est là que l'on apprend le plus sur les routes de l'Asie contrôlées par les Mongols, ou Tartares, et c'est de là, tout naturellement, que partent les expéditions vers ces terres lointaines encore inconnues; ainsi, déjà, en 1253, celles de Guillaume de Rubrouck, missionnaire et ambassadeur franciscain.

« Au milieu et comme à la pointe de l'île de Crimée, dit lui-même Marco Polo, vers le midy, est la ville de Soldaïa qui regarde du côté de celle de Sinope; c'est là où abordent tous les marchands venant de Turquie pour passer vers les pays septentrionaux; ceux aussi qui viennent de Russie et veulent passer en Turquie. » Port où aboutissent les caravanes venues des steppes, port de transit aussi et de contacts entre Russes et Grecs, négociants du Nord et du Sud, la ville, que l'on peut imaginer encore très fruste, aux rues de terre et de boue, aux maisons de bois dispersées, mal ordonnées, protégées seulement par des palissades de bois, cette ville de pionniers, de muletiers et caravaniers, d'usuriers et marchands d'esclaves, connaît pourtant un important négoce d'entrepôt et de redistribution en mer Noire : commerce international vers l'Égypte et l'Italie, commerce interrégional aussi vers Trébizonde et Constantinople surtout. On voit bien quelles pouvaient être, à partir des années 1260, les affaires des frères Polo, puis de leurs neveux et cousins. Peu de produits de luxe certes : les épices de l'Inde et la soie de Chine n'arrivent pas encore par les routes de la grande Asie. Seuls les Russes, marchands de Novgorod et d'Arkhangelsk, apportent l'ambre de la Baltique, le miel, la cire, de riches fourrures : la martre et la zibeline, l'hermine, le vachak surtout, renard noir, le plus renommé et le plus cher.

Se met en place également sur les rives de Crimée ce trafic des esclaves, Tartares, Bulgares, Caucasiens, qui devait plus tard jouer un rôle si considérable dans les transactions entre les ports d'Italie et l'Orient. Mais, dans ces années 1260, au moment de l'arrivée des Polo, les navires chargés de malheureux captifs, des hommes surtout, ne vont encore, selon une très ancienne habitude marchande que les Vénitiens pratiquaient déjà en Occident avec les esclaves slaves dès les années mille, que vers le monde musulman, vers Alexandrie d'Égypte. En 1262, Michel VIII Paléologue signait un traité qui prévoyait l'envoi d'un bâtiment par an avec, dans ses cales, au moins 500 esclaves; l'accord fut renouvelé en 1268 puis en 1281, et E. Ashtor évalue, pour ce temps-là, les départs de captifs vers l'Égypte à 800 par an en moyenne.

De Soldaïa, en tout cas, aucun lien économique d'importance avec la lointaine Asie, par-delà les steppes et les déserts; pas même avec la Perse. On évoquerait en vain toutes ces balles de marchandises de luxe qui arrivaient à Constantinople ou dans les pays musulmans et qui, pour nous, accompagnent toute idée de commerce oriental à l'époque. Les marchands vénitiens de Crimée, les frères Polo entre autres, avec leur comptoir et leur entrepôt comme tous ceux échelonnés, plus ou moins isolés sur les rives de la mer Noire, vivent d'une économie à courte vue, d'échanges de petite envergure, pas davantage. Ces hommes, ancrés dans des pays encore mal connus, restés à l'écart des grandes affaires, louent simplement leurs navires, ces belles nefs capables d'endurer les plus affreuses tempêtes et qui émerveillent les Grecs; ils achètent dans les foires et les marchés de la campagne, aux Grecs, aux Arméniens, aux Juifs; ils fréquentent les villes de tentes des nomades ou les échelles aux embouchures des grands fleuves, rendez-vous des flottilles de pêche. Les fortunes tiennent à la mer, aux produits du sol, primaires, alimentaires. Rien de bien spectaculaire, mais un incessant va-et-vient entre les comptoirs.

C'est encore – tâche essentielle et source de beaux avantages – le ravitaillement des deux capitales grecques, Constantinople et Trébizonde, en sel des lagunes de Lo Ciprico (à l'est de la Crimée, dans la presqu'île de Kertch) ou en blés des plaines de l'intérieur. Vénitiens et Génois, et avec eux tout un peuple besogneux de commis et de courtiers, vont aux foires aux poissons une fois l'an, au retour des grandes saisons de pêche : aux bouches du Danube, plus encore à La Copa, à l'embouchure du Kouban, et à La Tana, au Nord-Est, à l'embouchure du Don, au fond de cette mer dite alors de La Tana, maintenant mer d'Azov. Ils y chargent des barils d'esturgeons, salés ou fumés, et ce caviar dédaigné à l'époque des gens d'Occident (« une nourriture tout juste bonne pour les Grecs! » dit encore en 1433 Bertrandon de La Broquière, Bourguignon, bon connaisseur de l'Orient). Tout ceci est expédié vers les petits ports de la côte du Caucase, plus souvent vers les grandes villes du

monde byzantin, jusqu'à Smyrne. Un trafic naturellement très primitif, des villes de foires, faites de
baraquements de bois : une simple traite où la
principale monnaie d'échanges et l'unité de comptes
est la pièce de *bocharame,* étoffe très fine fabriquée
surtout à Boukhara, amenée généralement de Trébizonde et que les frères Polo ont dû bien connaître
puisque Marco en parle dans son livre (les *bou-
grans...*)

Tout à l'est de la mer Noire, sur les côtes du
Kouban et du Caucase, les navires italiens chargent
des fruits et du vin, des viandes salées et fumées. Les
bûcherons des villages abkhases des forêts de l'intérieur viennent vendre les grands mâts de navires et,
surtout, les buis pour la fabrication des arcs. Côte des
esclaves aussi : hommes des tribus montagnardes,
Abkhases, Mingréliens, Koubans, Circassiens, captu-
rés et vendus dans les forts qui commandent les
vallées, et ceux amenés de bien plus loin, des villes des
pays de la Caspienne, de Derbent surtout.

La première entreprise vénitienne aux alentours de
1260, entreprise dont les Polo ont bien leur part, se
limite ainsi à une implantation difficile, dans une
économie d'échanges primaires, limitée à de courts
horizons. Ce n'est qu'un pas de plus dans la conquêtc
marchande de la Romanie, mais une Romanie lointaine, différente.

Cette démarche décisive, cependant, prépare la
voie pour d'autres avancées. Ce sont ces Vénitiens,
partis de Constantinople, de leurs confortables maisons de la Corne d'Or maintenant détruites ou
menacées, ces aventuriers et pionniers habités d'ambitions bien plus grandes, qui se lancent à la décou-

verte de marchés et de routes plus hasardés et plus profitables. Au repli de certains vers Venise et, en somme, à l'abandon, répondent au contraire des initiatives hardies vers d'autres mondes.

D'où, précisément, en 1261, le départ de Matteo et Niccolò Polo, de Soldaïa, vers le nord et l'est, la Volga et la Caspienne.

L'Arménie et l'aventure de Marco

Dans ces temps de grandes mutations politiques, les Italiens établissent, plus au sud, d'autres comptoirs qui relaient ceux de Terre sainte, également menacés. C'est là aussi une longue histoire, très complexe, soumise à toutes sortes d'avatars guerriers et diplomatiques, au jeu des alliances, aux drames des invasions brutales, des sièges et des ruines.

En fait, et contrairement à ce que l'on écrit volontiers trop souvent, les marchands italiens n'avaient pas en Palestine, ni à Jérusalem, ni dans les ports – Jaffa, Sidon, Tyr, Giblet par exemple – de puissants intérêts économiques liés au grand trafic des caravanes venues de la mer Rouge ou de Perse. Les routes des épices passaient ailleurs, plus à l'est, par Damas et Alep. Les seuls détournements ne se font qu'en faveur de Saint-Jean-d'Acre, devenue capitale du royaume latin après la chute de Jérusalem, en 1187. Acre, grande ville marchande, voit son port animé d'un intense trafic de galées italiennes, provençales, catalanes; la ville reçoit de Damas les armes et les vases damasquinés, les étoffes précieuses, les tapis, les fruits et les célèbres confitures. Ibn Jobaïr, Musulman d'Espagne sur la route du pèlerinage de La Mecque, en 1280, décrit, dépité, envieux, tous ces négoces et l'étonnante animation de la douane; ses caravansérails abritent des voyageurs de tout l'Orient et les Vénitiens tiennent là, près du port, dominés par leurs églises de San Marco et de Santa Maria, un fort quartier et un grand *fondouk*.

Cependant, depuis longtemps déjà, d'autres perspectives et profits s'offraient aux Latins, à leurs guerriers et à leurs marchands, plus au Nord en dehors de la Terre sainte, dans le royaume de Petite Arménie.

Lors de la grande invasion des Turcs, après la dramatique défaite des armées byzantines à Mantzikert (1071), les Arméniens de la région du lac de Van, encouragés par les officiers de Constantinople, avaient émigré pour une bonne part vers les villes d'Antioche et d'Édesse. Un grand nombre d'entre eux s'étaient aussi installés dans la frange côtière de Cilicie, au pied du Taurus : à Tarse, à Adana, Sis et Missisa; ils y fondèrent de petites principautés plus ou moins indépendantes, protégées par de puissantes forteresses, souvent alliées par les mariages de leurs filles aux chevaliers croisés, mais constamment revendiquées par les Byzantins et en butte à leurs attaques. Finalement, une dynastie s'impose : en 1194, Léon est couronné roi à Tarse par l'évêque arménien de la ville – le *catholicos* – et par un légat du pape Célestin III.

Alliances avec les croisés francs, avec l'Église de Rome déjà contre celle de Constantinople, et, tout naturellement, avantages aux marchands d'Occident.

Face aux pays d'Islam et à l'empire grec, les princes arméniens avaient soutenu, dès 1149, les expéditions des Francs de Renaud de Chatillon contre l'île de Chypre, byzantine. Toute cette région au sud de l'Anatolie, de part et d'autre du golfe – actuellement golfe dit d'Alexandrette –, offre d'appréciables ressources. C'est là, avec Chypre elle-même et le Liban, une des plus riches zones de peuplement forestier de tout le Levant méditerranéen. Des massifs du Taurus et de l'Amanus, les fûts descendent jusqu'à la côte, aux échelles, embarcadères très rudimentaires que fréquentent les navires de Venise, de Gênes, de Pise. Aucune implantation humaine, mais de simples escales qui portent des noms de fortune : *port des Pisans, port des mâts*. La plaine de Cilicie, elle, produit, sur les alluvions des deux grands fleuves, la canne à sucre et le coton. C'est bien, d'ailleurs, par les richesses de l'*Herménie la Petite* que Marco Polo commence sa description des mondes d'Asie : « Il y a maintes villes et maints chasteaux, et y a de toutes choses grant habondance. Encore est terre de grant déduit de toutes chasses de bestes et d'oiseaux. Mais je vous dis qu'elle n'est pas saine province, mais enferme [= malsaine] durement. »

Surtout, le pays se trouve, depuis longtemps déjà, au débouché d'importantes routes caravanières : celle qui vient de la vallée supérieure de l'Euphrate et donc de Bagdad, celle qui, à travers les montagnes du Taurus puis les hauts plateaux d'Anatolie, gagne la rive nord de la mer Noire, Sinope et Trébizonde, puis Erzeroum et Tabriz. Ainsi arrivent en Petite Arménie les grands trafics caravaniers formés, d'une part au fond du golfe Persique ou à Bagdad et portant les épices amenées de l'Inde par les Arabes, de l'autre en Perse, portant les balles de soie grège. Deux bonnes routes du commerce de l'Asie lointaine qui échappent aux intermédiaires de l'Égypte ou de Damas : « Encore y a sur la mer, dit toujours Marco Polo, une ville qui est appelée Laias laquelle est de grant marchandise ; car sachiez que toute l'épicerie et draps de soie et dorés d'Eufratere se portent à ceste ville et toutes autres choses. Et les marchans de Venisse et de Gênes et de touz autres païs y viennent et vendent la leur, et achetent ce que besoin leur est. Et chascun qui veut aller au Fratere, ou marchans ou autres, prennent leur voie de ceste ville. » Eufratere ou Fratere, c'est ici la vallée de l'Euphrate.

Plus que toute autre ville de la côte, l'Ayas, que les Italiens nomment plutôt *Lajazzo,* offre un magnifique refuge : une ville double (ville ancienne du début de l'ère chrétienne et ville nouvelle fondée par les immigrés arméniens), de part et d'autre d'une étroite vallée littorale, domine un rivage escarpé et une très belle rade défendue par un îlot fortifié, le château de mer, réuni alors par une digue de pierre au puissant château de terre, dressé sur la pointe extrême du site. Situation privilégiée aussi puisqu'elle commande, tout à l'est de ce royaume de Petite Arménie, les accès du golfe d'Alexandrette et, vers l'intérieur, une bonne voie de pénétration vers les passes du Taurus.

Certes, on voit mal quelle pouvait être, dans cette ville dont il ne reste plus maintenant que de pauvres ruines, la nature des établissements italiens et plus particulièrement vénitiens : simples comptoirs et entrepôts tenus plutôt par des Arméniens eux-mêmes ou par des Juifs ? Véritables maisons de commerce

avec résidences et magasins? L'Ayas n'est sans doute
pas, pour aucune des nations d'Occident, une véritable colonie avec officiers responsables, *consul, baile*
ou *podestat,* bénéficiant de privilèges fiscaux et de
juridictions particulières, d'un palais des douanes et
d'une balance publique. Marco Polo le dit lui-même :
le climat y est très malsain et, d'autre part, aucune
tradition urbaine n'y avait maintenu la moindre
industrie spécialisée : ni orfèvres, ni tisserands, ni
verriers. Rien qui puisse alimenter un marché de luxe.
Tout est lié à la rencontre des routes terrestres et de la
mer : une rencontre quasi de hasard, provoquée par un
avatar politique.

Mais nous imaginons bien une grande activité
portuaire et des caravansérails. Nous savons qu'y
habitaient, sans doute pour de courts séjours, des
commis et petits marchands, mais aussi, tout de
même, des notaires pisans, génois, vénitiens, voire
marseillais.

De plus, lorsque Marco Polo, son père et son oncle
se trouvent à l'Ayas, en 1270, les Arméniens ont, si
l'on peut dire, partie liée depuis quelque temps déjà
avec les nouveaux maîtres de l'Asie. En fait, ils sont
leurs sujets et même leurs alliés. Le roi d'Arménie,
Héthoum Ier (1226-1270) avait d'abord accepté la
suzeraineté du sultanat turc des Seldjouks qui, avec
Konya, Sivas, Amania et Mélitène, détenait les
principales villes caravanières d'Anatolie, la clef des
routes de l'intérieur et de tout le trafic vers la mer
Noire. Mais, dès 1243, après les décisives victoires des
envahisseurs mongols contre les Turcs, ce même
Héthoum se soumet à eux; en 1254, il séjourne à la
cour mongole, fournit ensuite des contingents armé-

niens lors des campagnes contre la Syrie et entreprend une sorte de blocus économique de l'Égypte, en refusant notamment de livrer des bois d'œuvre pour la construction des navires. Ce qui vaut aux Arméniens de subir de douloureuses expéditions punitives puis une véritable campagne de représailles menée par les officiers du sultan ou par Baïbars lui-même, en 1266, 1275, 1283; l'Ayas et Tarse sont ravagés; les Égyptiens poussent même quelques raids dans le Taurus.

Ces liens étroits avec les Mongols de l'Asie lointaine, le souvenir du roi Héthoum qui, abdiquant le trône en 1266, est allé finir ses jours en Occident dans un couvent de Prémontrés, expliquent évidemment l'intérêt que pouvaient porter à cette place, constamment disputée entre deux puissances, mais admirablement située, des hommes comme nos trois Vénitiens, prêts à entreprendre leur marche aventureuse vers le cœur du continent : carrefour des informations, point de contact entre des voyageurs de tous pays, une grande connaissance des voies caravanières et de leurs étapes. Nous voyons bien Marco, très jeune encore, son père et son oncle, fréquentant les caravansérails, parlant aux chefs chameliers, aux muletiers et aux interprètes, recueillant toutes sortes de conseils et de renseignements, s'entourant de familiers domestiques, choisissant leurs guides, leurs truchements et leurs bêtes. Sans parler des expériences plus fructueuses peut-être... N'est-ce pas de cette Arménie qu'était parti, seize ans plus tôt, en 1254, le roi Héthoum et sa suite, en route vers les campements des Mongols? Et n'est-ce pas un prince d'Arménie, un autre Héthoum, comte de Korikos, exactement contemporain de

Marco Polo, allié aux Mongols dans leur guerre contre les Mamelouks, moine par la suite lui aussi, retiré à partir de 1305 dans un couvent, qui écrivit une si précieuse et si complète relation sur les pays des Mongols, leur histoire, leur gouvernement, leurs mœurs? Les matériaux de cette *Fleur de l'Histoire de la Terre d'Orient* (ou *Livre des Hystoires des parties d'Orient*), écrite certes quelques années après le livre de Marco, avaient été évidemment rassemblés bien plus tôt et reprenaient les informations de l'expédition de 1254. Tous les moyens de voyager dans les régions soumises aux souverains mongols, les approches de leur cour, leur façon de gouverner et leur cérémonial, devaient, par force, être bien connus à Sis, capitale de la Petite Arménie et à l'Ayas. Là encore un choix parfaitement mûri.

En 1261 comme en 1271, à Soldaïa comme à l'Ayas, les deux entreprises des Polo s'inscrivent donc dans une situation parfaitement définie, très claire, fruit de toute l'histoire de l'expansion vénitienne dans les pays d'Orient. Ces deux comptoirs latins, l'un et l'autre aux marges et même hors de l'empire grec, offraient les meilleurs départs sur des routes déjà fréquentées par des marchands, des missionnaires, des ambassades. Ce n'est pas l'inconnu, bien au contraire... du moins pour les premières étapes. Et, dans les deux cas, nos voyageurs se trouvaient aux sources mêmes de l'information.

CHAPITRE V

Les grands voyages : les itinéraires

Matteo, Niccolò et Marco Polo voyageaient-ils comme le feraient alors les marchands? De quelle façon et sur quelles routes? Le problème se pose et n'est pas simple car il faudrait, avant toute chose, pouvoir définir exactement les itinéraires en 1261-1265, puis lors du grand voyage à trois, en 1271 pour la traversée terrestre vers la Chine et, en 1292-1295, pour le retour, périple maritime vers l'Inde et la Perse. Or ces itinéraires, contrairement à ce que l'on pourrait croire a priori et à ce que rapportent implicitement encore certains manuels, restent des énigmes indéchiffrées. Tout demeure du domaine de l'hypothèse et les auteurs, étudiant la vie de l'illustre Vénitien, proposent des routes différentes les unes des autres et doivent, par force, le plus souvent éluder les difficultés.

C'est que, rappelons-le, le *Devisement* n'est, en aucune manière, le récit fidèle de ces expéditions. Marco Polo ne décrit absolument pas son itinéraire : il disserte des pays traversés et aussi de ceux, plus ou moins voisins, dont il a entendu parler, sur lesquels il a pu lire tel ou tel ouvrage, pays riches de réputation et de merveilles dont il ne croit pas pouvoir priver son auditoire.

Penser comme l'ont fait presque toujours et le font encore les commentateurs du livre ou biographes du Vénitien, que cet ordre des descriptions correspond à celui des cheminements ou des navigations, que toutes les provinces évoquées se trouvaient sur la route et que nos voyageurs les ont effectivement visitées, c'est vraiment faire preuve d'un bel optimisme et se limiter, sans beaucoup d'esprit critique, à une analyse superficielle de l'œuvre. En fait, cette œuvre, dont une des sources – mais une seulement – fut bien des souvenirs de voyage, est à la lettre un conte, aménagé, enrichi, mis à tout moment en ordre nouveau.

Que nous apprend une lecture plus circonspecte, moins confiante du livre?

1261-1265; L'ONCLE ET LE PÈRE

« Quant ils furent venus en Soldaie, si pensèrent et leur sembla bon d'aler plus avant. Et se partirent de Soldaie, et se mirent en chemin et chevauchèrent tant que il vinrent à un seigneur tartare qui avoit nom Abarca Kaan, qui estoit au Sara et à Bolgara. Cestui Barca leur fist grant honneur aux deux frères et eut moult grant joie de leur venue. Et, eulz, lui donnèrent tous les joyaux qu'il avoit apportez; et li Sires les reçut moult volontiers; et ils plurent moult. Et leur fit donner moult bien deux tant plus que il ne valoient. »

En quelques lignes, dès le second chapitre du

Devisement, Marco Polo rappelle la première aventure de son père Niccolò et de son oncle Matteo. Il n'en dit pas plus et le livre, de ce point de vue, déçoit beaucoup. Il ne nous apprend rien sur les conditions et les péripéties de l'expédition, ni sur les caravanes et les bêtes de somme, sur la suite domestique, sur les valets, et pas davantage sur les truchements ou les hommes armés qui pouvaient faire escorte. Quelle pauvreté, ici, quand on songe au récit si précis, si souvent pittoresque de Guillaume de Rubrouck! Et nous en apprenons infiniment plus à lire un simple manuel technique, fait pour informer des conditions matérielles et financières du voyage, tel celui de Pegolotti, commis de grands marchands florentins.

C'est que, en 1261 comme dix ans plus tard, nos Vénitiens voyagent sans doute, non comme de simples négociants mêlés à l'une de ces grandes caravanes de centaines, de milliers de bêtes, traçant leur sillon de poussière et portant de grandes rumeurs sur les pistes de l'Orient, mais comme des chargés de missions, en petit groupe de quelques cavaliers, bénéficiant de divers avantages et protections. Une course, une chevauchée préparée, encadrée...

Ainsi, pour suivre ces deux surprenantes expéditions, il ne nous reste que les descriptions, observations rapportées dans le *Devisement,* œuvre littéraire écrite longtemps après. Ce qui, déjà, pose de nombreux problèmes et donne suffisamment de souci aux commentateurs qui, à partir d'un texte forcément elliptique, voire énigmatique, se sont efforcés de reconstituer ces parcours dans leurs moindres détails. Problèmes pour combler des vides, rectifier des erreurs et résoudre quelques invraisemblances, surtout pour

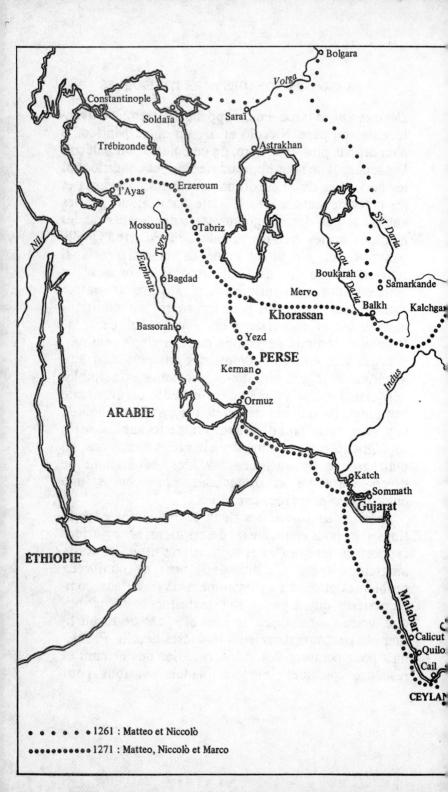

Bolgara

Volga

Constantinople
Soldaïa
Saraï
Trébizonde
Astrakhan

Syr Daria

l'Ayas
Erzeroum

Mossoul
Tabriz

Tigre

Euphrate

Boukarah
Merv
Samarkande

Amou Daria

Bagdad
Balkh
Kalchga

Khorassan

Bassorah
Yezd
PERSE

Kerman

Indus

ARABIE

Ormuz

Nil

Katch
Sommath
Gujarat

ÉTHIOPIE

Malabar

Calicut
Quilo
Cail
CEYLAN

• • • • • 1261 : Matteo et Niccolò
•••••••••• 1271 : Matteo, Niccolò et Marco

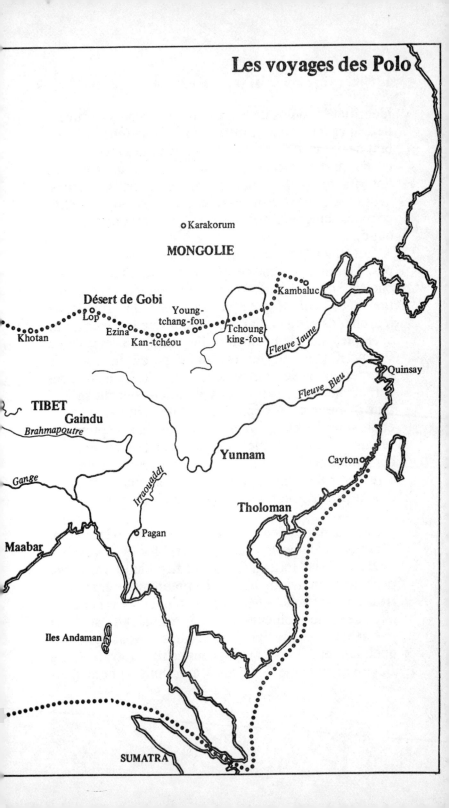

Les voyages des Polo

○ Karakorum

MONGOLIE

Désert de Gobi

Lop

Young-
tchang-fou

Kambaluc

Ezina

Tchoung-
king-fou

Fleuve Jaune

Khotan

Kan-tchéou

TIBET

Gaindu

Brahmapoutre

Gange

Yunnam

Fleuve Bleu

Quinsay

Cayton

Irraouaddi

Tholoman

Pagan

Maabar

Iles Andaman

SUMATRA

identifier les noms de lieux et de personnages souvent
déformés lors d'une transcription phonétique. En tout
état de cause, demeurent encore quelques incertitudes
et en particulier se pose toujours la question de
déterminer quelles sont, parmi les régions décrites,
celles réellement visitées au cours du voyage et celles
connues seulement par des écrits, des rapports, ou par
ouï-dire.

Ces itinéraires ne sont pas simples et ne se répètent
pas. En fait, et c'est ce qui frappe le plus, les voies
choisies ne témoignent pas vraiment de préoccupations économiques; ce ne sont pas des routes de
marchands pressés d'arriver, telles que les décrit, par
exemple, un demi-siècle plus tard, le marchand
Pegolotti. Le but ici est toujours ou la cour de
l'empereur ou le campement d'un chef, ou un gouvernement de province. Les Vénitiens ont dû suivre,
plus d'une fois, les déplacements des armées ou de la
cour, voire les campagnes de chasse; ils acceptent, au
retour, de porter des lettres. Les premiers commerces
consistent avant tout à offrir des présents au prince et
à recevoir de l'argent, une protection, des privilèges;
des autres négoces, rien n'est dit ou si peu...

Nous sommes donc en 1261 et les deux frères Polo,
Matteo et Niccolò partent vers les Mongols ou
Tartares de la Horde d'Or (ou du Kiptchak). Initiative
purement individuelle de commerçants dans une
situation difficile cherchant, au-delà des horizons
habituels, de meilleurs profits? Ambassade suscitée
par Rome ou par les Franciscains? Nous ignorons
quels étaient leurs compagnons, s'ils en avaient. Le
Devisement conte leur aventure, huit années d'er-

rance et de séjour dans ces pays des Tartares, en seulement huit chapitres, dont certains réduits à quelques lignes.

Par une route certainement bien connue, ils vont à la cour de Barka Khan, souverain du Kiptchak depuis 1257, converti à l'Islam, et visitent, l'une après l'autre, ses deux résidences sur la Volga. Tout d'abord Saraï, ville fondée par son frère et prédécesseur Batu, sur l'un des grands bras du fleuve. C'est bien une capitale; *Sara* signifie palais et ce palais, en effet, flanqué d'épaisses murailles aux tours massives, domine la ville, elle sans enceinte. Puis très au Nord, toujours au bord du fleuve, les Vénitiens atteignent, après quelques journées de chevauchée, la résidence d'été, Bolgara, autrefois capitale du grand empire bulgare, conquise par les Mongols en 1255. Les voyageurs arabes en parlaient, depuis des siècles, comme la dernière limite du monde civilisé et dissertaient volontiers de ses nuits si courtes en été, des dures rigueurs de l'hiver, des grands champs d'ivoire fossile que l'on pouvait trouver dans les environs. Ibn Battoutah, célèbre, on le sait, pour ses pérégrinations lointaines, y vint admirer ces curiosités, en particulier les longs jours de juillet. Du temps des Polo, ce n'est qu'une ville précaire, un poste de traite où l'on n'achète guère que des peaux et des cuirs, des fourrures, de la cire, du miel et des noisettes. Nos deux frères sont ici loin de la route de Chine ou des merveilles de l'Orient et, à considérer cette première étape, nous voyons mal comment expliquer leur itinéraire par de seuls intérêts économiques.

De plus, ils y restent toute une année, de l'aveu même de Marco, qui ne donne, pour ce si long séjour,

aucune sorte d'explication. Ce n'était certainement
pas pour commercer et nous imaginons bien Barka les
prenant, d'une façon ou d'une autre, à son service,
comme, plus tard, Marco et ses deux parents le furent
par le Grand Khan lui-même, en Chine. Conseillers,
fonctionnaires déjà...

La guerre qui sévit entre ce Barka et Houlagou,
« seigneur des Tartares devers soleil levant », l'insé-
curité des routes (« nulz ne povoit aller por chemin
qu'il ne fut pris... ») leur interdit de revenir vers Saraï
et la Crimée. Ils suivent tout de même, jusqu'à
mi-chemin de son embouchure, la Volga, que Marco
appelle le Tigeri et que Ramusio identifie avec... le
Tigre de Mésopotamie (« un des quatre fleuves du
Paradis terrestre »). Premier exemple manifeste de
ces défauts de mémoire et de ces méprises chez
l'auteur du *Devisement;* confusion bien significative
aussi chez Marco de la volonté de se rattacher le plus
possible à des noms connus, à des traditions bibliques
ou encyclopédiques; faire concorder réalité, connaissances livresques et fonds culturel, c'est là une
préoccupation d'esprit que nous retrouverons souvent
chez lui.

Après dix-sept jours de désert, droit vers l'est, ils
gagnent Boukhara. A partir de là, le *Prologue* du
Devisement ne donne, jusqu'au retour à l'Ayas,
aucune sorte d'indication ni sur l'itinéraire ni sur les
étapes : aucun lieu, aucune distance. Ce qui compte,
visiblement, est de marquer l'accueil chaleureux
réservé aux deux frères, leurs relations avec les
princes et leurs messagers, les honneurs reçus... et de
rapporter des dialogues pour souligner davantage
encore cette faveur et, donc, le succès diplomatique,

politique de l'entreprise. A aucun moment, il n'est question de marchandises et de marchands.

De peur des guerres toujours, ils séjournent trois ans à Boukhara, cité « la meilleure de toute Perse ». Pas un mot ne permet de savoir ce qu'ils ont pu y faire; simplement ils y ont rencontré des messagers qui s'en allaient vers l'est auprès du « seigneur de tous les Tartares du monde ». Ces hommes qui n'avaient jamais vu de Latins, leur conseillent de les accompagner vers le Grand Khan. Les voici complètement pris en charge par une petite troupe de cavaliers, protégés et conduits tout le long du chemin (« et pourrez venir avecques nous surement, sanz nul encombrés de nul gens »). Ils chevauchèrent ainsi à travers les montagnes et les steppes, mais il leur fallut cependant une année entière pour atteindre leur but.

Au retour, ils restèrent trois ans en route avant d'arriver à l'Ayas, ce qui laisse supposer de longs arrêts, une immobilisation totale peut-être pendant des mois, dont Marco rend seuls responsables l'hiver et les intempéries (« pour ce que il ne purent par toutes foiz chevauchier par le mauvais temps pour la neige et pour les pluies qu'il faisoit aucunes foiz moult grans, et des grans fleumeraies [= crues des fleuves] que il trouvoient, que il ne pouvoient passer »); mais nous pouvons tout aussi bien imaginer des séjours commandés par la nécessité de s'attarder, ici et là, de longs mois, près de tel chef ou prince des Tartares.

Au total, que de lacunes et de raccourcis! Mais Marco ne s'intéresse pas au trajet lui-même et ne parle que des entrevues, surtout de celle avec Kubilaï qu'il situe, bien sûr, à la cour de l'empereur mais sans préciser le lieu exact. C'est donc par une interpréta-

tion plutôt libre que l'on affirme que les deux frères
allèrent alors jusqu'à Karakorum, résidence habituelle de la cour mongole.

L'empereur, auprès d'eux, se renseigne; il veut tout
savoir sur les puissants du monde chrétien, sur les
deux empereurs, celui de Constantinople et celui
d'Allemagne, sur leurs façons de gouverner (« et
comment ils maintiennent leur seigneurie et leur terre
en justice »), mais aussi sur leurs armées, leurs
manières de combattre. Il veut connaître des rois, des
princes et des barons; puis du pape et de l'Église.
Dialogue très spontané car les deux frères « qui savent
la langue tartaresque » lui répondent de leur mieux,
avec force détails, sans rien cacher.

Mission accomplie donc : c'est bien là une ambassade, un voyage qui bénéficie de protections, d'ac-
compagnateurs à l'aller comme au retour, coupé de
très longs séjours : un an pour atteindre la cour
mongole, trois pour en revenir; alors que par la suite,
les manuels écrits à l'usage des marchands le précisent
nettement, les bêtes de somme et les chars n'y
mettaient qu'environ dix mois.

Marco : de l'Ayas à Pékin (1271-1275)

Contrairement à toute attente, les itinéraires du
second voyage, celui auquel participe Marco, ne se
définissent pas beaucoup mieux. Le *Devisement*,
toujours aussi discret ou elliptique, et même désordonné en bien des points, ne donne là que deux types

d'informations à partir desquelles chacun doit s'employer à tout reconstituer :

— Tout d'abord les six derniers chapitres du *Prologue*, relativement courts, qui content l'aventure exactement comme la précédente, en insistant sur les rencontres, les accueils et les protections, les missions et les dialogues. On n'y trouve indication d'aucune étape et une seule date, celle de 1295, année du retour à Négrepont et à Venise. Nous y apprenons qu'ils chevauchèrent à l'aller, tant l'hiver que l'été, pendant trois ans et demi : « Et ce fu par les mauvais temps qu'ils eurent et par les granz froidures. » Lorsque l'empereur eut connaissance de leur venue, il leur envoya une escorte pour les accompagner pendant le reste du trajet, soit encore 40 journées : « Et furent moult bien servi et honnonré par la voie. » Là, de nouveau l'accent est délibérément mis sur l'ambassade, l'accueil du souverain.

Ils rejoignent Kubilaï à Kai-ping-fou, ville nouvellement fondée, située en Mongolie, au-delà de la Grande Muraille. Il n'est pas question de Pékin dans le *Prologue*.

Quant aux circonstances du retour, vingt ans plus tard, ce même *Prologue* dit bien que ce fut d'abord en mer, pour accompagner une princesse tartare jusqu'en Perse, puis par voie de terre vers Trébizonde et Constantinople. Marco insiste sur le fait que cette dame, Cogatra, leur donna une escorte d'au moins deux cents cavaliers.

— D'autre part, dans le corps même des deux livres du *Devisement*, la description des « diversités que Messire Marc trouva ». C'est une longue suite d'évocations dans un ordre qui se veut logique

mais semble parfois bien curieux, voire aberrant et
qui ne concorde pas toujours avec un itinéraire raisonnable. Marco ne dit pas vraiment où il est passé, si
ce n'est, et très rarement, par allusions plus ou
moins claires. Il parle des provinces (« Ci dist de la
province de Turquemanie ») et des royaumes mais
sans indiquer exactement le chemin suivi; il oublie
de rappeler de longs parcours, nous laissant
dans l'inconnu entre deux étapes; il cite volontiers
les curiosités de pays qui se trouvent, on le voit
bien, tout à fait à l'écart de la route. Ce qu'il sait,
c'est aussi souvent par ouï-dire que pour y être allé
lui-même. Bien des questions restent ainsi sans solu-
tion et, dès l'abord, nous constatons, non sans regrets,
que le *Devisement* ne se présente absolument
pas comme un récit de voyage, mais répond à
un autre propos; le livre participe à un autre genre
littéraire.

La route, il faut le reconnaître, paraît donc dès le
départ très difficile à suivre. Les commentateurs sont
vraisemblablement partis de l'idée que Marco Polo
décrivait ce qu'il avait vu et dans l'ordre de son
cheminement. Mais est-il hérétique ou désobligeant
de mettre en doute un tel postulat? Que notre conteur
parle de telle ou telle ville, en cite les ressources et les
activités, ne signifie pas à coup sûr qu'il y ait fait
étape.

En réalité, nous pouvons estimer que la clé du livre
est tout autre. Il semble que, soucieux de dire le plus
possible sur chacune des régions situées sur sa route et
dans des environs plus ou moins proches, l'auteur
n'hésite pas à enrichir sa description du parcours aller

en y ajoutant, sans prévenir en aucune façon ses lecteurs, ce qu'il a pu apprendre par des conversations de cour et de marchés, ou ce qu'il a pu voir au retour. Le procédé consiste à rassembler tout ce qui intéresse chaque pays en un seul développement. Ainsi, par exemple, pour la Perse, dont l'itinéraire pose sans nul doute les problèmes les plus ardus, quasi insolubles si l'on s'en tient à l'idée que le livre suit l'ordre de l'expédition.

D'une façon unanime, les études sur le voyage et les cartes qui traduisent les options adoptées font effectuer à nos Vénitiens un étrange et considérable détour. A les croire, partis de l'Ayas, ceux-ci auraient d'abord gagné Erzincan, au nord-est de l'Asie Mineure, ce qui paraît ordinaire et correspond bien aux routes habituelles. Mais, de là, au lieu de continuer tout naturellement, comme plusieurs avant eux et tant d'autres après, ils auraient, d'après plusieurs auteurs, bifurqué brusquement vers le sud, revenant presque sur leurs pas pour atteindre la haute vallée de l'Euphrate, puis la Mésopotamie, passant par Mossoul et Bagdad, pour arriver à Bassorah.

D'autres cartes des itinéraires de Marco Polo, telle celle qui accompagne l'édition de M. G. Pauthier, le font aller directement de l'Ayas vers l'est jusqu'à la très haute vallée du fleuve, descendu ensuite jusqu'à la mer; alors, la Grande Arménie et Erzeroum seraient visités bien plus tard, au prix d'un invraisemblable et interminable parcours, aller et retour, à partir du cœur de la Perse, de Kerman. Quoi qu'il en soit, à ces variantes déconcertantes près, tous ces auteurs pensent que nos voyageurs se seraient bien embarqués à Bassorah pour Ormuz et, de là, par une

longue et périlleuse traversée des montagnes et des
déserts auraient finalement atteint le fameux point
repère dit de l'*Arbre Sec,* près de la mer Caspienne.
Détour incompréhensible dont le *Devisement* ne
donne aucune raison ni aucun signe : il n'est jamais
question d'un voyage par mer, entre Bassorah et
Ormuz, et l'on voit mal comment expliquer un tel
silence.

Contre la thèse d'un passage par Bagdad et Bassorah témoigne aussi la désinvolture avec laquelle
notre conteur parle de ces deux villes – l'une capitale,
l'autre grand port marchand – qu'il n'a certainement
pas vues et sur lesquelles il se trouve manifestement à
court de renseignements.

Plus critique et plus raisonnable, Leonardo Olschki,
en 1957, ne croyait pas au détour par Bagdad mais
maintenait une sorte de raid jusqu'à Ormuz, fort loin
de la route directe, impliquant un long trajet aller et
retour dans les régions les plus difficiles de tout le
parcours. Ceci à seule fin de pouvoir faire passer les
Vénitiens, lors du voyage aller par Kerman et Ormuz,
puisque Marco parle de ces deux villes dans les
premiers chapitres. Un itinéraire tout aussi étonnant
et aberrant que les autres.

Cette tradition du passage à travers la Perse
s'explique essentiellement par le désir de faire concorder, de confondre même, malgré les invraisemblances, l'itinéraire et le récit, de soumettre la reconsti-
tution de l'un aux impératifs ou fantaisies de l'autre.

A cette description de la Perse, Marco consacre une
bonne dizaine de chapitres au début de son discours,
sans pour autant indiquer formellement son passage,
et n'en parle presque plus au retour. Or, c'est

précisément lors du retour, après son long périple maritime par l'Inde, qu'il y est allé pour accompagner la princesse mongole, qu'il a rencontré le maître du pays, fréquenté des officiers, cheminé dans le royaume par son travers et, de cette façon, mais à ce moment-là seulement, tout appris sur le pays.

Telles sont, inconstestablement, les circonstances qui ont permis à notre auteur de rassembler sa documentation. Mais ses chapitres, en quelque sorte encyclopédiques, suivent manifestement dès le début de son livre un ordre qui se veut logique, géographique, qui interdit de parler du même royaume à deux reprises et ne se soumet pas à l'itinéraire réel du voyage. Marco Polo commence par énumérer, d'une manière très didactique, les huit royaumes de la Perse et les présente ensuite selon ce même schéma, grossièrement ordonné ; ce qui implique de les évoquer tous, les uns après les autres, et de n'y pas revenir plus tard. Il ne justifie jamais son choix en indiquant que tel fut son chemin mais invoque l'importance de telle cité (« mais pour ce que Toris [Tabriz] est la plus noble, vous conterai de son affaire »), ou une direction géographique commandant son propos : « ... Là vous commencerai à conter les contrées que je vous nommerai en ce notre livre, devers tramontaine... »

Toujours pour la Perse, un seul chapitre contient des renseignements, fruits d'une expérience vécue. Il s'agit de la malheureuse aventure, dans les montagnes au nord d'Ormuz, lorsque les voyageurs furent attaqués par les brigands, les Caraonas ; un récit qui, pour une fois, vient à l'appui d'une longue digression sur les mœurs : « Or vous ai conté de ces males gens et de leurs affaires ; et si vous di pour vray que Messire

Marc Polmeisme fu pris de celle gent, en celle obscurité... et perdi toute sa compagnie, que n'eschapa avec lui que sept personnes de toute sa mesnie. »

Mais le récit ne précise pas dans quelle direction Marco suivait alors cette route si périlleuse. Ce pouvait être vers le nord. Et l'allusion à une « compagnie » plaide bien en faveur du retour, lorsque les Vénitiens furent escortés par la petite troupe que leur donna la princesse mongole.

En outre, ici comme ailleurs et pour toute l'Asie centrale, les indications, même présentées sous des dehors plus satisfaisants qui donnent parfois l'illusion de précision, restent très ambiguës. Ce sont de simples descriptions tirées certes, parfois d'observations directes, mais, tout aussi bien, de renseignements recueillis auprès d'autres voyageurs ou issus de la lecture de textes orientaux. Ainsi, par exemple, pour la route qui va de Yezd à Kerman : « Et quand l'en se part de ceste cité pour aler avant, si chevauche-on sept journées toutes plaines; et n'y a que trois lieus d'habitation pour hébergier. Il y a maint beaux bois qui bien se peuvent chevauchier, en quoy a moult beau chassier [= chasse], si que les marchans, qui par là cheminent, en prennent moult grant deliz. » De même pour le désert de Lut et le grand désert salé ou Dasht-i-Kévir (« ouquel n'a fruiz ne arbres; et les eaues sont ameres et mauvaises; et si convient porter viandes et eaues... »); tous les voyageurs longeant la Caspienne et les monts Elbrouz, par la route habituelle en entendent forcément parler et en savent les dangers. Et Marco lui-même, comme tant d'autres, ne rapporte que des propos.

Si bien que, pour ce parcours de Perse qui prend une valeur exemplaire pour l'interprétation du *Devisement,* rien de décisif ne milite, semble-t-il, ni en faveur du passage par Bagdad ni pour un détour jusqu'à Ormuz. Lorsque, tout à la fin de son périple maritime, Marco cite à nouveau Ormuz, il ne précise pas qu'il y est déjà passé ; il dit, pour amorcer son discours : « C'y devise de la cité des Hormes dont autrefois vous ai *conté* en arrières », et il écrit, dans le texte même : « ... Autre chose ne vous conterai pour ce que arrières le vous avons conté ordénément [selon un ordre établi] ».

Il semble ainsi tout à fait raisonnable de proposer une autre interprétation, plus simple, de cet itinéraire du voyage car c'est bien au retour que les Vénitiens ont visité Ormuz et Kerman. A l'aller, ils ont suivi la route très ordinaire de l'Ayas à Erzeroum et Tabriz puis celle au sud de la Caspienne jusqu'à la province orientale de Perse, vers Meched.

A partir de là et pour toute la traversée de l'Asie centrale, l'itinéraire se lit plus aisément ; à condition, bien sûr, de faire abstraction de quelques escapades de pure imagination vers les pays voisins. Notons pourtant que les indications, plus denses maintenant, suivent tout de même une route différente de celle directe, certainement plus facile, du Turkestan et de Samarkand, ville dont Marco ne parle que par incidence, dans un de ses chapitres surajoutés, en revenant d'ailleurs vers l'ouest après l'avoir largement dépassée.

Un voyage ici particulièrement éprouvant, dont l'auteur ne manque pas de dire les périls et les points forts. Cette route commence en fait à *l'Arbre Sec*, situé nous l'avons vu au sud-est de la mer Caspienne, que tant de voyageurs ont longuement décrit, que chanta plus tard en vers un empereur de Chine émerveillé par le récit d'un ambassadeur. De là, Marco et les siens sont allés droit vers l'est pour atteindre Sapurgan, dans le Djouzdan, l'ancienne Bactriane et sa capitale Balkh (« une noble cité, et grant, jadis fut moult plus grant »). Nous voici ensuite, après une dure traversée de douze jours sans nulle habitation, « pour ce que les genz sont toutes fois es montaignes en forteresses pour les males gens et pour les osts [= armées] qui faisoient domages », aux mines de sel de Taican, au sud de l'Amou Daria (« et ces montaignes devers midi sont toutes de sel qui sont moult grans »). Puis c'est le pays des mines de rubis et de lapis-lazuli et, aussitôt, l'ascension et la traversée des hautes montagnes et plateaux du Pamir, dans la contrée de *Belor* : « Et monte l'en tant que on dit que c'est le plus haut lieu du monde...; nul oiseau volant n'y a, pour le haut lieu et froit qui y est... et si vous di que le feu, pour cel grant froit, n'y est pas si cler, ne de tel chaleur comme en autre lieu, ne si peuvent bien cuire les viandes. »

Nos voyageurs, si l'on veut bien en croire le livre, sortent des montagnes à Kachgar et, toujours plus à l'est, passent par Yarkou, par Khotan, par Pein, ville impossible à identifier, puis atteignent Lop, grande cité où ils se reposent avant la traversée du désert de Lop ou désert de Gobi : « Et vous di que ceus qui veulent passer ce désert se reposent en ceste ville une semaine pour refreschir leurs bestes. » Un désert immense : « et est tant lonc si comme on dit que en un an ne se chevauchoit d'un chief [= bord] à l'autre. Et là où il est moins large, si met on à passer un moys »; effrayant aussi : « ce sont touz monz et valées de sablon et l'on n'y trouve riens à mangier »; et Marco Polo de désigner cette fois des points d'eau : en 28 lieux, « aigue douce mais non grandement » (en grande quantité) et en quatre autres lieux « aigue amere et mauvaise ».

De l'autre côté du désert, ou plutôt sur ses franges méridionales, plus à l'est, c'est la province que Marco appelle le *Tangut;* puis Sou-tchéou et Kan-tchéou, puis encore, tout près de là, *Ezina* (I-tsi-nai) d'où il fait partir une route qui mène à Karakorum, première capitale des Mongols, forteresse retranchée et palais, bien connue déjà par la très belle description de Guillaume de Rubrouck.

A *Ezina,* « il convient prendre viandes pour quarante jours », car on ne trouve rien dans le désert de Mongolie, « nulle habitation ne herbage ». La route des Vénitiens passe alors par les villes de *Campicion* (Kan-tchéou), d'*Erguiul* (Young-tchang-fou), au pied de la Grande Muraille, de *Calacian* (Tchoung-king-fou), puis traverse, pour ce que l'on peut voir, la boucle du Fleuve Jaune, et conduit enfin à *Kambaluc,* Pékin.

Ainsi s'achèvent ces longs chapitres « géographiques » du livre, suite de descriptions de villes et de provinces, enrichies parfois, mais bien rarement, de renseignements sur le nombre de journées de voyage, sur les vivres à emporter.

Que l'on mette ou non en doute l'authenticité de certains passages, il paraît évident que Marco et ses

parents nous font suivre une route différente de celle
empruntée avant eux par les missionnaires et, plus
tard, régulièrement suivie par les marchands, route
qui, elle, passe par le nord de la Caspienne. Le
Vénitien décrit un parcours bien plus méridional qui
serait plutôt, au départ, la route de l'Inde que celle de
Chine; il ne rejoint pas le Turkestan mais passe encore
plus au sud, reste sur la rive gauche de l'Amou Daria
et ne remonte vers le nord qu'à travers le Pamir. Un
choix donc très particulier, jalonné de grandes difficultés, de marches ralenties par les rigueurs du climat
et la pauvreté des ressources. Nulle part les raisons
n'en sont données...

Après Kachgar, de nouveau une route très au sud,
au pied des hautes montagnes, et ensuite l'effrayante
traversée du désert de Gobi, plutôt que d'atteindre,
vers le nord, la région des grandes villes caravanières
du pays des Oïgours. Marco Polo ne parle absolument
pas de Turfan, par où passaient certainement les
marchands et, à tout considérer, sa route s'écarte
constamment de celle que notre tradition historique la
plus commune et la renommée actuelle nous présentent généralement comme « la route de la soie ».

Expliquer un tel parti ne semble pas chose aisée. Le
problème, en tout cas, rarement évoqué dans le livre
où notre conteur ne se livre jamais sur ses intentions
ou ses contraintes ne paraît pas avoir beaucoup
préoccupé les historiens, commentateurs du *Devisement*.

Route de pionnier, sorte d'exploration? On voit mal
pourquoi puisque les voyageurs d'Occident avaient
déjà trouvé une route relativement facile et d'autres

interprétations, bien sûr, viennent à l'esprit. Nous pourrions évoquer alors les exigences d'ambassades particulières, ou la nécessité de s'agréger à une petite troupe ou escorte de cavaliers tartares; ou bien encore les périls que faisaient peut-être courir, ces années-là, les troubles ou les guerres sur la voie la plus courte. Nous verrions aussi les Polo conduits par des curiosités qui les auraient poussés à affronter les plus grandes rigueurs du relief et du climat : voir les plus hautes terres du monde, les déserts les plus affreux; voir aussi ces très curieuses montagnes de sel et les mines de rubis.

Et, pour aller encore plus loin dans ce sens, ne pourrait-on invoquer tout aussi bien la curiosité du lecteur? Le *Devisement* est écrit pour être dit et lu comme une encyclopédie et comment ne pas répondre par avance aux exigences d'un public avide de connaître les plus étonnantes merveilles? Et donc, au moment de la rédaction, choisir de rapporter, toujours pour plaire davantage, non pas la route effectivement suivie lors de l'expédition, mais une route exceptionnelle, idéale donc imaginaire, encore jamais décrite? Hypothèse naturellement hasardée mais, je crois, séduisante et plus vraisemblable que celles qui veulent à tout prix que le discours de Marco et son itinéraire coïncident étroitement. Dans ce cas, ces routes du *Devisement,* nouvelles pour tout lecteur, correspondraient bien à un parcours parfaitement fictif, si bien que le véritable chemin, en plus d'un point, nous échapperait complètement.

Le livre ne comporte-t-il pas, d'ailleurs, pour ce long voyage à travers l'Asie, des « parcours » qui, de toute évidence pour certains, avec de fortes vraisemblances

pour d'autres, ne sont que des dissertations rapides sur
des villes ou pays que les Polo n'ont pas visité. Ainsi
pour Samarkand, nous l'avons déjà noté. Ainsi, un peu
plus loin, pour la province appelée Chingin-talas, dont
l'identification a donné lieu à tant de controverses, à
plusieurs hypothèses mais toutes en contradiction
avec certaines données du texte; si bien que les
historiens n'hésitent pas, parfois, à incriminer une
défaillance de mémoire de Marco, ou une erreur du
copiste. Ce pourrait être le pays situé à seize journées
au nord-ouest de He-mi, dans le Sikiang, pays de
Turfan, des oasis de la belle dépression au pied des
monts Tien-chan, sur la vraie route de la soie
empruntée plus tard par les véritables marchands.
Mais Marco ne le connaît visiblement que par ouï-dire
et ne donne aucun nom de ville : « Où y a cités et
chasteaux assez... et y a générations de gens ydolatres
et sarrazins et grecques chrestiens nestoriens. » Ce qui
l'intéresse, en fait, ici n'est pas de décrire la route mais
de parler des mines d'amiante voisines. Autre réponse
à des curiosités de lecteurs...

Un peu plus loin, le livre nous convie à une autre
excursion hors de ce qui paraît la route : un détour de
cinq journées à partir de Kan-tchéou, pour le royaume
appelé ici *Erguiul* et sa principale ville nommée
Singuy, sur lesquels historiens et géographes ne
peuvent non plus se mettre d'accord. C'est là que l'on
trouve le meilleur musc du monde : « Et vous dirai
comment il naist. Il ont en ceste contrée une manière
de beste sauvage qui est comme une gasele... »; suit
une aimable leçon sur la façon d'opérer les bêtes et
d'en extraire ce musc, si apprécié, si mal connu,
« dequoy vient si grant odeur ».

D'autre part, et toujours plus avant, rien ne permet d'affirmer à coup sûr que les Polo, lors de ce voyage, sont allés jusqu'à Karakorum; Marco n'en parle qu'en trois lignes et en tire seulement prétexte pour présenter aussitôt sa très longue histoire des Tartares et de leurs conquêtes, du conflit de Gengis Khan avec le prêtre Jean; il ne dit pas dans quel état était la ville et ce qu'il aurait pu, vraiment, y voir.

Passés tous ces développements historiques et l'étude des mœurs, le *Devisement* nous mène, par une longue randonnée de quarante jours, d'abord dans la plaine de *Bargu,* dans les environs du lac Baïkal, sur la rive est, puis, quarante jours plus loin encore, près de la « mer océane », l'océan Arctique. Évidemment, les Vénitiens n'ont nullement entrepris ce lointain voyage et, malgré la bonne volonté de certains, aucun auteur ne veut l'affirmer. Mais Marco en a entendu parler et il veut ainsi marquer, vers le nord, les limites du monde : souci louable d'encyclopédiste consciencieux; « Or vous ai conté tout le fait de ces provinces vers tramontaine jusques à la grant mer que il n'y a plus terre. » De plus, cela lui donne l'occasion de décrire une belle curiosité qui ne peut que passionner son public car c'est là, dans ces montagnes de Sibérie, que vivent par milliers ces oiseaux appelés *barguerlas* dont se nourrissent les faucons et, dans les îles de la grande mer, naissent les gerfauts.

Ces quatre excursions et digressions s'expliquent donc par des curiosités particulières et tout porte à croire que le fil qui, dans cette première partie du *Devisement,* conduit le récit est bien, non l'itinéraire exact, mais le souci de ne rien négliger de ce qui peut distraire ou plaire, de ne rien laisser d'important de côté. Souci qui se marque par exemple par le désir de présenter une sorte de géographie administrative de l'empire mongol, par l'intérêt porté aux noms de provinces et de royaumes, aux circonscriptions et divisions politiques, bien souvent au détriment des villes elles-mêmes dont les noms, parfois, restent ignorés.

Enfin, Marco ne revient-il pas plus d'une fois en arrière pour réparer les oublis? (« ... mais je vous dirai avant une merveille que je vous avoie oubliée à conter... »)

Si l'on voulait, de cette analyse et réflexion, tirer quelque leçon, ce serait de ne suivre cet itinéraire descriptif, fictif, imaginaire en de nombreux points, du moins idéal, qu'avec la plus grande circonspection. Pourquoi, alors que le texte se présente, ici et là, exactement de la même façon, admettre que nos voyageurs n'ont certes pas chevauché à travers la Sibérie jusqu'au lac Baïkal et, par ailleurs, les faire effectivement embarquer à Bassorah vers le golfe Persique ou descendre vers le sud jusqu'à Ormuz lors du parcours aller?

LE GRAND PÉRIPLE : L'INDE ET ORMUZ (1291-1295)

Si tous les impératifs du voyage aller, par terre, ne sont pas parfaitement connus, ceux du retour, par contre, s'imposent clairement à nous grâce aux deux chapitres du *Prologue* qui reconstituent le dialogue entre le Grand Khan et Marco Polo. Celui-ci revenait d'une mission en Inde et arrive à la cour de l'empereur au moment où s'y trouvent trois « barons » envoyés par le khan de Perse, Argoum, qui désirait « qu'on lui envoies une fame qui fust du lignage de la Royne Bolgara, se fame, qui morte estoit, pour soi marier ». Et Kubilaï de choisir une jeune princesse de seize ans, Cogatra, « moult belle dame et avenant », qui plut bien aux barons persans et fut confiée aux trois Polo. Choix très judicieux, affirme notre conteur, car, le voyage devant se faire par mer « par le grant travail qui est à chemin tout par terre », les trois Vénitiens connaissent déjà diverses routes maritimes suivies lors de missions au service de l'empereur et peuvent, plus que d'autres, se rendre utiles « pour ce que il avoient veu et seu moult cerchie [= parcouru] et moult de la mer d'Inde et de ces contrées par là où il devient aller ».

L'empereur leur donne des sauf-conduits et l'assurance de trouver partout défraiement pour leur compagnie; il leur confie des messages pour le pape, pour le roi de France, pour les rois d'Angleterre et d'Espagne, pour tous ceux de la Chrétienté. Il leur fait armer treize nefs, chacune de quatre mâts, portant jusqu'à douze voiles.

Cependant, ce *Prologue,* du voyage même, dit très peu : prenant sur leurs navires assez de vivres et d'argent pour deux ans, ils partent (d'où? quand?) de Chine et atteignent, après trois bons mois de mer, « une isle qui est devers midi, qui a nom Java; en laquelle isle a maintes merveilles ». De là, ils naviguent à travers la mer d'Inde durant au moins dix-huit mois « avant que ils feussent venu là où il devoient ». La formule, on le voit, laisse un peu sur sa faim... Enfin un souci de précision bien rare nous apprend

que, partis au moins 600, sans compter les marins,
tous ou presque moururent en chemin et seuls 8 en
réchappèrent.

Face à de si maigres renseignements force est donc,
pour tenter de reconstituer l'itinéraire ou pour le
moins de situer quelques étapes, de s'en remettre,
comme pour le voyage aller, au *Devisement* lui-même,
en dépit des risques à le suivre de trop près. C'est que
là aussi, pour le plaisir de montrer ses connaissances,
de parler du passé, de conter une jolie fable, Marco
n'hésite pas à incorporer, dans le corps de son récit des
digressions qui nous mènent fort loin de sa route.

Tous les commentateurs conviennent volontiers
qu'il n'est pas allé à Cipangu, au Japon; il parle
seulement des richesses du pays, d'une façon assez
vague, et des campagnes malheureuses du Kubilaï
pour conquérir les Iles sacrées.

Il n'est pas assuré, par ailleurs, que, coupant de la
pointe de Malaisie vers celle du cap Comorin, le
convoi des treize navires se soit détourné de sa route
jusqu'aux îles Andaman, pourtant bien citées et
décrites, ni surtout qu'il ait, à partir de Ceylan et du
détroit de Palk, remonté le long de la côte de
Coromandel, pour voir et étudier, comme le laisserait
croire le conte, ce royaume de *Maabar,* appelé aussi
de grande Inde, « la meilleure Inde qui soit », royaume
qui compte cinq rois, tous frères charnels. C'est là que
Marco décrit tout d'abord la petite cité qui abrite le
tombeau de saint Thomas, « où il n'a guère de genz; et
peu de marchans y vont pour ce que c'est en un lieu
moult desvoiable [à l'écart] ». Tout près, voici la
province de Lar, peuplée par les Abramains « qui sont
des meilleurs marchans du monde et des plus misé-

rables, car il ne diroient mensonge pour riens du monde ». Enfin nous arrivons, bien plus au nord, à *Mutfili*, l'actuel Masulipatam. A ces royaumes de *Maabar*, qu'il ne confond jamais avec le Malabar de la côte occidentale de l'Inde, le conteur réserve ses meilleures descriptions, enthousiastes, des merveilles de l'Inde, des mœurs des idolâtres, de leur gouvernement. C'est un des moments les plus riches, les plus pittoresques aussi du livre. Et comme nous ne pouvons trouver aucune raison à un tel détour, il paraît très vraisemblable que ces beaux morceaux aient été composés à partir de renseignements recueillis ici et là, ou plutôt de lectures d'autres traités.

De même, on l'admettra aisément, Marco n'est pas allé jusqu'à Madagascar, à laquelle il consacre pourtant un si long chapitre pour en décrire les animaux et les plantes : occasion parfaite pour évoquer un exotisme lointain, étrange.

Les chapitres qui suivent, six au total, s'écartent plus encore de la route, pour, de Zanzibar, remonter vers le nord, le long de la côte orientale de l'Afrique, par l'Abyssinie, jusqu'à Aden; on arrive ensuite à *Escier* (Schedjer) à quelque 300 milles à l'est sur la côte d'Arabie, à *Dufar* (Zaphar) sur la côte du Yémen au nord d'Aden et enfin, repartant en pensée très à l'est, à *Calatu* qui est Kelhat, dans le sultanat d'Oman, à quelque 150 km au sud de Mascate, à l'entrée du golfe d'Ormuz. Ce périple imaginaire se terminant à Ormuz même.

Manifestement, ces six pays, les cinq premiers du moins, à l'écart de la route suivie par les nefs des Polo, retiennent cependant fort longtemps l'attention de Marco. Il s'y applique, il leur consacre des descrip-

tions bien plus nourries, spécifiques, circonstanciées
que les quelques lignes ou simples allusions ordinairement jetées au passage pour évoquer telle ou telle
ville située, elle, sur le chemin. L'auteur, ici, ne parle
pas seulement par ouï-dire mais, visiblement, travaille
sur des sources écrites qu'il exploite et démarque
longuement : situations, ressources naturelles et belles
industries, trafics d'outre-mer, passé, mœurs, églises,
histoire des règnes et des conflits. Ce sont des
développements savants, de seconde main. Marco ou
son rédacteur y excellent : de bons et honnêtes
compilateurs. Et nous retrouvons bien là ce souci
d'encyclopédiste, cette volonté de faire connaître par
un discours aimable certes, parfois alerte, voire
primesautier, mais toujours didactique dans son
ordonnancement même : ne rien oublier.

En somme, contrairement à tout ce que l'on
pourrait croire a priori et à ce que l'on peut lire
généralement sur les qualités d'observation du grand
voyageur, il semble que Marco Polo parle mieux et
plus volontiers de ce qu'il a connu par ses lectures que
de ce qu'il a vu de ses yeux.

Ces réflexions et conclusions admises, nous comprenons l'agencement des chapitres sur ce voyage de
retour qui, comme pour l'aller, s'efforce avant tout de
ne rien laisser dans l'ombre, quelle que soit la route
que trace le sillage des navires. Dans le livre, cette
route n'est que prétexte.

Mais, pour définir le trajet, les étapes de ce long
périple de plus de deux ans, que nous reste-t-il? En fait
quelques renseignements glanés ici et là dans les
descriptions des royaumes situés au sud de la Chine,

puis des îles, puis des merveilles de l'Inde... c'est-à-
dire fort peu de chose!

Il est généralement admis que les nefs sont parties
de Çayton (Tshiouan-tchéou), chef-lieu de la province
du Fou-kien, à quelque 200 km au nord de Hong
Kong. Mais ceci dérive de la seule assurance donnée
par Marco que tous les grands navires revenant des
Indes chargés d'épices y faisaient escale et que leurs
marchands y rencontraient ceux de la Chine du
Nord.

Ce que nous voyons bien, à lire le *Devisement*
comme tous les récits des voyageurs qui les ont
observées, ce sont précisément ces nefs ou jonques
chinoises que Marco Polo décrit alors avec un luxe
étonnant de détails et même de précisions chiffrées.
Aussi sommes-nous beaucoup mieux renseignés sur les
conditions de la navigation, pour ce périple de retour
en Occident, que sur les cheminements à travers les
terres.

Ainsi le livre reflète-t-il parfaitement les curiosités
et les expériences de l'homme, citoyen d'une nation
maritime, ville de la mer et des fleuves. Tout au long
des chapitres, Marco s'intéresse essentiellement aux
navires, aux mouvements des ports, à la batellerie, aux
méthodes avec lesquelles les gens du pays aménagent
les cours naturels des grands fleuves, creusent des
canaux, contrôlent les entrées et les sorties des
marchandises, bâtissent et entretiennent des ponts.
Là, il se sent à l'aise.

En fait, les itinéraires, la manière de les appréhender et de les décrire, nous montrent que notre grand
voyageur – pionnier certes, explorateur certainement
si l'on considère ses pérégrinations du point de vue de

l'Occident –, ne se mêle vraiment aux marchands que pour les voyages sur mer, de Chine en Inde et au-delà. Pour le reste, il n'a parcouru les routes et les pistes de l'Asie lointaine qu'à la façon ou d'un messager, d'un coursier, ou à celle des officiers de l'empereur, administrateurs, pris en charge par un système de postes et d'escortes; il n'a sans doute pas fréquenté les caravanes ni leurs caravansérails, alors que pour les grands navires de l'Inde, ces énormes nefs marchandes naviguant en convoi, il sait bien ce dont il parle.

La première escale fut sans doute, sur la côte de l'Indochine, le port de *Cyamba* (Tschaban) que Marco évoque en premier et qu'il situe à 1 600 milles de leur départ : un pays, apprend-on au passage, que le Grand Khan renonce à conquérir, séduit par les hommes de bonnes manières du roi qui lui offrait un si grand nombre d'éléphants... Puis ce sont, à l'extrême pointe de la péninsule, les *îles des deux frères* (Condor et Sandur), *Soucat* (Bornéo), *Java*, que notre conteur cite, en fait, bien plus tôt et pas du tout à sa place et que le Grand Khan renonça aussi à investir; cet abandon du projet de conquête des grandes îles de l'Insulinde se situe en 1292, peu de temps donc avant le passage des Vénitiens.
Les nefs croisent ensuite devant la péninsule malaise et l'île de Bintang, devant la « meneur isle de Java », qui est Sumatra et dont le *Devisement* décrit longuement les rois, leurs querelles et leurs richesses. Là, à Sumatra, « messire Marc Pol demoura cinq mois pour le temps qui ne le laissait aler avant » (pendant la mousson sans doute, de mai à octobre); ils firent donc descendre leurs hommes à terre « et firent chasteaulx

de fust [= de bois] et forteresses là où ilz demeuroient pour doubtance de ces hommes bestiaulx qui mangent les gens ». Enfin, le meilleur temps revenu, ils reprennent la mer et trouvent sur leur route, à 150 milles de là, les îles Nicobar, Ceylan et le premier point de la péninsule indienne, *Cail,* ou Kael, près de Tutacorim, là où arrivent « toutes les nefs qui viennent de vers ponant : ce sont de Hormes [Ormuz] et de Quis et de Aden et de toute l'Arabie; lesquelles viennent chargiées de chevaux et d'autres marchandises ».

Dans l'Inde, ce fut d'abord *Coilum* (Quilon ou Colum) où l'on trouve du bois de brésil de très grande qualité que l'on appelle le brésil *coiluny* et où s'ancrent tant les jonques de Chine que les nefs d'Arabie. Celles des Vénitiens remontent toujours plus au nord, jusqu'au Gujarat dont Marco ne cite, très vite, en quelques lignes, que deux ou trois ports, parlant, en particulier pour *Sommath,* des pirates les plus astucieux et acharnés du monde, des grandes quantités de poivre, de gingembre et d'indigo que l'on peut y acheter, des arbres à coton qui ont bien vingt ans d'âge et six pieds de haut (« mais est bien voir, quant les arbres sont si vielx, le coton que il font n'est pas bon pour filer, mais pour faire aultres services ») et du merveilleux travail du cuir (« Et si y fait on moult belles œuvres de cuir vermeil entaillé à oiseaulx et à bestes moult belles et cousues de fil d'or et d'argent moult subtilement. »)

Nous imaginons bien que, de là, nos voyageurs, plutôt que de croiser le long des côtes d'Afrique si lointaines, aient regagné directement Ormuz, faisant simplement escale dans le pays de Katch, royaume de *Quesivacuram.*

A Ormuz, ils apprennent que le roi Argoum, qui devait épouser la princesse mongole confiée à leurs soins, est mort (le 7 mars 1291 d'après les historiens persans); la jeune fille fut donnée en mariage au fils du défunt, Gazan. De la cour du Khan, ils gagnent, mais on ignore par quel chemin, Trébizonde... puis, de là, Constantinople, Négrepont et Venise, où ils arrivent en 1295.

Soit un voyage de trois ans environ, dont un périple maritime de plus de deux ans. Un parcours tout différent bien sûr de celui de l'aller mais qui le complète heureusement, traçant ainsi, sur et autour des terres d'Asie, comme un immense cercle, abordant les pays les plus dignes d'intérêt, de susciter l'admiration.

Si la fiction ne l'emporte pas toujours sur les véritables souvenirs, le récit ne prend que très rarement un tour personnel : pas plus de trois ou quatre anecdotes ou allusions à des circonstances précises, vécues. En fait, très peu de preuves indiscutables d'une visite : les indications sur le climat et le relief, sur les distances et le temps de parcours.

Au total, pour qui voudrait connaître ces deux grands voyages de Marco Polo vers la Chine puis, au retour, vers l'Inde, Ormuz et Trébizonde, la lecture de son livre – et nous n'avons pas d'autre source! – impose une leçon de scepticisme et, presque toujours, laisse dans l'incertitude. Il nous est pratiquement impossible de distinguer, dans les détails, la route réellement suivie d'une part et l'itinéraire encyclopédique de l'autre. C'est ce dernier, tout construit, qui bien souvent commande et soutient le texte et il suffit, pour s'en convaincre de se souvenir et d'admettre le propos de l'auteur, des auteurs plutôt : présenter non un *Itinéraire,* un journal de voyage, mais bien, comme ils l'indiquent clairement par le titre choisi, un *Devisement,* c'est-à-dire une sorte de conte. Ce que nous lisons ici est, pour une part non négligeable, parfois prépondérante, un Itinéraire de l'Imaginaire, savant, idéal.

Quant aux routes effectivement suivies par nos Vénitiens, dans la mesure où, faute de certitudes absolues, nous ne pouvons les déterminer et en ne retenant que les grands traits du parcours, nous voyons bien qu'elles ne répondent pas exclusivement aux préoccupations de marchands. Ce qui guide leurs pas et décide de leur choix c'est, tout autant et même davantage, l'accomplissement d'une mission bien définie. La route de Marco Polo, à travers l'Asie, n'est pas celle reconnue et fréquentée plus tard par les négociants italiens, celle de la soie.

Marco Polo, par Le Titien
(Anderson-Giraudon)

Le départ de Marco Polo (BN).

Les frères de Marco Polo et Marco devant le Grand Khan (BN).

Recherche des rubis (BN).

Campement et garde des troupeaux (BN).

Monstres et merveilles : les hommes du pays des Merkites (BN)

La ville de Cathay (BN).

Fêtes et danses tartares (BN).

Repas à la cour du Grand Khan. (BN)

fapnats q̃ los homens 2 les femblres de aqueſta
regio quant ſon morts, abefturments 2 ab folacos
porten los acremar Emps las parentes dels mor
ploren, e deuesse algunes uegades ma? atart qui
les mullero dels morts felangen ab los narits alt
och los marits empo null temps no ſilançen blusm
lers :

Cérémonie d'incinération aux Indes. Carte dite carte Catelane,
XVᵉ siècle (BN).

Cy dist du grant flun de caramorain et de la grant cite de casianf.

eulr len est party de ce chastel. et len a cheuauche entour xx.
mille par ponent. Adonc si treuue len vn fleuue qui a nom caramorain qui est si grant que len ne le puet passer par pont
car il est moult large et moult parfont. et va iusqz a la grant
mer occeane qui aubronne le monde. cest a dire la terre toute.
et sur ce flun a plusieurs cite. et chasteaulr ou il a plusieurs
marchans. Car sur ce flun se fait plusieurs marchandises. pour ce que en la con-
tree a gingenbre et soie a grant habundance. et y a si grant multitude doiseaulr
que cest merualles. On y auroit trois faiseaulr de gingenbre po vng gs dargent.
Et quant len a passe ce flun et len a cheuauche deur iournees par ponent. Adonc
si treuue len la noble cite tenant ditte te casianf. Les gens sont tuit idolatres et encore vous di que vous deuez sauoir que tous ceulr de la prouince du catay. sont
crestiens nestoriens. Et est cite te moult grant marchandise. et ya te moult te
manieres te drays a oz et te autres facons. Autre chose ny a qui a ramente-
uoir face. et pour ce nous plus auant et parlerons dune noble cite qui est
chief du regne qui a no quenganfu. Cy dist de la cite de quenganfu.

t quant len se part de la cite te te casianf que dir vous ay recorde. si
cheuauche len viii. iournees par ponent len treuue cite. et chasteaulr
ou il a assez te marchandises et te grans ars. et maint grans arbres et iardins et grans champs te labour. tous plains te mouniers. ce sont les
arbres te quoy viuent tes fueilles tes vers qui font la soie. Les gens sont tuit idolatres. il ya charoison assez. et oiseleis te toutes manieres a grant plante. Et qut

Marchands et bateliers sur le fleuve Jaune (BN).

Marco Polo en costume de tartare, XVIIIe siècle (Giraudon).

CHAPITRE VI

Marco Polo marchand?

Pouvons-nous admettre les thèses traditionnelles qui, depuis fort longtemps, ont présenté Marco Polo avant tout comme un marchand, et ne voir en lui, par une sorte de conformisme aux idées reçues et, plus encore, par ce souci de simplifier, de schématiser, qui paralyse de nos jours mêmes tant de recherches en histoire sociale, qu'un homme d'affaires lancé dans une vaste prospection de nouveaux marchés, à la recherche de meilleurs profits?

On comprend bien, certes, les raisons et les origines d'une telle attitude. A n'en pas douter, les Polo étaient des négociants de Venise, ville des épices et de la soie qui affirmait alors sa toute-puissance sur la mer, introduisait les siens sur les plus lointaines places d'Orient. De plus, pressé par le climat intellectuel de l'époque, à partir des dernières décennies du XIXᵉ siècle surtout, un fort courant historique imposait sans partage ou presque une vue relativement simpliste des choses du passé : l'histoire des institutions, des sociétés et des civilisations s'employait d'abord à exalter les mérites des « républiques bourgeoises ». On mettait constamment en relief, pour toutes les villes d'Italie, non pas toujours le caractère républicain, « démocra-

tique » de leurs gouvernements, mais, du moins, les
Communes, les bourgeois, les marchands, parés de
toutes les vertus, culture « moderne » et esprit d'entreprise en tête. Ces hommes, que l'on opposait
volontiers aux nobles, aux seigneurs du monde dit
« féodal », avaient forgé, affirmait-on, une autre façon
d'être, de percevoir le monde, de vivre en communautés. Ces marchands étaient alors à la source de
tous les grands « progrès » du moment; c'est à eux que
l'on devait l'éclosion de l'humanisme, la floraison
des arts et, accessoirement, la découverte du monde!

Tout naturellement, la figure de Marco Polo,
Vénitien, fils et neveu de négociants installés en
Orient, répondait parfaitement à ce schéma et appor-
tait à la thèse d'autres arguments.

Cependant, si l'on veut bien s'affranchir de ces *a
priori*, le problème n'est pas de savoir si Marco
pouvait hériter d'expériences de métier et appartenir,
par sa naissance puis son entourage au temps de sa
toute jeunesse, à cette communauté des hommes
d'affaires et d'argent mais, en complément tout au
moins de ces évidences, de discerner si son aventure
chinoise et indienne s'inscrit bien dans le cadre d'une
entreprise « marchande ». Comment devons-nous
l'imaginer au cours des longues années passées si loin
de chez lui? Quelles furent alors ses véritables
préoccupations? De quelle façon réagit-il devant ces
mondes si nouveaux, ces États, ces sociétés qu'il
affirme découvrir?

A aucun moment Marco ne parle lui-même de ses
affaires, de transactions, d'activités quelconques conduites sous son nom ou par ses deux parents, ou même

par l'un de ses compatriotes. Nous ne savons rien de ses supposés commerces : aucun contrat notarié, aucune action en justice, ni inventaires de biens, ni liquidation. De ce point de vue, le séjour en Asie reste terre inconnue. Force est donc de nous en tenir aux sources indirectes, aux écrits de caractère plus général, impersonnel.

Notre Vénitien n'a certainement pas rédigé lui-même, de sa main et peu de temps après son retour à Venise, un quelconque récit circonstancié de ses lointains voyages. On ne trouve jamais trace d'une telle initiative dont le *Devisement* ne dit pas un mot et ce silence n'est pas, en tout état de cause, pour nous surprendre. Il n'était pas, semble-t-il, dans les habitudes des hommes de cette époque de rapporter leurs aventures et les péripéties de leurs voyages, ni de disserter longuement sur les pays qu'ils avaient pu visiter en chemin. Le « récit de voyage » ou l' « itinéraire » ne s'impose pas encore comme un genre littéraire affirmé.

Les pèlerins eux-mêmes, au retour de Terre sainte ou de Saint-Jacques-de-Compostelle, s'en tiennent dans leurs guides de pèlerinages à des séries d'indications très lapidaires, succinctes, et se contentent plutôt d'énumérer des étapes, s'attardant davantage à dénombrer les dévotions, les rites et les indulgences qu'à parler des pays étrangers, de leurs gouvernements, de leurs ressources. Seuls, au temps de Marco Polo, les missionnaires franciscains ou dominicains rédigeaient des lettres plus explicites, témoignant d'une volonté bien arrêtée d'observer tout ce qui, par la compréhension des mœurs et des croyances, des structures sociales même et des façons de vivre, pouvait être utile aux campagnes d'évangélisation et à l'implantation de leurs églises; ces lettres, adressées au pape ou aux supérieurs de leurs ordres, en disent bien plus que n'importe quel autre écrit, présenté même en forme de récit.

Le marchand, on se plaît d'ailleurs volontiers à le souligner, reste bien plus discret et, sans aller jusqu'à tenir ses déplacements secrets, à cacher sa véritable destination et laisser planer un certain flou sur son itinéraire, ne tient pas du tout à se confier, peut-être pour ne pas faciliter à d'autres l'entreprise. Sans doute suppose-t-il aussi que de tels récits, précis, concrets, chargés d'informations plus ou moins techniques, ne trouveraient pas grand public susceptible de s'y intéresser. Tout au plus fait-il état de ses expériences et observations essentielles, et par allusions seulement, dans des missives, très rapides, porteuses surtout de renseignements immédiats sur les marchés et la conjoncture, d'instructions pratiques, missives réservées à ses commis ou associés, à ses correspondants de confiance.

En fait, les véritables recueils de renseignements, plus ou moins exhaustifs, se trouvent dans les manuels mis au point lorsque, bien après la découverte et les premières audaces, la route devient connue et les affaires une sorte de routine.

Un premier livre?

Marco Polo a-t-il rédigé un traité technique sur la Chine ou l'Inde à l'usage des hommes d'affaires et de leurs commis?

Une thèse originale et intéressante certes, soutenue par Franco Borlandi et qui reprend une idée chère à l'auteur, celle d'un Marco Polo avant tout marchand, voudrait que celui-ci ait tout naturellement rédigé ou peut-être simplement mis au clair, à son retour, du lointain Cathay, des notes sur les poids et mesures, sur les produits, les taxes et les prix. Notes qui auraient aussitôt circulé dans Venise pour le plus grand profit des proches, des amis, des associés et même auraient pu être largement diffusées, mises à la disposition de tous sur la place publique. A l'appui de cette hypothèse, Borlandi cite un passage d'un manuscrit rédigé en 1430-1431, conservé à Florence où l'auteur, un Florentin, qui recopie des extraits sommaires du livre de Marco Polo, précise : « Et ce livre était sur le Rialto à Venise, attaché par une chaîne afin que chacun puisse le lire. » Le Rialto c'est, on le sait, le grand marché de la cité, autour de la Piazza di San Giacomo, où courtiers et commissaires tenaient souvent leurs assises, où l'on proclamait toutes sortes d'avis, où étaient souvent mis aux enchères l'armement des galées de l'État et différentes fermes des impôts. Plus de cent ans après son retour, on aurait donc affiché dans la ville ce livre de Marco, sur la place des hommes d'affaires. Mais tout ceci souffre cependant d'un certain flou. On voit mal, à la seule lecture du manuscrit florentin, de quelle sorte de livre il s'agit : résumé d'une traduction du *Devisement* ou, vraiment, ensemble de notes techniques rapportées de Perse, de Chine et d'Inde, présentées sous forme de manuel, de catalogue, d'aide-mémoire, avec, par exemple, des tableaux de correspondances entre les poids et mesures ou les monnaies? Par ailleurs, n'est-il

pas étonnant que personne ne parle de cette pratique
d'exposer des informations personnelles ou un manuel
quelconque sur la place? Enfin, quelle utilité pouvaient bien avoir, dans ce cas, en 1430, pour le
commerce lointain, ces renseignements recueillis tant
d'années plus tôt, dans une situation économique
complètement différente alors, notons-le bien, que
plus un seul marchand d'Occident ne pouvait fréquenter la route mongole? Au mieux, le livre n'aurait pu
avoir qu'un succès de curiosité gratuite, et tenter
plutôt un libraire ou un collectionneur que les hommes
d'affaires.

LA MANIE DES CHIFFRES?

Ni documents d'archives, ni manuel de la main de
Marco ou de l'un des siens... Dans quelle mesure le
Devisement peut-il pallier cette carence et nous
renseigner sur la personnalité de l'homme?

Œuvre de commande ou presque, faite tout exprès
pour un certain public et répondre à ses goûts, œuvre
de complaisance même, le livre de Marco Polo n'en
porte pas moins au fil des pages et parfois, dirait-on,
par inadvertance, la marque de ses deux auteurs, de
leurs intérêts et curiosités. Nous concevons bien que,
parmi tout le savoir historique, géographique, scientifique, accumulé en tant d'années passées dans ces
terres lointaines, parmi tant et tant de nouveautés qui
sollicitent Marco, tant d'observations, d'anecdotes, de
traits de mœurs ou de récits merveilleux glanés dans
les livres des Anciens ou les *Annales* des modernes,

tant de légendes recueillies de la tradition orale, il ait
choisi ce qui répondait le plus à ses propres préférences et préoccupations. Nous pensons bien aussi
qu'en 1295, au moment de ses conversations avec
Rusticello di Pisa, il n'avait pas tout retenu de ses
expériences et que ses souvenirs étaient déjà le fait
d'un tri répondant naturellement, inconsciemment, à
ses curiosités principales. De même pour ses notes, si
toutefois il en avait gardé par-devers lui.

Le *Devisement,* on le voit dès les premières pages,
se présente tout autrement qu'un manuel du genre
« Comment réussir votre voyage en Chine et y faire de
bonnes affaires? ». Ce que nous découvrons, c'est
plutôt en filigrane, une trame particulière et, par
ailleurs, de très nombreux renseignements dispersés,
des notations sur toutes sortes d'aspects de la vie
poilitique et sociale des peuples, sur leurs ressources,
sur les marchés et les échanges. Sous des dehors
souvent austères, usant des mêmes formules, de
discours répétitifs et même fastidieux, d'une démarche parfois hésitante, le livre, d'un ton parfaitement
contrôlé, retenu, permet cependant de voir l'homme,
d'analyser les regards qu'il porte constamment sur ces
nouveaux mondes.

Mais quels regards et de quelle qualité?

Franco Borlandi, toujours dans cette tradition du
Vénitien marchand avant tout, avait attiré l'attention
des analystes sur la texture de très nombreux chapitres du *Devisement.* Le livre, faisait-il remarquer,
compte au total 234 chapitres, dont 19 pour le
Prologue, 67 qui content histoires ou légendes, 39
inclassables dans aucune catégorie; les autres, au
nombre donc de 109, soit près de la moitié, seraient

tous « descriptifs » de telle ville ou de telle région, construits selon un schéma rigide, toujours le même. Et cette trame correspondrait exactement à celle suivie par les auteurs de manuels marchands, lorsqu'ils parlent de pays lointains. Ces chapitres de Marco Polo donneraient, et presque toujours dans le même ordre : la distance en journées ou en milles en précisant la direction suivie, des informations utiles aux voyageurs sur la vie politique, l'administration, la langue et la religion; éventuellement les provisions nécessaires pour l'étape; les conditions du voyage et les périls qui peuvent menacer l'étranger de passage; les productions naturelles ou artisanales, pour les objets de luxe surtout offerts sur le marché; enfin les monnaies avec, parfois, leur valeur par rapport à celles de Venise principalement.

Tel est le premier argument d'une thèse dont le mérite incontestable fut de faire réfléchir – ce qui n'avait pas souvent été fait auparavant – sur la composition même de l'œuvre, mais qui, on le voit bien à une lecture attentive de quelques chapitres seulement, ne correspond pas toujours à la réalité. Le schéma idéal proposé se trouve bien souvent démenti : Marco Polo s'en écarte volontiers; il omet tel élément, en ajoute ailleurs; souvent, il n'hésite pas à intervertir cet ordre ou à truffer, au hasard de ses souvenirs ou de sa fantaisie, ce discours « marchand » d'autres éléments légendaires, historiques, de pures anecdotes même.

Retenons simplement, pour nuancer une théorie vraiment trop rigide et cerner de plus près les rapports entre l'homme et l'œuvre, que cette trame a sans doute existé, qu'elle a guidé, inconsciemment parfois, comme par une sorte d'automatisme, l'ordre général et approximatif du discours. Mais c'est là un schéma que l'auteur, lorsqu'il dicte son récit, n'a pas sous les yeux pour s'y conformer absolument, d'une façon servile; il ne se contente pas de remplir des cases et ne suit ce modèle, commun à tant de faiseurs de manuels, que d'assez loin. Il n'en est pas imprégné : ce n'est que le reflet, affaibli, d'une attitude mentale, non une technique contraignante. Et, par ailleurs, Rusticello di Pisa avait certainement son mot à dire dans la composition de l'ouvrage et pouvait proposer d'autres démarches ou agencements.

Franco Borlandi n'a pas manqué de rappeler, après plusieurs auteurs tel Wilhem Heyd, pionnier des études sur le trafic des épices orientales (*Histoire du Commerce du Levant au Moyen Âge,* 1886), d'autres aspects de l'œuvre qui, chez Marco Polo, traduisent l'appartenance au monde des marchands. Ainsi, par exemple, quelques observations réalistes, judicieuses, qui dénotent un esprit toujours en éveil, et, en particulier, ces développements, au demeurant pas toujours très clairs pour nous à l'heure actuelle, sur le mécanisme des prix. Ainsi cette obsession des chiffres (plus ou moins exacts, voire fantaisistes...); cette manie de tout compter, véritable déformation professionnelle : entre-t-il dans une ville de quelque importance, le voici qui nous accable de chiffres sur la consommation et la population, sur les revenus et les taxes, sur les ponts et les maisons, sur les navires qui jettent l'ancre dans le port ou descendent le fleuve. Il parle parfois, si l'occasion s'en présente, mais bien plus rarement que ne le laisse entendre Borlandi, des variations saisonnières de la demande et donc des prix,

de la police des marchés, du mécanisme des spéculations et des remèdes que l'on peut y apporter.

Quant aux richesses et aux productions de chaque
province, Marco s'intéresse d'abord à celles qui sont
appréciées en Occident et peuvent faire l'objet de
commerce chez les marchands italiens. Il ne dit pas un
mot sur le thé ni sur son trafic, ni même sur la culture
des arbres à thé qui, pourtant, aurait été alors fort
importante; un silence absolu alors que les voyageurs
arabes, pour la Chine, en parlent si volontiers et très
longuement.

Mais est-ce là un signe tellement décisif? Une
preuve d'un refus de disserter sur un produit que
les Occidentaux ne connaissaient pas et, donc, ne
faisaient pas venir à grand prix? Cette absence du
thé dans l'œuvre de Marco Polo, absence très étonnante sans aucun doute, et qui, relevée par tous les
commentateurs, devait alimenter plusieurs controverses, doit sans doute s'interpréter tout autrement.
Dès 1865, M.G. Pauthier faisait remarquer que,
dans ces années 1280, la culture du thé n'avait pas
encore atteint en Chine les provinces mêmes du
Cathay, celles du nord et du centre de la Chine.
Partout dans ces régions, l'emportaient encore très
largement les rizières; le thé étant surtout produit
plus au sud, dans les pays « du royaume de Man-
zy » et spécialement dans les provinces de Kiang-su
et du Hou-kiang que le *Devisement* décrit rapidement, sans beaucoup s'attarder sur leurs ressources
naturelles. C'est pourquoi, et Marco le dit bien, les
Chinois boivent, ou du vin dans la province de
Thai-yuan-fou, près du Fleuve Jaune (« Et y a
moult de vingnes, moult belles, de quoy ils ont vin

à grant habondance »), ou surtout de ce breuvage fermenté qu'ils appellent le vin de riz. Il semble donc que ce silence à propos du thé ne résulte pas d'un propos délibéré mais simplement d'un oubli ou du peu d'intérêt porté aux mœurs d'une contrée qu'il ne connaît pas réellement... ou, si nous admettons que notre conteur se sert d'autres ouvrages, d'une documentation nettement insuffisante.

LES REGARDS DE MARCO POLO : MARCHANDS ET MARCHÉS

Mis à part ces tableaux plus ou moins schématiques et ces alignements de chiffres, plutôt rares et plus ou moins fantaisistes, peut-on affirmer que le livre conduit son lecteur à observer dans le détail, d'une façon vivante et pittoresque, quelques traits originaux de la vie des marchands en Chine, de leurs trafics?

De sérieuses déceptions nous attendent... Tout d'abord, Marco parle peu de ses compatriotes; à le suivre, il ne les aurait rencontrés qu'à Tabriz où « vivent plusieurs marchands latins, et proprement Génois, pour acheter et faire leur affaire; car il s'y trouve aussi grant quantité de pierrerie ». Ce qui, il faut l'avouer, ne nous apprend strictement rien. Par ailleurs, il ne cite, tout au long de son conte, aucun nom d'hommes d'Italie et, si ceux-ci sont déjà établis en Chine, à aucun moment il ne semble fréquenter leurs maisons. On le croirait resté constamment à l'écart de ces petites colonies de Latins, trafiquants ou voyageurs, à l'écart de leurs marchés, de leurs caravansérails.

Quant aux gens du pays, il les voit et les situe dans leurs commerces. A Mossoul déjà : « Et issent de cette terre moult grans marcheans qui s'appellent Mosolins, lesquels portent moult grant quantité d'espiecerie et de pelles, et de draps à or et de soie » ; et, tout à côté, dans les montagnes, « vivent une autre manière de gens... qui sont Crestien et Sarrazin, moult mauvaises gens, qui robent volontiers les marchans ». Plus loin, vers l'est, au cœur des hautes terres d'Asie, il rencontre les hommes de Kachghar, « qui vont parmi le monde faisant marchandise. Ils sont moult escharce [= économes] gent et misérable ; car mal mangent et mal boivent ». Quelques petits tableaux, en forme de simples notes très courtes et quasi lapidaires, émaillent un récit par ailleurs plutôt fastidieux. Mais, à peine esquissés, ils laissent toujours le lecteur sur sa faim. Ceci même pour l'empire de Chine, sur lequel les gens d'Occident restaient si mal informés en ce temps ; l'intérêt de Marco Polo se porte presque exclusivement sur les transports et les relations avec les régions lointaines. Ce qu'il voit ou veut nous faire voir, ce sont les marchands en voyage (« ... et issent de ceste ville... »), par les chemins, plus encore sur les grands fleuves. Les gros trafics de batellerie, tout cet intense mouvement qui anime les ports le fascinent ; c'est pour lui, un sujet d'admiration et d'émerveillement constamment renouvelé. Ainsi : « car sur ce flum se fait moult de marchandise pour ce que la contrée a gingembre assez et soie en grant habondance » (c'est sur le Fleuve Jaune, à Hoai-gan-fou ou Peï-tchéou-fou). A *Cinangli* (Thsi-nan-fou, ou Tsinau, à 80 li ou

lieues au sud de Pékin), « court parmi ceste cité un
grant flum et large, par lequel l'en porte amont et aval
grant quantité de marchandises de soie et d'espicerie,
et d'autres espiceries et d'autres choses assez ».
Ailleurs encore : « Il y a sus ce flum si grant quantité
de navire qu'il n'est nul qui ne le veut croire, et l'oist
[= entendant] conter, qui le peust croire. Et est si
grant la multitude de la grant marchandise que les
marchans portent sus et jus par ce fleuve qu'il n'est
homme au monde qui le peust croire. Il ne semble pas
fleum mais mer, tant est large » (c'est le Fleuve Bleu,
à Tching-tou-fou). Enfin, à *Cinguy matu* (Thsi-
ning-tchéou), dans le Chang-Toung, les gens du pays
ont, dit-il, détourné en partie les eaux du fleuve – le
Niou-théou – qui leur arrive du midi, et « ont fait deux
flums de celui grant flum; c'est que l'un va au Mangi
et l'autre pour le Cathay »; et, à nouveau, d'évoquer
les merveilles du trafic que l'on ne peut croire sans les
voir : « Et si portent au Mangi et au Catay si grant
quantité de marchandises que c'est merveille. Et puis
quand il s'en reviennent, si retournent chargiez
d'autres marchandises. Si que c'est merveille des
marchandises qui vont et viennent par ces deux
flums. »
  Toujours ces formules toutes faites, répétées d'un
chapitre à l'autre, sans aucune originalité ni souci de
vraiment décrire. Toujours ces affirmations sans
nuances : des merveilles étonnantes, des chiffres
fabuleux, des richesses incroyables. Et comme personne ne pourrait y croire... n'en parlons pas davantage.
  Notre conteur ne se dégage un peu, timidement, de
ces facilités que pour évoquer – mais non décrire – le

trafic du Fleuve Bleu, en aval, près de Nankin, pour la
ville de *Viguy* (Tchi-tchéou). Là le fleuve, le *Kiam,*
« est bien large de dix mille, et en aucuns lieux moins,
et a plus de cent journées de l'un chief à l'autre. Et
pour ce est, ceste cité, moult marchande... ». Le
Grand Khan en tire des taxes considérables « car il va
par ce flum, et vient, plus de navire et plus de riches
marchandises et de richesses, qu'il ne va par tous les
flums et par toute la mer des Crestiens, et ne semble
mie flum, mais mer ». Sur le cours de ce fleuve, on
pourrait compter, sans les bourgs et les châteaux,
400 grandes villes, qui ont des navires et exercent
toutes sortes de commerces vers l'amont et vers l'aval;
ce sont de grandes nefs recouvertes d'une tente de
toile, à un seul mât, portant bien onze à douze mille
quintaux. Suivent alors quelques indications plus
précises, qui ne tiennent pas toutes à une observation
directe mais plutôt à une rencontre et conversation de
hasard : « Et raconte ledit messire Marc Pol qu'il oy
dire à celui qui pour le grant khan gardoit la droiture
[= perception des taxes et péages] sur ce flum qu'il y
passe par an, remontant le courant, 200 000 nefs...
sans celles qui retournent qui ne pomtoit point. » Ainsi
des renseignements de seconde main : un travail
d'enquêteur plutôt que le fruit de remarques personnelles.

De tous ces marchands d'Asie, Marco Polo ne
semble s'intéresser vraiment qu'à ceux qui vont en
Inde, pays de grandes merveilles, pays des épices,
qu'il a, il est vrai, visité à deux reprises. Il sait les
routes maritimes et en a fréquenté les ports tant en
Perse, lors de son retour, qu'en Chine même, là où

abordent les nefs; il a pu les observer et s'attarde à les décrire. Si bien que, discours tout à fait exceptionnel de sa part et chez les autres auteurs chrétiens de son temps, ambassadeurs et missionnaires, qui ne connaissent que les voies terrestres à travers le continent, notre Vénitien trace un bon tableau du commerce maritime vers les côtes de l'Inde, dans toutes les directions : trafic musulman et trafic chinois.

De Bagdad, dont il parle peu et qu'il n'a certainement pas visité, il dit seulement que « les marchans y vont et viennent avec leurs marchandises... et d'illec entrent dans la mer d'Inde ». Mais, sur le chemin du retour, au terme de son long périple maritime, lorsqu'il accompagnait la princesse mongole promise au khan de Perse, il aborde à Ormuz, dont il évoque l'étonnante navigation vers les ports lointains du Gujarat et de la côte de Malabar. Une description, marquons-le tout de même, très particulière qui ne s'attache ni au port, ni aux marchands ou courtiers, ou aux entrepôts et aux transactions, ni même aux produits (il ne parle, comme toujours, que des « marchandises », des « richesses » ou, au plus des « épiceries ») mais s'arrête seulement aux nefs et aux courses sur la mer. Et il dit bien alors les dangers de ces entreprises si précaires sur un si long parcours, semé d'embûches, sans bonnes escales et sur une mer d'Inde « où fait moult grant tempeste pluseurs fois ». Cela, il l'a éprouvé et s'en souvient. Les nefs « sont moult mauvaises et en périssent assez, pour ce que elles ne sont clouées de fer, mais il sont cousues de fil que il font d'escorces d'arbres des nois d'Inde [= les cocotiers] »; il montre aussi les fils et les cordages, les chevilles pour assembler les planches de la coque, qui ne résistent pas aux fortunes de mer. Un seul mât, une voile, un timon mais pas de pont : on couvre les cargaisons de cuirs et de peaux et l'on fait monter dessus les chevaux que l'on va vendre là-bas; « Si que c'est grant péril à aler en ces nefs; car il en périt assez ».

Pour le commerce entre l'Inde et la Chine mongole, le *Devisement* suit la même démarche et retient les mêmes choix : quelques indications, éparses, rapides, au demeurant sans grand intérêt sur les ports et leurs trafics puis une très belle, très attentive description des navires marchands. A *Fuguy* (Fou-tchéou), « si fait-on grans marchandises de perles et de pierres car pluseurs nefs de Ynde qui y amènent moult de chières marchandises ». A *Quinsay* (Hang-tchéou), « y a moult grant navire qui vient et va en Ynde, et es autres parties estranges, portant et raportant marchandises de maintes manières, de quoy la cité vault mieux ». Seul *Çayton* (Tshiouan-tchéou) le retient plus long-temps, grand port de l'empire ouvert sur la vaste « mer océane », les îles, les ports de l'Inde, là « où toutes les nefs d'Ynde viennent ». Mais toute sa sollicitude, ici, se borne à établir une sorte de comparaison entre ces marchés de Chine et ceux d'Occident : « Et vous dit que, pour une nef de poivre qui va à Alexandrie [Alexandrie d'Égypte], ou autre part en terre de Crestiens, en vient à ce port de Cayton cent et plus. » Évaluation fabuleuse bien sûr, faite pour frapper de stupeur ses concitoyens vénitiens pour qui le trafic des épices représentait de belles fortunes et nourrissait rêves et ambitions. Mais, à part cela, ce ne sont, à nouveau, que les fadaises habituelles : les nefs amènent épiceries et autres marchandises et, dans le port,

« vient si grant quantité de marchandises et de pierres précieuses et de perles, que c'est une merveilleuse chose »... Toujours les merveilles, à croire sur parole.

Comme pour Ormuz, le récit ne s'anime et ne prend enfin un ton personnel que pour décrire les vaisseaux qui, eux aussi, font partie des choses étonnantes, dignes d'être contées : « ... Et disons premièrement de leurs nefs en quoy sont et viennent li marchans par les isles d'Ynde. » Ce sont de très gros bâtiments, qui portent chacun de 5 à 6 000 charges de poivre et comptent 50 à 60 chambres « là où demourent les marchans à grant aise ». Elles ont un gouvernail d'étambot, une énorme voilure sur quatre mâts principaux et, encore, « deux autres arbres qu'ils mettent et ostent à leur voulontés ». Les coques, de bois de sapin, clouées de bons clous de fer, ne sont pas calfatées comme en Occident avec de la poix mais enduites d'une sorte d'onguent ou de ciment fait de chanvre trempé dans la résine. Chaque année, avant l'appareillage pour les Indes, ils renforcent la coque d'une nouvelle épaisseur de planches, bien lisses et bien ointes; ceci jusqu'à six fois, car, ensuite, « ilz ne la mènent pas en haulte mer, mais s'en aident es basses eaux, tant comme elles peuvent durer; et puis la défont ». Pour la manœuvre : deux cents marins car, faute de vent, elles peuvent avancer à force de rames, « et ont si grants avirons qu'il y convient à chascun quatre mariniers à ramer ». De plus, chaque jonque est accompagnée par deux grosses barques de chacune 40 ou 50 marins qui la tirent hors du port; une dizaine de bateaux « font la pourveance de la grant nef : si comme d'ancres, de prendre poissons et de pourvoir à la nécessité »; en route, ils lui sont accrochés.

A ce même souci d'évoquer les merveilles capables
d'impressionner un auditoire curieux d'exotisme,
répondent en fait presque toutes les notes sur les
ressources des provinces et des villes, sur les productions agraires ou celles de l'artisanat. Là non plus, le
Devisement ne cherche pas à dresser un tableau
précis, ni à initier d'autres marchands et voyageurs à
la conduite des affaires dans ces pays encore si peu
fréquentés. Le livre reste dans la droite ligne d'un
conte et se contente d'énumérer les grandes richesses,
les étrangetés remarquables. Nous apprenons que les
Perses embarquent leurs beaux destriers à Ormuz
pour aller les vendre en Inde; ces « chevaux de grande
vaillance » valent bien chacun 200 livres tournois; les
étalons se vendent jusqu'à 30 marcs d'argent « car ils
sont grant et bien courant et portent bien l'embleure
[= l'amble] ». Les gens de l'intérieur trouvent à
Ormuz des « marchans qui les achètent et meinent en
Ynde pour vendre ». Évocation d'un des grands
commerces du golfe Persique qui devait passionner un
public, non pas tellement d'hommes d'affaires, mais
de seigneurs, d'hommes de cour, maîtres de chevaux
de combat ou de tournois, maîtres d'équipages de
chasse.

Un peu plus avant vers l'est, c'est le pays du
château de *Taican* (dans la région de Balkh, dans le
Khorassan), où le sel extrait de mines inépuisables
« est si dur que l'en ne le peut tailler que à grans
piquois de fer. Et en y a si grant habondance que tout
le monde en auroit jusques en la fin du monde ».
Beaucoup plus loin, Marco parle, pour deux ou trois
provinces de l'empire mongol, des beaux profits que

leur procure la culture du gingembre : indications sur
de grands trafics assorties de quelques renseignements
sur les prix. Dans toute la Chine du Sud, dans le
royaume de Manzi donc, « croist si grant quantité de
gingembre que il s'espant par toute la province du
Cathay [Chine du Nord]. Et en vivent les hommes de
ceste province; grants profits et grants biens viennent
de lui ». Dans le Fou-kien, « ils ont de gingembre et de
gaingol [= galanga; racine médicinale], tant que c'est
oultre mesure. Car, pour un gros vénitien d'argent,
auroit l'en bien quatre livres de gingembre bon et
fort »; mais ils ont aussi « une manière de fruit qui
semble safran, qui bien vault autant en viandes
comme safran »; épice donc, condiment couramment
usité, mais qu'il ne sait pas reconnaître et que l'on ne
vend pas jusqu'en Occident.

Mais, à tout prendre, ces notes éparses dont Marco
charge, ici et là, son conte, pour souligner l'étonnante
fortune de telle ville, de telle province, ne témoignent
de curiosités ni très étendues ni très variées. Tout
l'intérêt va manifestement aux seuls objets de luxe :
soieries, pierres et perles. La soie du Cathay, bien sûr :
« Ils ont encore grant quantité de soie, car ils ont
mouriers et vers qui la font en grant habondance », ou
encore (c'est à *Guigiu*, c'est-à-dire à Sou-tchéou) : « Il
labourent draps de soye et d'or et sendans [= cendal]
moult beaux. » Plus encore, dignes d'être proposées à
l'admiration des gens d'Occident, lui paraissent les
merveilleuses soieries tissées dans les villes musulmanes de Mossoul ou de Badgad, et de Perse : à Kerman,
« les dames et les damoiselles labourent subtilement
et moult noblement d'aiguille sur draps de soie de
toutes couleurs à bestes et à oiseaux et à arbres, et à

fleurs et à ymages de maintes manières... Et si
labourent les courtines des barons si subtivement que
c'est grant merveille à voir; et aussi coussins et oriliers
et couettes de toutes autres choses ».

Chacun connaît le passage si célèbre où Marco
parle de la pêche aux perles sur les côtes de
Coromandel, près du cap Comorin. Les hommes vont
sur de petites barques, plongent jusqu'au fond dans
des eaux profondes de douze pieds « et treuent les
coquilles là où sont les perles. Et sont ces coquilles
faites commes les uistres ou les crapes de la mer »; des
perles de toutes formes et de toutes grosseurs, « car de
là issent les perles qui s'expendent parmi le monde ».
Mais... dès le mois de mai, ces coquilles ne se trouvent
plus que très au large. D'autres perles sont pêchées
loin à l'intérieur des terres, en Chine du Sud ou en
Haute Birmanie, dans le lac de *Gaindu,* au pays de
Ghendou, et dans une montagne, proche de ce lac, « on
treuve une manière de pierre que l'on appelle tur-
quoise qui sont moult belles et en a grant quantité ».
Les diamants se trouvent surtout dans le royaume de
Mutfili, près de Masulipatam, au bord du golfe de
Bengale (mines de Golconde); les saphirs, les topazes
et les améthystes à Ceylan; enfin, dans la province de
Balacian (Badakhchan), « naissent les balais [= rubis]
qui sont moult belles pierres précieuses et de grant
vaillance. Et les treuve l'en es roches des montaignes;
car il cavent [= creusent] moult sous terre et font
grans caves ». Mines d'argent aussi dans ce même
pays et de lapis-lazuli : « Encore y a en ceste meimes
contrée une autre montaigne où se treuve l'azur; et est
le plus fin du monde; et se trouve en veine, si comme
l'argent. »

Ainsi des notations, des localisations, mais si courtes! une dizaine de lignes pour les perles, quelques
mots, une ou deux phrases tout au plus, pour les
pierres. Aucune description précise ni des modes de
production et du travail des hommes, ni des qualités et
des prix, ni des transactions et des négociants.
Véritable curiosité, regard de marchand, de spécialiste? Certainement pas. Bien plutôt un intérêt très
limité qui répond à d'autres préoccupations : celles de
ménager des effets, de séduire par l'évocation de
merveilles.

Le Marco Polo marchand, soucieux de faire partager d'utiles expériences, dans ce livre, nous ne le
voyons pas, ou si peu et si rarement!

CHAPITRE VII

Après Marco Polo; les Italiens en Asie

S'il nous est impossible d'établir une chronologie précise des grands voyages vers l'Orient lointain et de présenter des certitudes absolues, tout porte à croire cependant que Marco Polo et ses parents furent, en 1261 puis en 1271, parmi les premiers Occidentaux à fréquenter la cour mongole de Chine. Ils sont restés, en tout cas, bien plus longtemps absents que d'autres et ont connu des provinces que certains, beaucoup plus tard encore, ignoreront. Leur retour, en 1292-1295, ce long périple dans les mers de l'Inde, s'inscrit certainement, pour les Chrétiens d'Occident, comme une toute première expérience.

Pionniers donc, ambassadeurs plus que véritables missionnaires ou marchands appliqués aux affaires, ils ont sans aucun doute largement contribué à ouvrir la voie aux moines et évêques de Rome, aux négociants aventureux et l'histoire des Polo ne peut taire celle des Églises romaines hasardées jusqu'à Pékin ni celle de la route de la soie.

L'Église romaine en Chine; Monte Corvino

C'est au pape Urbain IV, fils d'un cordonnier ou savetier de Troyes, et qui fut patriarche de Jérusalem, que revient la première intiative non plus de susciter de simples voyages d'approches, des échanges de lettres et de présents, mais d'installer cette fois à demeure des évêques missionnaires dans ce lointain Orient des Mongols; d'y établir des églises et une hiérarchie capables d'évangéliser et de rivaliser avec ces Chrétiens nestoriens en place depuis si longtemps et visiblement irréductibles, attachés à leur dogme hérétique et à leurs rites étranges.

Dix ans exactement après Rubrouck, un Dominicain anglais, Guillaume de Fraxineto, est investi par Rome d'un évêché à déterminer : c'est le patriarche latin d'Antioche qui doit lui attribuer un diocèse « en Arabie, en Médée ou en Arménie », formule à dessein très vague. Ces mêmes années et aussitôt après, le pape nomme de nombreux évêques *in partibus* pour des pays fort éloignés, réputés parfois inaccessibles, où ils ne se rendent jamais; mais ces hommes, pour la plupart, sont affectés à l'œuvre des missions, à la formation et à l'encadrement des moines et des prêtres.

Quant à l'Église romaine dans les pays des Tartares et en Chine, sa mise en place date très exactement du voyage et de l'installation à Pékin, en 1289, de Giovanni di Monte Corvino, la plus haute figure de cette épopée des missions chrétiennes, dont toute la vie se lit comme une aventure. Ceci précisément dans les temps où Marco Polo et ses deux parents se trouvent eux aussi en Chine. Si Monte Corvino n'a laissé aucune œuvre aussi célèbre que le *Devisement* de Marco Polo, mais seulement trois lettres en forme de compte rendu, sa mission, cependant, et surtout son action dans l'empire mongol apparaissent bien plus lourdes de conséquences, en dehors même des conversions à la foi romaine, pour la diffusion de la pensée et de la civilisation d'Occident.

Monte Corvino était Italien, né en Calabre en 1247. D'abord soldat puis juge, puis médecin, il entre, riche déjà d'expériences diverses et plutôt aventureuses, dans l'ordre franciscain et rejoint alors très vite les groupes de ceux que l'on appelle les *spirituels,* qui affirment vouloir suivre strictement la règle de leur fondateur, refusent les biens de ce monde, refusent même le couvent et s'en tiennent à une vie errante, mendiant leur pain, vivant de charité, allant de ville en ville prêcher et donner l'exemple. Ce sont bien souvent des vagabonds, sinon des marginaux.

D'autre part, en 1279, Monte Corvino avait séjourné pendant quelques mois en Perse, à Tabriz où il avait, rappelle-t-il, fréquenté des marchands génois et recueilli ainsi quantité d'informations sur les façons d'aller plus à l'est comme sur les mœurs des pays tartares. De retour en Occident, chargé, semble-t-il, d'une mission par le roi d'Arménie auprès du pape Nicolas IV, celui-ci l'envoie alors en Asie établir un ou plusieurs évêchés.

Nous connaissons bien, pour les premières étapes du moins, son itinéraire... qui ne manque pas de surprendre et laisse planer un doute sur le but final et sur le poids de certaines influences. En effet, s'il part, fin juillet 1289, d'Ancône pour l'Ayas, s'il remonte vers le nord à travers l'Anatolie, par Sis, jusqu'à Erzeroum et de là atteint Tiflis, sur les pentes du Caucase, il abandonne aussitôt après cette route tartare de l'Asie centrale pour aller directement vers le sud, par la Perse, s'embarquer à Ormuz. Et, du navire, arabe sans doute, il ne dit rien; il ne décrit en aucune façon son périple et précise seulement que deux personnes l'accompagnent : un frère dominicain et un marchand très riche, Pietro di Lucalongo, dont il tait d'ailleurs la nationalité et que personne n'a pu vraiment identifier ou rattacher à une quelconque famille ou maison d'affaires. Ce navire le conduit dans l'Inde, à Quilon, puis, sur la côte de Coromandel, au sanctuaire de l'apôtre Thomas.

Monte Corvino dit que Lucalongo fut tout au long du voyage et même à Pékin le bienfaiteur de sa mission, l'aidant constamment de ses conseils et de ses deniers. Et l'on voit bien ici comment la mission d'évangélisation peut non seulement profiter des informations, de l'expérience des marchands, mais aller de pair avec les affaires et l'exploration de nouveaux marchés.

Voici, en tout cas, et il est bien curieux que l'on n'en parle pas davantage, un marchand, pas besogneux et sans doute pas renié par les siens, qui, en 1289, a pu gagner les lointains pays du Cathay par une voie différente de celle des armées ou des caravanes : non par la route mongole vide d'intermédiaires, nouvelle, affranchie des traditions et des monopoles, mais en s'immisçant dans les trafics habituels des Arabes jusqu'en Inde et, de là, dans ceux des Chinois. Un bel exploit très certainement... Lucalongo est-il revenu en

Occident? Vraisemblablement, il n'a pas écrit de rapport ou sinon, personne ne l'a retranscrit, comme pour celui de Marco Polo... La célébrité, évidemment, tient à de telles fortunes littéraires, parfois tardives, pas toujours spontanées et pas davantage méritées que d'autres.

Est-ce le marchand qui a décidé le missionnaire et l'a conduit par mer, vers le sud? Est-ce une rencontre de hasard à Ormuz même, ou sur les bords du Tigre? Toujours est-il que Monte Corvino séjourne très longtemps, plusieurs mois, en Inde d'où il expédie à Rome une longue lettre, du plus vif intérêt : la lettre type de l'observateur attentif.

De là, il va, on ignore dans quelles conditions au juste mais par mer certainement, en Extrême-Orient et atteint Pékin. Nous avons conservé deux autres lettres qu'il a envoyées de Chine, toutes deux aussi authentiques et aussi précises que celle de l'Inde et nous savons qu'il mourut dans le pays, en 1328, à l'âge de 80 ans.

Missionnaire, il expose en détail ses méthodes et ses travaux; il montre, comme aucun n'a su le faire, les difficultés pour faire connaître la parole divine et dit comment on devrait former les frères qui viendront le rejoindre ou parcourir les autres provinces de l'empire mongol. Il s'agit, maintenant, non plus seulement d'ambassades auprès de quelques princes, d'une diplomatie de cour mais bien d'atteindre aussi le peuple, les foules.

Il faut d'abord tout savoir du pays, les mœurs de ses habitants, leurs croyances; il faut prêcher sans cesse, en public et souvent avec audace, devant les temples mêmes. Il faut aussi se rendre utile, guérir les malades, pratiquer l'exorcisme et se faire amener les possédés. Monte Corvino se plaint amèrement des difficultés qu'il rencontre, tout au long de son voyage puis au moment de son établissement, pour apprendre les langues indigènes, et ceci, dit-il, malgré de longs stages dans les villes étapes, non pas provoqués par les conditions matérielles des déplacements, par les intempéries par exemple, mais préparés à l'avance et concertés afin de se familiariser avec les parlers et se faire comprendre; en 1312, un décret du concile de Vienne recommandait l'enseignement des principales langues orientales, mongol et persan surtout, dans les universités de la Chrétienté.

Cependant, face à ces problèmes, Monte Corvino n'admet aucune concession pour ce qui touche à la célébration du culte; nous retrouvons là une volonté de maintenir envers et contre toutes les influences possibles, les contaminations des autres religions, l'intégrité du dogme et du rite romains. Attitude que manifestait fermement déjà, quelques années auparavant, Guillaume de Rubrouck lorsqu'il observait, rapportait et critiquait sans retenue les usages des Nestoriens. L'action missionnaire des Franciscains ne cède absolument pas à ce « climat » d'Orient et ne cherche pas à s'adapter aux usages; tout au contraire. On peut y voir l'effet d'instructions précises et, d'autre part, le désir, précisément, de se démarquer des Églises chrétiennes d'Asie, considérées hérétiques, contre lesquelles Rome engage, dans toutes les directions et avec une étonnante constance, une véritable lutte. Monte Corvino insiste sur le maintien de la liturgie traditionnelle et du latin : s'il dit employer les langues vulgaires pour prêcher et traduit en mongol le *Nouveau Testament* ainsi que les *Psaumes* il affirme que toutes les prières rituelles doivent être récitées en latin et, par ailleurs, exige le port des vêtements liturgiques réglementaires; il réclame à plusieurs reprises des livres latins car il n'avait amené avec lui qu'un bréviaire portatif avec des lectures abrégées et un missel.

Naturellement il fait construire des églises. Tout d'abord dans une ville qu'il situe à une vingtaine de jours de marche de Pékin, ville de nos jours complètement ruinée et que les Mongols appelaient communément Olon Sümäyin-tor (= ruines de nombreux temples) ou parfois Yisün Sümäyin-tor (= ruines de neuf temples); c'était, près du coude nord-est de la grande boucle du Fleuve Jaune, une grande cité enclose dans une enceinte de briques en forme de rectangle, protégeant une autre enceinte réservée où s'élevait le palais du roi Georges, Chrétien nestorien, prince de la région de *Tanduc* dont Marco Polo parle comme du petit-fils du prêtre Jean et que Monte Corvino lui-même ramena à la foi romaine. Georges, chef du peuple des Ongüts, prince vaillant, cultivé, avait fait construire écoles et églises et, dans son palais, aménager la célèbre « salle des Dix mille Volumes » où il se plaisait à argumenter avec les lettrés, philosophes, astrologues, tous familiers de sa cour et pour la plupart chinois. Il combattit pour le Grand Khan Kubilaï, contre son neveu Kaïdu, mais fut fait prisonnier et exécuté en 1298.

Les explorations et fouilles conduites par Namio Egami en 1934 puis en 1936 dans cette Chine du Nord-Ouest ont mis au jour une grande stèle de plus de 600 caractères retraçant la généalogie des souve-

rains, des pierres sculptées ornées de croix de Malte,
chaldéennes, une grande église nestorienne avec des
tuiles décorées de fleurs de style chinois, de nombreuses pierres tombales, enfin une église, sans doute celle
érigée par Monte Corvino; près de cette église, on a
trouvé des briques enjolivées de feuillages gothiques,
recouvertes d'un vernis bleu très foncé, des tuiles
manifestement tombées du toit, vernissées de blanc, et
une statue sans tête; tout près de là se dressait un
autre bâtiment, de forme semi-circulaire qui pouvait
servir aux baptêmes ou à l'instruction des catéchu-
mènes.

Évêque de Pékin, Monte Corvino fait édifier une
église chrétienne dans le voisinage immédiat du palais
impérial et fondre des cloches; puis, grâce à l'argent
de son fidèle Lucalungo, il achète un terrain et bâtit
une seconde église, plus imposante : deux démarches
qui marquent les deux étapes de cette évangélisation,
car l'évêque échoue auprès de l'empereur et fonde
alors toute son action sur la prédication et la conversion en nombre, dans le peuple. Nous savons qu'il
recueille des enfants abandonnés, qu'il s'en fait
confier plusieurs par les familles elles-mêmes (ses
lettres parlent de la surpopulation dans les villes), qu'il
rachète des esclaves; il les baptise et leur enseigne des
cantiques; il se sert, pour expliquer l'*Ancien* et le
Nouveau Testament d'« images » (au nombre de six
précise-t-il) qui portent les légendes en latin, persan et
mongol. Au total, des conversions certainement
importantes (on cite le chiffre de 30 000 baptisés par
l'évêque lui-même) mais instables : « Ils ne suivent pas
très bien la voie chrétienne. » Surtout, une très vive
réaction non des autorités ou des Chinois confucia-

nistes, mais des Nestoriens supplantés. En 1299, chez les Ongüts après la mort du roi Georges, ses frères restés nestoriens soulèvent le peuple contre Monte Corvino qui doit s'enfuir. En Chine même, il est poursuivi en justice.

Une œuvre sans grands lendemains? Elle témoigne pourtant de l'extraordinaire élan missionnaire qui animait les moines soutenus par Rome. Elle permit, en tout cas, une meilleure connaissance de l'Asie lointaine et fut prise très au sérieux par les premiers papes d'Avignon qui affirment clairement la même détermination. En 1307, Clément V, pape français, qui vient juste de s'installer à Avignon et de recevoir de Thomas de Tolentino la troisième lettre de Monte Corvino, promulgue plusieurs décrets relatifs à la Chine : sept moines, tous frères franciscains, seront sacrés évêques et envoyés en « Tartarie » pour y consacrer Monte Corvino « archevêque de Kambaluc et patriarche d'Orient »; ils lui porteront le *pallium,* la bande de drap de laine blanche semée de croix noires, et il pourra consacrer d'autres évêques sur place. Les évêques de Chine reçoivent le droit de désigner un successeur à Monte Corvino sans en référer au pape; exceptionnellement, « à cause de la longueur et des dangers de la route ». Un peu plus tard, pour compléter et renforcer cette organisation de l'Église d'Asie, Jean XXII en détache tout le Proche-Orient, confié à un archevêque installé à Sultanieh, dans le khanat de Perse, avec juridiction également sur l'Inde.

Dans le même temps où Monte Corvino résidait à Pékin, soit dans les années 1300, les Franciscains mettaient sur pied une nouvelle structure de leurs missions en Asie. Leurs couvents établis le long des routes, ou plutôt leurs petits groupes de frères, autour des *loca,* centres d'évangélisation, qui accompagnent les nomades et leurs troupeaux, sans véritable église, portant avec eux un mobilier liturgique très simple, dépendent dès lors de deux vicairies : celle dite *Aquilonaire* pour la Mongolie, celle *Orientale* pour l'Anatolie, l'Arménie et les pays voisins.

Si bien que les ambassades, puis les premières missions ont bien ouvert puis maintenu la voie à une action plus en profondeur, renforcée par une solide organisation; désormais l'Église de Rome étend son influence comme jamais encore, à des communautés de néophytes dispersées à travers toute l'Asie.

Cette grande entreprise, on le conçoit, ne pouvait réussir qu'avec l'assentiment des souverains mongols qui, partisans déjà de cette politique de tolérance qui leur avait fait accueillir d'autres cultes, manifestent un vif désir de mieux connaître cette religion romaine, capable de jouer, dans leurs États, un rôle non négligeable. Ils veulent s'informer, recevoir des ambassades, mais aussi mander des hommes, chargés de missions diplomatiques qui leur ramèneront d'Occident des docteurs et des prêtres, des livres et des reliques.

LE VOYAGE DU CATHAY : AVENTURE OU ROUTINE? LA « PRATRICHA » DE PEGOLOTTI

Au temps où les frères Polo et Marco résidaient en Chine, les Italiens cherchaient évidemment de nouvelles voies pour atteindre l'Extrême-Orient, le pays des épices. Et ceci pour le moins dans deux directions différentes, opposées même.

Les Génois, mieux implantés en Occident, déjà familiers des routes océanes, rêvent d'une route maritime vers les Indes par un périple de l'Afrique qui rééditerait l'exploit, plus ou moins légendaire mais bien connu alors, du capitaine carthaginois Hanon, dans les années 500 avant Jésus-Christ. En 1291, donc avant le retour en Occident de Marco Polo, deux ou trois galées de Gênes, commandées par les frères Vivaldi, Ugolino et Vadino, lèvent l'ancre dans le but avoué d'aller aux Indes par la route occidentale de la grande mer océane, libre de toute entrave. On n'eut aucune nouvelle d'eux. Seul leur souvenir continua d'habiter les esprits des aventuriers et des navigateurs. Au XVᵉ siècle, les capitaines, portugais ou italiens, lancés à la découverte de la côte d'Afrique en parlent toujours et certains prétendent même avoir rencontré leurs descendants. Entreprise isolée, vouée à l'échec parce que lancée sans informations suffisantes, sur la simple foi de récits fabuleux d'un exploit antique, mais qui porte tout de même des leçons très claires : d'une part l'attachement et la croyance aux connaissances livresques, à tout ce qui vient de Rome ou de son temps, à tout ce qui fait autorité; d'autre part la puissance de conviction et l'étonnante détermination de ces marins, capables d'affronter des mers et des climats parfaitement inconnus, l'intérêt que prend toute une citée à l'affaire : il avait fallu armer ces bâtiments, recruter des équipages, réunir des capitaux, et les chefs de l'expédition appartenaient à l'aristocratie de la ville. Au total, une initiative

certainement longtemps débattue, acceptée par de
nombreux citoyens, qui mobilisaient forcément bien
plus d'hommes et d'argent qu'une simple aventure par
voie de terre, de quelques personnes et leur suite.

Comparées à cette affaire manquée, les entreprises
vénitiennes ou génoises, pour aller directement par
voie terrestre et à travers toute l'Asie, vers les villes
caravanières du Turkestan et les capitales de l'empire
mongol jusqu'en Chine, paraissent à la fois plus
modestes et plus sûres, bénéficiant sans nul doute
d'informations, de conseils, de possibilités d'appuis,
d'étapes et de retour infiniment plus grandes. Certes,
les obstacles ne devaient pas manquer sur une si
longue route et on le savait : les rigueurs du climat, les
traversées des hautes montagnes et des déserts, la
longueur des étapes et l'incertitude du ravitaillement,
surtout les dangers et les menaces que faisaient peser
les troubles, les guerres entre les tribus, les pillards, les
raids des clans insoumis et les grandes campagnes des
conquérants. Sans parler des extorsions et des ran-
çons, auxquelles s'exposait inévitablement tout au
long du chemin le voyageur, étranger, livré au bon
vouloir et aux exigences souvent sans bornes de ses
chameliers, de ses truchements ou de ses guides. Mais,
avec l'installation de l'État mongol, de leur poste, avec
l'établissement d'une paix, la possibilité aussi de se
faire accompagner d'une escorte armée, les routes
semblent déjà bien plus sûres. Dès 1246, Plan Carpin
rencontre à Kiev des Italiens établis dans la ville
depuis quelque temps, qu'il n'hésite pas à présenter
comme des « experts de la Tartarie ».

Cette pénétration et la reconnaissance des routes se
font lentement, par étapes ; la route ne se « découvre »

pas, elle se gagne peu à peu, au fil des années, par de multiples tentatives individuelles, restées le plus souvent obscures.

Marco Polo, on l'a dit, ne cite aucun Italien établi en Chine et il est tout à fait possible qu'il n'en ait pas rencontré. Certes, nous savons bien que la soie de Chine, dont on ne trouvait encore aucune mention à Lucques, ville des tisserands pourtant, en 1246, apparaît à Gênes dès 1259. Mais rien ne dit que les Italiens allaient, à cette date, la chercher sur place, à sa source; sans doute pouvaient-ils l'acquérir sur les marchés du Levant méditerranéen, en particulier à Constantinople ou, tout au plus, en Perse, à Tabriz, grande cité caravanière.

Il semble que les voyages vers la Chine ne se soient multipliés et ne soient devenus pratique courante que nettement plus tard, en tout cas après le retour des Polo à Venise. C'est ce que disent abondamment, mais dans les années 1300 seulement, plusieurs manuels de marchands, *Pratiche della Mercatura,* écrits et divulgués à travers toute les villes d'Italie et dans les comptoirs étrangers où s'établissaient les marchands ou leurs commis.

Certes, la rédaction de ces manuels, pour ceux qui nous restent du moins, se situe quelque trente ou quarante ans après le retour des Vénitiens; mais ils ne pouvaient faire état que de pratiques déjà bien ancrées, très habituelles depuis un certain temps. Répertoires de données commodes, de renseignements souvent très complets sur les monnaies et les taxes, sur les poids et les mesures, sur les relations entre les différentes unités d'une ville à l'autre, sur la qualité des produits et les façons de bien les reconnaître, ces livres, véritables bibles des hommes d'affaires, indispensables outils pour toute boutique, indiquaient aussi parfois la façon de voyager et de faire transporter les marchandises sur tel et tel parcours, privilégié. Les uns parlent davantage de la Méditerranée, d'autres de l'Occident et des foires de Champagne par exemple, d'autres des possessions latines en Orient.

Or précisément et, à vrai dire, par un heureux hasard documentaire, l'un des mieux conçus, des plus complets de ces manuels, de ceux qui ont certainement connu la plus large audience, décrit avec une surprenante minutie cette route mongole vers la Chine. C'est la *Praticha della Mercatura* du Florentin Francesco Pegolotti, livre composé en 1339 ou 1340. Le père de l'auteur, Balduccio, nous est connu pour avoir négocié un traité de commerce pour le compte de sa ville avec la commune de Sienne. Francesco, quant à lui, passe toute sa vie au service, comme facteur plutôt qu'associé, de la très puissante compagnie marchande des Bardi... dont la retentissante faillite, en 1345, déchaîna une sorte de panique dans le milieu italien des affaires. On le trouve d'abord pendant plusieurs années (1317-1321) en Angleterre puis, à partir de 1324, à Chypre, point d'appui, centre de gravité en Orient des affaires de la compagnie. On le sait de retour à Florence en 1329 où ses voisins le portent à la charge de *gonfalonnier* – porte-drapeau, capitaine et président des assemblées – du *sestier* de l'Oltrarno. Un second séjour à Chypre, de 1336 à 1340, le conduit à négocier avec le roi d'Arménie.

Homme d'affaires et de voyages, facteur et chargé
de mission, fréquentant les princes et les marchands,
Pegolotti eut évidemment de très nombreuses occasions, sans entreprendre le lointain voyage de Chine,
d'en entendre parler, de recueillir de précieuses
informations. Il les présente, pour le bénéfice des
marchands et de leurs facteurs italiens dispersés à
travers toute la Chrétienté, de la façon la plus
ordinaire, sans éclat, mais avec un remarquable souci
d'exactitude : un livre qui, du point de vue marchand,
en dit bien plus long que Marco Polo lui-même.

Tout lecteur d'aujourd'hui reste, en effet, confondu
à compulser cette somme qui veut couvrir tous les
secteurs géographiques du trafic international des
Italiens, et, dans un tel manuel, de la place considérable, pour ne pas dire primordiale, des chapitres
consacrés non seulement au Levant méditerranéen et
au commerce des épices mais aussi aux routes de
l'extrême Asie.

De cette façon apparaît clairement ce que sont
devenus le trafic et les relations avec l'Asie centrale et
la Chine, peu de temps après le voyage de Marco.

De très longs développements, qui ne peuvent
surprendre, détaillent avec un étonnant luxe de
précisions, les conditions du commerce dans les
grandes métropoles politiques et marchandes de
l'Orient : à Constantinople d'une part, à Alexandrie et
donc au Caire de l'autre; l'auteur n'oublie rien, parle
de tous les négoces, de tous les produits. Mais ces deux
villes, carrefours de routes certes, s'imposent surtout
comme d'énormes marchés de consommation ou
centres d'un artisanat de luxe. Le manuel ne montre
pas que l'on puisse, de l'une ou de l'autre, gagner

d'autres pays; il ne décrit aucune route, maritime ou terrestre, pénétrant le monde byzantin ou les pays de l'Islam : rien, par exemple, sur Alep, ou Damas ou Bagdad. Les préoccupations de Pegolotti sont autres : il s'intéresse avant tout aux ports où l'on aborde venant d'Occident, entrepôts et centres caravaniers, et d'où partent les routes de l'intérieur vers la Perse, vers les pays de la Horde d'Or et de Chine, vers l'Inde : une route méridionale vers Tabriz et Erzeroum; une route nordique à partir de la mer Noire, vers Saraï, sur la Volga. A analyser ces nombreuses indications, l'une et l'autre s'identifient parfaitement et s'animent aussitôt.

Au sud, en Turquie c'est-à-dire pour lui en Asie Mineure, Pegolotti cite *Altoluogo* (sur le site d'Éphèse) et *Saetalia* (Antalia). Pourtant, ce ne sont que modestes comptoirs d'où les Pisans, Génois et Vénitiens tirent des grains qu'ils paient en apportant surtout des draps de Toscane et des toiles de Bourgogne. L'Arménie le retient bien davantage : « L'Aïazo d'Erminia où se fait le plus gros de la marchandise parce que viennent à cette marina et y habitent à demeure les marchands. » Et de donner la façon dont on vend tous les produits : ceux des Italiens – l'argent et l'or, les toiles de lin et de chanvre, les grains et l'huile, le safran –; ceux achetés en échange, qui arrivent des lointaines terres de l'Orient – toutes les épices, fines et grosses, la soie et les perles. Il précise aussi bien combien la *zeccha* (atelier monétaire) d'Arménie donne de ses pièces d'argent appelées *taccalini*, qui titrent huit onces de fin par livre, contre chaque *poids* d'argent, de neuf provenances différentes, et il indique ensuite les taxes qui frappent chaque marchandise (« mais la Compagnie des Bardi est franche et ne paie rien, ni pour ce qui entre, ni pour ce qui sort », en vertu du privilège obtenu le 10 janvier 1335). Enfin viennent, comme toujours, les équivalences des principaux poids et mesures d'Arménie avec Venise puis Gênes, avec Nîmes et Montpellier, avec Majorque et Séville, Bruges et Londres, la Pouille et Messine, avec Sébaste de Turquie.

Les descriptions de Saint-Jean-d'Acre (Acri di Soria) et de Trébizonde reprennent à peu de chose près le même schéma.

Pour cette première route décrite, celle qui va de l'Ayas à Tabriz, carrefour marchand du nord de la Perse d'où les caravanes peuvent contourner la mer Caspienne par le sud, le *Manuel* s'emploie simplement à donner la liste des péages ou droits divers et leurs montants : « par somme tant de chameaux que d'autres bêtes ». Au total, Pegolotti inventorie ainsi 24 postes de douanes jusqu'à Tabriz : villes et bourgs, ponts sur les fleuves, passages des montagnes; plus encore, sont parfaitement indiqués les frais d'hébergement dans les caravansérails – les *khans* –, énormes forteresses en pleine steppe pour abriter les voyageurs que les sultans turcs seldjoukides ou leurs grands officiers avaient fait construire : à *Gavazera* (déformation du mot caravansérail) *dell'amiraglio,* celui-ci mal identifié, à *Gavazera del Soldano* (= Sultan Khan) dont les ruines imposantes se dressent encore non loin de Kaisarieh, à *Gavazera di Casa Jacomi,* à *Gavazera sulla Montagna,* sur les hautes pentes des monts qui dominent Erzeroum. Le tout revenant à 200 aspres, monnaie de Tabriz, par somme. Mais le livre ne dit rien sur les conditions mêmes du trajet, sur les précautions, préparatifs et difficultés, si ce n'est

que « à cause des exigences des soldats pour escorter
les caravanes, tous des Tartares, il faut encore
compter leur donner 50 aspres ».

Cette route des hauts plateaux et montagnes
d'Anatolie jusqu'à Tabriz, certes, ne semble pas facile
à suivre dans ses moindres détours car les noms
indiqués, en parler toscan bien sûr et altérés par toutes
les déformations que l'on imagine, s'identifient mal.
Les auteurs – historiens et géographes – qui, depuis
longtemps, cherchent à suivre Pegolotti à la trace ne
s'accordent pas et se perdent quelque peu en chemin.
Seules étapes bien définies et obligées sur cette route
que Marco Polo, déjà, avait dû emprunter, les grandes
villes caravanières vers lesquelles convergent les
trafics et que décrivent encore, un ou deux siècles plus
tard, les voyageurs : après l'Ayas, c'est Kaisarieh
(Césarée), ville au peuplement arménien important;
puis Sivas, Erzincan, Erzeroum surtout où aboutit la
piste qui vient de la mer Noire et de Trébizonde;
enfin, au terme d'un très long trajet en vue des hautes
neiges du mont Ararat, dans le pays de la Grande
Arménie, Khoï, et par la rive nord du lac d'Urmia,
Kotur. Route turque et arménienne tour à tour, où le
marchand livré à ses caravaniers, à ses guides – les
moucres de si triste réputation souvent – et à ses
truchements, trouve tout de même de bons points
d'appui, des centres de négoces traditionnels; où
l'attendent marchés et entrepôts animés par un monde
de courtiers, de boutiquiers, de maîtres de caravansérails rompus depuis toujours à toutes les affaires.
Mais route très dure, déjà loin des habitudes médi-
terranéennes, qu'il faut suivre, à deux longs moments
au moins, à travers de hautes montagnes : celles

aussitôt quitté l'horizon marin, du Taurus, puis, bien plus avant, celles de l'Anatolie orientale.

A Tabriz, *(Torisi di Persia)*, Pegolotti dit naturellement la façon de peser les épices de l'Inde, de les emballer; la façon aussi de vendre les perles par colliers – *fili* – de 36, pour celles qui ne dépassent pas 14 carats. Arrivent également les fourrures : les vairs qui se vendent au millier, les dos de vair par centaines, les peaux d'hermine par lots de 40 et les peaux de léopards, de martes et de belettes, à la pièce. En échange, les marchands – Occidentaux, Arméniens, Turcs –, apportent de l'or et de l'argent, du mercure, des draps de laine, des camelots – *ciambellotti* –, pièces d'étoffe d'une qualité très particulière et très appréciée, soit de poil de chameau, soit de mohair ou encore de soie; et surtout du corail et de l'ambre, « tout préparés à la façon de paternoster ». Les équivalences des mesures de Tabriz parlent de Trébizonde, Constantinople, l'Ayas et Famagouste pour l'orient et, pour l'Italie, de Venise et de Gênes, en insistant sur les poids qui servent spécialement pour l'indigo et la soie. Comme toujours, mais ici d'une manière plus attentive encore, deux paragraphes détaillent les frappes monétaires, puis l'usage des pièces d'or et d'argent, enfin les droits à payer pour faire fondre les métaux précieux.

Le fil conducteur se démêle aisément : la *Praticha* de Pegolotti ne parle pas de la route de Perse par ouï-dire, par un simple souci d'exotisme et pour sacrifier aux mirages de l'Orient; c'est un document d'une extraordinaire précision, parfaitement documenté, où le rédacteur accumule les chiffres et les indications concrètes ; un outil de travail plus qu'un guide de voyage. Tout ceci témoigne, à l'évidence, d'une grande facilité d'information, d'une constante familiarité et, bien sûr, répond à des besoins très ordinaires : pour les Italiens, Florentins même assez tard venus sur ces routes orientales, ce trafic vers Tabriz peut n'être qu'une routine.

Les routes du Nord, elles, partent de la mer Noire et notre auteur y porte, on s'en doute, la même attention. Il dit les meilleures façons de commercer, les poids et mesures, les monnaies et les droits à Caffa, à La Tana et à Trébizonde. Visiblement, cette mer Noire, qu'il appelle *Mare Maggiore,* est devenue maintenant un des domaines contrôlés par les Italiens. De là partent, de fait, deux grandes routes vers les terres plus lointaines de l'Asie : celle des épices, celle de la soie.

De Trébizonde on gagne donc Tabriz puis la Perse, puis l'Inde : route traditionnelle, fréquentée depuis toujours, longtemps contrôlée par les Byzantins, où les caravanes n'ont jamais cessé de cheminer. Trafics intenses certainement puisque les poids et mesures de Trébizonde sont en toutes choses, exactement, les mêmes qu'à Tabriz : bel exemple d'une diffusion des usages et d'une métrologie imposée par de fréquentes relations : alors qu'en Italie chaque ville garde jalousement son système de poids et de mesures différent, pour des cités même très proches les unes des autres, ici deux grands centres caravaniers distants d'au moins 600 kilomètres, séparés par de grandes solitudes, appartenant à des aires culturelles et des pouvoirs politiques originaux sinon opposés, utilisent les mêmes références pour évaluer leurs marchandises, d'origines fort variées.

Pour aller de Trébizonde à Tabriz, il faut douze à treize journées de chevauchée pour un marchand seul et trente à trente-deux pour des balles ou fardeaux confiés aux caravanes : 50 km environ par jour pour le cavalier, 20 pour les bêtes de somme. Et Pegolotti de terminer en indiquant le coût du transport, taxes et frais compris : pour les épices et la soie dans un sens, pour les toiles fines, « à la mesure de Venise » dans l'autre.

Retiennent surtout l'attention, pour le lecteur d'aujourd'hui, les surprenantes informations sur la véritable grande route d'Asie, la mieux décrite ici, celle de Chine. Elle part de La Tana, au fond donc de la mer d'Azov, débarcadère, port d'entrepôt où résident des marchands vénitiens et génois. Pegolotti donne les équivalences avec Venise alors que celles de Caffa, tout naturellement, se rapportent à Gênes. Deux ports sans doute concurrents, mais il semble bien que, vers 1300, La Tana, mieux située, pas du tout jetée à la mer par une barrière de montagnes, l'ait emporté pour les relations vers l'intérieur des terres sur les escales de Crimée. C'est de là que la *Praticha,* dans un long et dense chapitre, présente d'abord une sorte de géographie des embarcadères pour les grains à conduire vers Constantinople, son comptoir génois de Pera, « et autres parties du monde » : sept échelles maritimes sur la côte vers l'ouest *(della banda di Gazeria)* en allant jusqu'en Crimée et cinq autres à l'est *(della banda di Zecchia);* pour la plupart de simples escales, d'accès difficiles, où l'on doit ancrer à trois ou cinq milles de la terre. Donc une fréquentation, saisonnière certes mais attentive, pour les poissons et pour les blés, de toute cette côte du bout du monde, de ses foires, de ses pauvres mouillages : de petits navires, des cabotages, des marchands pour qui chaque entreprise reste un hasard, sur des routes aventurées. Mais une présence, une étonnante connaissance des lieux et des marchés.

Vient ensuite, en quelque sorte le morceau de bravoure du livre, le développement consacré aux prix et aux conditions de l'expédition pour aller en Chine, au Cathay ou, en italien, au *Gattaio* : «*Avisamento del Viaggio del Gattaio*». Indications, tout d'abord, très précieuses, sur l'itinéraire, le mode de cheminement, la durée des étapes qui jalonnent ainsi une route définie à grands traits :

— de La Tana à Astrakhan : vingt-cinq jours pour des chars à bœufs et dix à douze pour ceux tirés par des chevaux (« et, par le chemin, on trouve beaucoup de gens d'armes, tartares »).

— d'Astrakhan à Saraï, sur le fleuve Volga, résidence du chef mongol de la Horde d'Or : un jour sur le fleuve.

— jusqu'à *Saracando* (sans doute Saraitchikowskaya, ou Saraitchik, sur le fleuve Oural) : huit jours « *per une fiumana d'acqua* » (en fait par la mer Caspienne); on peut s'y rendre aussi bien par voie de terre, mais « allez-y par eau à cause de la moindre dépense pour les marchandises ».

— de là à Ourgentch, au sud de la mer d'Aral, sur le fleuve Amou-Daria : vingt jours par chars tirés par des chameaux; un long détour vers le sud peut-être, « mais qui voyage avec des marchandises, il lui convient de passer par Ourgentch, ville si bien achalandée, où l'on trouve tant d'acheteurs ».

— de là à Otrar, près de la Syr-Daria, au Nord-

Ouest de Tachkent : de trente-cinq à quarante jours avec les chars et les chameaux; mais qui voyage sans marchandise peut aller directement de la mer Caspienne à Otrar en cinquante jours, et gagne ainsi une dizaine de jours.

— d'Otrar à *Amalecco,* ville mal identifiée pendant très longtemps et qui doit être, dans le Turkestan, Mazar, au nord-ouest de Kulja (Kouldja ou Yining), dans la vallée de l'Ili, au pied des montagnes et du col de Talki : quarante-cinq jours pour les ânes chargés de sommes.

— de là à *Campicion,* Kan-tchéou à l'ouest du Fleuve Jaune, dans la province que Marco Polo appelle *Tangut :* soixante-dix jours pour les ânes.

— de là on gagne en quarante-cinq jours *Quinsay,* c'est-à-dire Hang-tchéou, ville-marché très active où l'on échange les monnaies d'argent contre le papier monnaie chinois.

— et de *Quinsay* à *Gamalecco* (Kambaluc = Pékin) : trente journées.

Cet itinéraire, relativement bien décrit, répond manifestement à des préoccupations pratiques et témoigne à l'évidence d'une routine. Mais itinéraire conçu avant tout pour des marchands soucieux de vendre et d'acheter au mieux et qui les conduit, au prix de détours fort appréciables, vers les grands centres caravaniers et les marchés les plus actifs : vers Ourgentch d'abord puis, ensuite, avant d'atteindre Pékin, vers Quinsay (Hang-tchéou), ville située bien plus au sud mais grand port fluvial dont Marco Polo chantait déjà les étonnantes richesses et les fabuleux revenus que pouvait en tirer le Grand Khan.

Soit, au total, deux cent quatre-vingts jours environ,

pour acheminer, dans un sens comme dans l'autre des
balles de marchandises par chars ou bêtes de somme.
Le marchand seul, pressé d'arriver, peut gagner sur ce
temps une dizaine de jours, pas davantage; il va à dos
d'âne, ou à cheval, ou encore dit Pegolotti : « sur
toute autre monture qu'il lui plaira d'avoir en route ».

C'est qu'en effet la *Praticha,* au-delà d'un simple
schéma de l'itinéraire au demeurant tout à fait
squelettique, présente une série de conseils, eux aussi
rapides, mais très précis : non des fables anciennes ou
inventions, mais des renseignements utiles.

Qui veut aller au *Gattaio* doit se laisser pousser la
barbe et ne pas se raser. Il doit amener avec lui deux
valets, qui sachent bien le kouman, langue parlée dans
les pays soumis aux Tartares, à l'ouest de l'empire
mongol. De toute façon, il lui faudra des interprètes et
qu'il les choisisse au départ même de La Tana, du
mieux possible sans chercher à économiser, « car un
mauvais interprète revient encore plus cher qu'un
bon ».

Veut-il prendre une femme avec lui? Il le peut et il
n'en sera que mieux considéré, comme un homme de
bonne condition; mais qu'elle sache le kouman aussi
bien que les valets.

Quant aux frais de route et de transport, pour une
fois, le manuel en donne une évaluation circonstanciée; le voyageur qui se rend en Chine avec deux
valets et de l'argent en lingots, en verges ou en pièces
de monnaie, pour une valeur d'environ 25 000 florins
d'or, dépensera de 60 à 80 sommes d'argent, monnaies
de Caffa (1 200 à 1 600 livres de Gênes, soit moins de
1 000 florins); au retour, le transport d'une balle de
marchandises lui coûtera environ cinq sommes de

Caffa, et même moins, y compris les dépenses de bouches et les salaires des valets.

Nous apprenons aussi (ce que l'on ne trouve presque jamais ailleurs) qu'un char est tiré par un bœuf et peut porter 10 cantares de Gênes (470 kg) ou par trois chevaux pour 30 cantares (1 400 kg). Pegolotti précise, par ailleurs, l'équivalence des poids dans les cinq principales étapes (Saraï, Ourgentch, Amalecco, Otrar, Kan-tchéou) avec la livre-poids de Gênes. Il parle de la monnaie : tout l'argent que l'on porte est livré aux officiers du Grand Khan, *signore del Gattaio,* qui le font mettre dans le trésor et délivrent à la place de la monnaie « de papier jaune marqué du sceau du seigneur », des coupons que l'on appelle *balisci* et qui permettent de tout acheter. Il conseille de prendre avec soi des toiles pour les changer à Ourgentch contre ce papier-monnaie et de continuer ainsi, très peu chargé, jusqu'à Kambaluc, « à moins que l'on ne garde de ces toiles très fines qui tiennent si peu de place et n'occasionnent pas plus de dépenses que les grosses toiles ». Pour le retour, on achètera de la soie et des soieries : pour la valeur d'une somme d'argent de Caffa, dix-neuf à vingt livres-poids de soie, au poids de Gênes, ou trois pièces à trois pièces et demie de *camocche,* ou trois à cinq pièces de *nacchetti,* draps de soie très fins, genre brocarts, brochés d'or. Un trafic très simple donc et, comme on pouvait l'imaginer pour une si longue distance sans parcours fluvial ou presque, des produits de luxe, de grande valeur sous un faible poids.

Pax mongolica? Sans doute le livre de Pegolotti, largement diffusé dans les milieux d'affaires, bien mieux connu que celui de Marco Polo, peu utile, aux

marchands, a-t-il beaucoup contribué à asseoir la
réputation de la route espagnole. On y circule en toute
sécurité, de jour comme de nuit « selon ce qu'en disent
les marchands qui l'ont pratiquée »; les seuls dangers
sont, si meurt l'empereur, les troubles que cause un
grand état d'anarchie jusqu'à ce que soit désigné son
successeur; alors voit-on les Mongols ou leurs sujets
harceler les Francs (« ils appellent Francs tous les
Chrétiens qui habitent vers l'Ouest au-delà de la
Roumanie »). D'autre part, la partie de route au
départ de La Tana, jusqu'à Saraï, est toujours bien
moins sûre; mais, à condition d'être au moins soixante
hommes ensemble, on y va aussi bien que chez soi.

Document fondamental, exposé précis, rédigé par
un homme qui a une longue pratique de l'Orient et a
fréquenté souvent les voyageurs, qui a traité avec les
officiers du roi d'Arménie et sait ce qu'il écrit, la
Praticha della Mercatura témoigne, sans aucun
doute, d'une régulière fréquentation de cette interminable route à travers l'Asie, jusqu'à Pékin, sans
danger, à petits frais. Une route où les prix peuvent
être évalués en monnaie de Caffa, ou même de
Florence et de Gênes; où partout, on peut estimer les
poids en livres et en cantares de Gênes. Très certainement une belle réussite, un magnifique exemple
d'expansion commerciale, d'aventures maintes fois
répétées devenues routines.

D'autres textes, certains malheureusement beaucoup plus dispersés, vont tout à fait dans le même
sens. Ainsi tout d'abord ce manuscrit, le *Codex
Cumanicus*, exemplaire unique mais combien précieux d'un étonnant dictionnaire ou glossaire trilingue

conservé à l'*Archivio di Stato* de Gênes. Composé sans doute dans cette ville, au XVIIIᵉ siècle, il donne plusieurs centaines de mots latins traduits en kouman puis en persan. On y trouve de très nombreux termes techniques pour la conduite des affaires et surtout une infinie variété de noms de produits : une dizaine de noms de toiles, par exemple, avec leurs origines : toiles de Champagne, de Reims, d'Orléans, de Lombardie, de Crémone, de Bergame, de Fabriano, de Novare, d'Asti, de Bourgogne; plus encore une liste très complète de tous les noms de couleurs. Ce qui témoigne d'un marché tout à l'opposé d'échanges « primaires », grossiers : on offre des produits très diversifiés, appréciés chacun à sa valeur, selon sa provenance et sa couleur; on sait les exigences de ces pays si différents, et l'on s'efforce de répondre aux modes.

Mais ce glossaire est également un livre de grammaire où nous trouvons, par de multiples exemples, la façon de conjuguer les verbes, à tous les temps et aux trois principales personnes : preuve d'une volonté d'être parfaitement compris et de ne pas limiter les dialogues à de simples échanges de mots isolés ou de signes. Les marchands d'Occident désirent connaître un peu plus en profondeur villes et royaumes de cette lointaine Asie et, comme dans tous les comptoirs du Levant méditerranéen, fréquenter utilement négociants et courtiers.

COMPTOIRS ET AFFAIRES

Ce que nous pouvons saisir des Italiens installés fort loin de leurs horizons habituels, dans tous les pays qui dépendent des khanats mongols et jusque dans les grandes villes du Cathay confirme amplement ces impressions. Gênes et Venise s'emploient par tous les moyens à s'assurer des accords, à reconnaître les routes, à établir des relais et même des comptoirs, avec leurs *fondouks,* leurs notaires, leurs petites colonies de marchands et d'artisans. Certes, les renseignements restent très épars, fragmentaires, allusifs parfois et les auteurs les plus avertis ne peuvent que glaner quelques noms. Mais, peu à peu, à suivre les informations rassemblées par Roberto Lopez, Luciano Petech et Michel Balard, l'image se précise : les frères Polo, pionniers certes, n'ont certainement rien accompli d'exceptionnel.

Les Italiens s'établissent d'abord aux approches de l'Asie centrale et dans les premières villes d'étape, dans les capitales des principautés slaves et des khanats mongols de l'Ouest. Plan Carpin, le missionnaire, a rencontré plusieurs de leurs marchands à Kiev et des Génois étaient installés à Saraï dès le début du XIIIe siècle.

En Perse, dans le khanat des Ilkhans, leur principale colonie, nœud de tous leurs trafics, fut, on le sait, Tabriz, grand carrefour de routes et point de départ des caravanes vers la Chine ou vers l'Inde. L'oncle et le père de Marco Polo furent peut-être associés à ce Pietro Vilioni, Vénitien, dont nous gardons le testament (1264) et dont les Polo prirent sans doute le nom plus tard. En 1280, c'est, par un acte notarié génois, Luchetto di Recco qui réclame à Lamba Doria, tous deux Génois, une certaine somme d'argent que ce dernier avait promis de lui payer soit à Sivas, soit à Tabriz. Les Italiens que nous trouvons ambassadeurs du khan de Perse sont tous également des marchands, hommes d'affaires même, et les efforts de Venise pour assurer la sécurité et les biens des siens, peut-être même obtenir quelques privilèges fiscaux, montrent bien l'intérêt que la ville portait à ces trafics et à la colonie de Tabriz; par le traité de 1320, elle recevait de grands avantages financiers et douaniers et, dès lors, entretenait à Tabriz une importante colonie gouvernée par un consul assisté de quatre conseillers. Et, en 1328, Venise envoie en ambassade spéciale Marco Corner pour y mettre un peu d'ordre à la suite des combats de rues qui avaient opposé, dans la cité, les Vénitiens aux Persans, et pour récupérer les biens, réclamés depuis plus de huit ans, de Francesco da Canale, mort à Erzincan.

Dans les mêmes années, les Génois ont à Tabriz un *fondouk* avec un scribe, notaire de leur ville. C'est là, dans ce caravansérail, qu'en 1328, Ingo Gentile, grand voyageur, avait reçu en commande de l'argent ou des marchandises d'Egidio Boccanegra, autre Génois, pour aller commercer au Cathay ou aux Indes; quelques années plus tard, il lui remet 1 000 besants d'argent, monnaie de Tabriz. En 1344, le Dominicain Guglielmo de Chigi, évêque de la ville, menant son enquête contre les Franciscains du couvent accusés d'appartenir au mouvement hérétique des Fraticelles, peut interroger onze marchands italiens présents : cinq Génois, deux Vénitiens, un Pisan,

un Placentin, un homme d'Asti et un autre d'une cité
mal identifiée. A cette époque-là, « dans les archives
notariales génoises, les contrats de commande, changes maritimes, reçus et procurations concernant
Tabriz abondent » (M. Balard).

Dans une tout autre direction, dans le khanat
mongol du Djagataï, Ourgentch, grand centre cara-
vanier également, où l'on fabriquait cette étoffe
appelée depuis chez les Occidentaux l'*organdi,* centre
aussi pendant quelque temps d'un évêché catholique
romain confié au Franciscain Matteao, voyait passer
les marchands en route vers Pékin ou vers Delhi.
Certes, là encore, pour évoquer cette présence et ce
trafic des Italiens, force est de nous en tenir à
quelques rares documents qui, par miracle, sont venus
dans les villes d'Italie et, par un heureux hasard, s'y
trouvent encore. Documents qui, pour la plupart,
concernent plutôt des procès, des liquidations difficiles de sociétés. C'est à Ourgentch, par exemple, que
furent réglés les comptes d'une *colleganza,* association pour commercer au loin, conclue en 1338 entre
six marchands vénitiens, Giovanni, Paolo et Andreà
Loredan, Marco Soranzo, Marino Contarini et Bal-
dovino Querini; toutes familles, notons-le, alliées par
mariage à la Ca' Polo. Les comptes, étudiés par
Roberto Lopez, montrent ces marchands s'embar-
quant à Constantinople puis une caravane partie de
La Tana pour Astrakhan et Ourgentch, soit exactement la route décrite par Pegolotti. Mais, de là, ils
gagnent, par les hautes passes de l'Hindou-Kouch, la
ville de Ghazni (au sud de Kaboul) où Giovanni
Loredan trouve la mort. A Delhi, le sultan leur donne,
en échange de toutes leurs marchandises, une somme

d'argent fabuleuse, équivalant à 200 000 besants
pièces d'or... mais il fallait, affirment les voyageurs à
leurs commanditaires, en dilapider une bonne part
pour faire taire, au retour, les agents des douanes.

Quant à la Chine elle-même, dans plus d'une cité, la
présence des Italiens ne fait aucun doute. Le principal
témoignage, le plus émouvant en tout cas, est bien
cette pierre tombale découverte en 1955, à Yang-
tchéou, dans le Kiang-su, ville où Marco Polo exerça
une charge et où, en 1322, l'évêque Oderic de
Pordenone visita une maison franciscaine florissante,
sorte d'hospice pour voyageurs et de *fondouk* près
d'un quartier habité, dit-il, par des étrangers, marchands. La pierre, où figure gravée la scène du
martyre de sainte Catherine, porte une inscription
datée de 1342 qui parle d'une Chrétienne, Caterina,
fille de Domenico; une autre pierre, trouvée quelques
années plus tard, indique la mort, en 1344, d'Antonio,
frère de Caterina. Quant au nom de famille, renseignement évidemment essentiel, on a d'abord, d'un
commun accord, lu, sur cette pierre, *Vilioni,* famille
vénitienne, et l'on peut alors rapprocher cette découverte du testament indiscutable de Pietro Vilioni
rédigé à Tabriz en 1264. Mais, à cette lecture et à
cette interprétation vénitiennes, Roberto Lopez a
opposé, d'une façon il est vrai peut-être contestable,
une autre lecture, celle de *Ylionis,* famille génoise
adonnée, elle aussi, aux lointains commerces en
Orient. Il fait remarquer que les Génois étaient
certainement bien plus nombreux en Chine que les
Vénitiens; que l'on connaît l'existence en Chine d'un
Domenico Ylioni (ou Ilioni), qui serait alors le père de

ces deux jeunes gens; notaire, ce Domenico est cité en
1348 pour avoir, auparavant mais à une date non
précisée, rédigé le testament de Jacopo de Oliverio
dont les biens furent ramenés à Gênes par son frère
Ansaldo, en 1345; les Ilioni étaient solidement
implantés, et depuis longtemps, à Caffa, puisque le
chroniqueur Alberto Alfieri les qualifie, au xv° siècle,
de *viri antiquissimi*; un Tommaso Ilioni, enfin, fut
Génois de Caffa en 1367.

Quoi qu'il en soit, vénitienne ou génoise, une famille
italienne vivait dans cette ville de Chine, centre
d'importance économique tout de même très limitée,
loin des grandes capitales ou métropoles.

Par ailleurs, plusieurs allusions dans les lettres des
frères franciscains, des actes de fondation ou de
dissolution de sociétés, des règlements de procès et des
comptes, attestent bien que le voyage et même la
résidence dans le royaume du Cathay n'ont, pour
l'Italien, rien de vraiment hasardeux ou d'exceptionnel.

L'évêque de Çayton (Tshiouan-tchéou), le port où
Marco Polo se serait embarqué pour le retour, le frère
Andreà di Perugia, parle, en 1326, des marchands
génois habitant la ville, sans préciser davantage. Mais
nous en savons un peu plus sur les deux ou peut-être
trois voyages d'Andaló di Savignone, Génois lui aussi,
résidant en Chine, envoyé comme tant d'autres par le
Grand Khan en ambassade auprès du pape, « dans le
pays des Francs au-delà des sept mers pour ouvrir la
voie aux ambassadeurs qui seront fréquemment
envoyés de nous au pape et du pape à nous ». Andaló,
que les sources orientales nomment André le Franc, va
à Avignon puis à Paris. L'empereur de Chine l'avait

également chargé de ramener des chevaux « et autres merveilles »; un marchand donc... et qui sait marchander puisque, après avoir longtemps négocié l'achat de belles pièces de cristal à Venise (pour 1 000 à 2 000 ducats d'or) et l'autorisation du Sénat de les emporter, il finit par se rendre à Gênes et y faire provision de tout. Les chevaux italiens arrivèrent par voie de terre et firent grande sensation à Pékin (en 1339); l'empereur ordonna à quelques poètes d'en chanter les louanges et l'un des peintres de la cour fit leur portrait.

En 1330 mourait à Pékin un Antonio Sarmone, génois nous dit-on également, mais d'une lignée complètement inconnue, si obscur que ceux qui l'ont fréquenté voient mal comment orthographier son nom; ils disent cependant qu'il laissait, à sa mort, dans un entrepôt, 4 750 livres-poids de soie (plus d'une tonne) valant environ 7 000 livres, monnaie de Gênes.

Enfin, pour terminer cette sorte de catalogue de nos témoignages sur ces étonnants trafics si aventurés, rappelons avec, à nouveau Roberto Lopez et Michel Balard, le contrat signé en 1343 entre Leonardo Oltramarino et son familier, esclave affranchi nommé Oberto de Persio, pour aller trafiquer avec lui à Ourgentch, Delhi, en Chine et « en n'importe quelles autres parties du monde ».

Quant aux *commandes,* associations qui permettent au voyageur de recueillir des fonds de plusieurs personnes à la fois et de les faire fructifier dans ses entreprises, celles dont nous arrivent quelques échos portent parfois sur des sommes considérables; ainsi

800 sommes d'argent de Caffa pour Galeotto Adorno,
investis dans une couronne d'or, un collier et des
perles, par un groupe de Génois dont les noms font
bien penser qu'ils n'appartiennent pas au tout premier
cercle des négociants de leur ville (en 1343); 6 270 besants de Tabriz pour Tommasino Gentile, confiés par
son père, un parent et deux autres Génois (1344).

Toute une moisson d'informations, de débris d'informations plutôt, qui certes, en aucune façon, ne
permettent d'appréhender le phénomène social sous
tous ses aspects, de mesurer la fréquence de ces
voyages ni la densité de l'émigration; mais, cependant, une moisson suffisante pour conforter certaines
impressions.

D'abord pour la qualité sociale des marchands
italiens lancés dans cette aventure extrême-orientale.
Ce sont des hommes qui, pour la plupart d'entre eux,
n'appartiennent pas à de grandes familles de leur cité
d'origine. Ils ne se présentent pas non plus comme des
facteurs ou commis de puissants hommes d'affaires
mais ne se réclament que d'eux-mêmes et agissent
visiblement pour leur propre compte. D'autre part, ces
trafics le long des routes de l'Inde ou du Cathay, ces
transactions dans des marchés si lointains, reposent
encore sur un système commercial simple, primaire,
quasi primitif, avec des contrats toujours établis au
coup par coup et qui permettent de subdiviser, donc
de répartir les risques. Pas de sociétés fixes ici, ni de
grandes compagnies. Le type d'association reste,
comme pour les voyages maritimes au départ de
l'Italie vers les ports du Levant, la *commanda* pour les
Génois, la *colleganza* pour les Vénitiens : contrats qui
rassemblent deux ou trois membres de la famille et

des associés très proches; on rend les comptes et l'on partage les bénéfices au retour; ainsi procèdent, nous l'avons vu, les Polo eux-mêmes, installés à Venise dans leur nouvelle demeure et leurs parents négociants en Orient.

Des hommes modestes? Cela se constate aisément ou se devine à la simple lecture de leurs noms. Presque tous défient l'identification précise. Certains sont affublés de diminutifs. D'autres, pour les Génois en particulier, ne portent pas de noms de famille, mais seulement celui de leur bourg d'origine, bourg de la Riviera ou de la montagne ligures : Albaro, Promontorio, Savignone... Ce sont, à Gênes, des immigrés ou fils d'immigrés. On hésiterait beaucoup avant d'affirmer qu'ils aient pu rapporter de grands profits de ces lointaines expéditions, et bâtir de belles fortunes. Et Marco Polo et les siens donnent déjà, parmi les tout premiers sur ces routes d'Asie, une bonne image de ces destins somme toute plutôt médiocres : des origines assez effacées, de longues années au loin et de solides expériences mûries souvent au cours de plusieurs voyages et séjours, les qualités de l'homme d'affaires et du chargé de mission, mais au retour, des bénéfices qui ne forcent pas l'émerveillement et une ascension sociale discrète.

Second faisceau de réflexions qui éclairent d'ailleurs ces destinées : le voyageur italien au Cathay ou en Inde n'accomplit évidemment pas un exploit. Ces pérégrinations n'ont certainement rien de très étonnant et nous pouvons, dans l'ensemble, souscrire à la thèse de Roberto Lopez qui pensait que la paix mongole et le bon marché des transports, la sécurité surtout, avaient permis l'acheminement régulier de la

soie de Chine et un fort développement du travail des
draps de soie en Occident. La soie dite du Cathay
(seta catuya ou *catuxta)* gagne tous les marchés
d'Italie. Produit de grand luxe – à poids égal plus de
dix fois plus chère, par exemple, que le poivre – elle
peut supporter ce long transport à travers le continent
d'Asie, puis les transbordements, puis le fret maritime. Cela ne grève son prix que dans une proportion
raisonnable; de qualité il est vrai sans doute inférieu-
re, elle arrive moins chère à Gênes que celles du
Turkestan ou de Perse. Cette grande route transasia-
tique, des steppes et des hautes montagnes, des grands
centres caravaniers des oasis, est bien alors la « route
de la soie ».

C'est là, incontestablement, une belle réussite, une
grande fortune économique qui s'inscrivent directement dans l'héritage des premiers voyageurs, découvreurs ou explorateurs de ces pays inconnus et donc
des Polo. Mais une fortune fragile car cette route n'est
restée active, déterminante pour l'approvisionnement
des marchés italiens et l'équilibre de leurs échanges,
que jusqu'à l'arrivée au pouvoir en Chine de la
dynastie des Ming qui, en 1368, après toute une série
de mouvements insurrectionnels mûris par des sociétés secrètes formées dans le Sud de l'empire, chassent
définitivement les Mongols. Dès lors se ferme cette
route d'Asie centrale et, surtout, les villes et ports de
Chine sont interdits aux étrangers.

La route de la soie, ses relais et caravansérails,
n'auront ainsi reçu visite des négociants italiens que le
temps d'une longue génération : de 1325-1330, soit
environ trente ans après le départ des Polo, à
1360-1365, époque des premiers troubles et des

mouvements xénophobes. Mais ce fut là certainement un des moments les plus brillants, les plus riches d'audaces dans l'histoire de l'expansion de l'Occident; une série d'initiatives individuelles, tout au plus de petits groupes de parents ou d'associés qui, on le sait, ne seront reprises que beaucoup plus tard, avec bien d'autres moyens, par mer et avec l'appui des États, d'une façon presque toujours fracassante.

CHAPITRE VIII

Vassal et officier de l'empereur de Chine

Fils de marchand, mais surtout ambassadeur du pape, Marco Polo acquiert évidemment en Chine d'autres expériences, d'autres ambitions et même, dirait-on, une personnalité que nous reconnaissons parfaitement à la lecture du *Devisement* et qui se démarque bien de l'image traditionnelle du négociant occupé de commerce et de spéculations.

C'est là le fait d'un long séjour, d'un service, de l'exercice de charges et de responsabilités diverses. Il est resté près de vingt ans dans l'empire mongol. Arrivé très jeune, à l'âge de 18 ans, il y a connu et vécu le plus passionnant de sa vie; là, il a pu montrer les ressources de son esprit d'entreprise, de ses qualités d'homme et de chef; il a connu les honneurs, les charges et les responsabilités, d'une façon sûrement bien plus brillante que plus tard, de retour à Venise sa patrie, confiné alors dans une condition sociale aux horizons tout de même bornés, vivant dans une sorte de grisaille, limité dans ses ambitions. L'empire mongol des Yuan, ses peuples innombrables et si variés, ses grandes cités incomparables, les richesses de ses provinces, tout cela devait, jusqu'à sa mort, certainement hanter ses souvenirs.

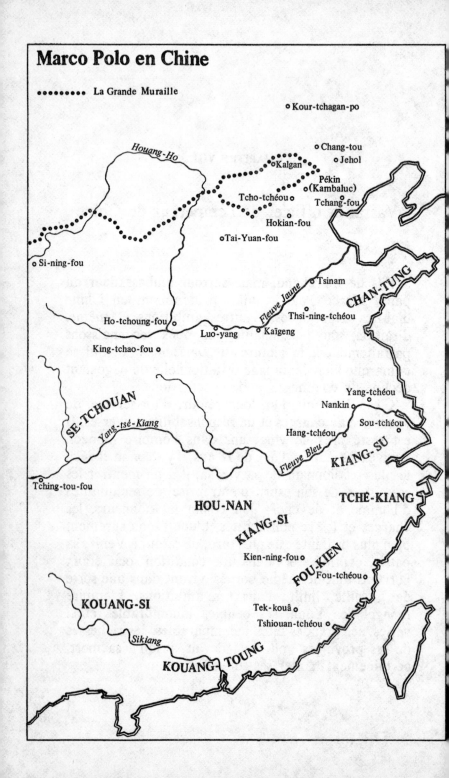

Marco Polo en Chine

•••••••• La Grande Muraille

Kour-tchagan-po

Houang-Ho

Chang-tou
Jehol
Kalgan
Tcho-tchéou
Pékin
(Kambaluc)
Tchang-fou
Hokian-fou
Tai-Yuan-fou

Si-ning-fou

Tsinam
CHAN-TUNG
Fleuve Jaune
Thsi-ning-tchéou
Ho-tchoung-fou
Luo-yang
Kaïgeng

King-tchao-fou

Yang-tchéou
Nankin
Sou-tchéou
SE-TCHOUAN
Yang-tsé-Kiang
Hang-tchéou
Fleuve Bleu
KIANG-SU

Tching-tou-fou

TCHÉ-KIANG

HOU-NAN
KIANG-SI

Kien-ning-fou
FOU-KIEN
Fou-tchéou

KOUANG-SI
Tek-kouâ
Tshiouan-tchéou

Sikiang
KOUANG-TOUNG

Quels pouvaient être, au départ, ses projets ou, plutôt, ceux que nourrissaient pour lui son frère et son oncle? Sont-ils partis avec l'idée de faire carrière? Pensaient-ils rentrer un jour? Nous voyons, en tout cas, que leur voyage ne se présente pas de la même façon que ceux de simples marchands voyageurs, chargés de traiter des affaires, souvent pour des commanditaires, tenus de rendre compte, pressés assurément de revenir pour réaliser leurs bénéfices. Nous imaginons volontiers les Polo désireux de s'implanter dans le pays pendant de très longues années et peut-être d'y rester jusqu'à la fin de leurs jours, comme tant d'autres plus tard, Vénitiens ou Génois dont les parents, en Italie, réclament les comptes de succession.

Reprendre le chemin de l'Occident, étaient-ils libres de le faire, une fois installés en Chine? Sur ce point, et c'est l'une des rares confidences du livre, le *Devisement* apporte quelques indications intéressantes. Il montre nos trois Vénitiens soucieux tout de même de retrouver leur mère patrie et d'obtenir congé de l'empereur. Ils le lui demandent plusieurs fois « car bien en estoit désormais temps », mais Kubilaï refuse : coquetterie de l'auteur qui affirme qu'il « les avoit tant et les tenoit si volontiers entour qu'il ne leur vouloit donner congié pour riens au monde »?

A suivre et croire le *Devisement,* leur retour fut donc fruit d'un hasard : on leur confia, on le sait, la charge d'accompagner une jeune princesse jusqu'en Perse. De telle sorte que, à lire ce que dicte Marco comme à considérer les faits bruts, cette longue et vaste entreprise des Vénitiens se ramène à une série de missions, de services : ambassade commandée par le pape à l'aller pour rejoindre le khan mongol; missions de gouvernement pendant ce si long séjour; mission diplomatique pour le périple du retour.

Le *Devisement,* si rapide sur tant de points, parfois complètement muet même, nous renseigne, au contraire, avec une certaine complaisance sur tout ce qui se rapporte à cette carrière de service et de gouvernement. Et, là, Marco prend la peine de se mettre en avant, de parler de ses propres mérites, qu'il juge remarquables. Il fut, nous dit-il, présenté par son père à l'empereur qui, recevant les lettres du pape et l'huile du Saint Sépulcre, les accueillit avec joie : « Sachiez que il eut à la court du Seigneur moult moult grant feste de leur venue; et moult estoient servi et honnorez de tout. Et demeurèrent à la court avec les autres barons. » C'est donc ainsi que, venu de si loin, Marco devient le vassal, familier de Kubilaï (« il est mon filz et votre homme », dit Niccolò). D'où les voyages à l'intérieur de l'empire, les tournées d'inspection, les charges administratives; et, en contrepartie de cette confiance et de tous les avantages que le jeune Vénitien pouvait certainement en retirer, la fidélité, l'obéissance.

Quant à son père et à son oncle, nous apprenons qu'ils lui furent associés à Kan-tchéou pour un court séjour mais ignorons si, ensemble ou séparément, ils furent aussi chargés de responsabilités ou s'ils eurent, eux, le loisir d'établir des relations d'affaires, d'acheter et de vendre, s'ils restèrent par lettres, par contrats de sociétés, liés à quelques compatriotes de Venise, investissant leur argent dans ces négoces d'Asie.

KUBILAÏ ET LES ÉTRANGERS

Si l'on considère déjà les deux voyages d'aller et de retour, et les travaux du seul Marco, toute l'entreprise des Vénitiens, leur venue et leur long stage à la cour du Grand Khan et dans les provinces, s'inscrit dans un vaste dessein de gouvernement, dans la politique déterminée des souverains mongols, conquérants, aventurés avec leurs armées et quelques conseillers fort loin de leurs points de départ; pour mieux s'informer et surtout mieux tenir en main leurs nouvelles provinces, ces nouveaux maîtres recherchaient volontiers des officiers, administrateurs, de leur suite et de leur fidélité, étrangers au pays. Ainsi pour la Perse – où les Polo semble-t-il n'ont joué aucun rôle – et davantage encore pour la Chine.

Il paraîtrait que, dès les premiers temps de la conquête, bien avant l'avance décisive de Kubilaï et l'occupation de la Chine du Nord par les armées mongoles, le khan et ses officiers aient cherché à s'entourer ou à implanter dans les provinces soumises, par toutes sortes de moyens, des hommes, familles et groupes, colonies même de nouveaux venus, d'ethnie, de langue et de religion différentes, sur lesquelles ces vainqueurs comptaient s'appuyer. Certes, ces actions prirent rarement l'allure et les dimensions d'une colonisation massive; il n'était en aucune façon question de modifier si peu que ce soit le peuplement en profondeur de telle ou telle région. Mais on connaît au moins une vaste entreprise de déportation vers l'est lointain, et ceci très tôt, dès le règne de Gengis Khan, lorsque, de Samarkand conquise, le chef vainqueur fit

sortir, du peuple des Keraït, 3 000 foyers d'artisans
pour les convoyer à travers l'Asie ; au terme de ce long
exode, ils furent installés de force dans la ville de
Simah, actuelle Sien-ma-lin, au nord-ouest de Pékin,
non loin de Kalgan, juste à l'extrémité de la Grande
Muraille ; ils y ont planté, écrit un chroniqueur persan,
un grand nombre de jardins « à la manière de
Samarkand », y cultivaient la vigne et y faisaient
même du vin de raisin ; ils y fabriquaient aussi ces
nasih, ou *naques,* qui sont ces tissus de fils de soie et
de fils d'or, un des rares produits que, sous le nom de
nacchetti, cite le manuel écrit pour les marchands
italiens par Pegolotti parmi ceux ramenés couramment de Chine et qu'il place, pour leur prix, tout en
haut de la gamme.

De leurs expéditions guerrières, des villes prises et
pillées, les Mongols tentent visiblement de garder
avec eux non seulement des esclaves revendus peut-
être sur de lointains marchés – un aspect de la
conquête à vrai dire encore mal élucidé –, mais aussi
différents artisans, souvent spécialisés dans des travaux de luxe, des objets de curiosité. Dans les pays de
la Russie méridionale, aux confins de la Hongrie, ils
ont razzié des indigènes bien sûr mais aussi des
Allemands et des Latins, gens d'Occident, déjà établis
loin de chez eux ; ce fut le destin de ce Guillaume
Boucher, célèbre entre tous, orfèvre de son état et
originaire de Paris, installé à Karakorum au temps de
l'empereur Mangu.

La cour des souverains tartares, celle des Yuang
surtout, compte ainsi de petites colonies d'artistes,
d'artisans, de techniciens pourrait-on dire, établis près
du maître, bénéficiant à la fois de ses commandes et

de sa protection, faisant souche dans la ville; c'est à ces gens que les khans doivent sans doute, pour une bonne part, les beaux aménagements et les décorations de leurs palais. Les cours font également appel, constamment, aux marchands qui, sitôt arrivés, ne manquent pas de venir présenter leurs étoffes et leurs joyaux au palais.

La Chine conquise, Kubilaï recrute volontiers, pour superposer de nouvelles structures aux cadres habituels, de bons administrateurs, fidèles, en marge des traditions et des hiérarchies fondamentales du pays. C'est que l'on imagine aisément les difficultés que devait rencontrer ce gouvernement d'étrangers, de barbares, dans un monde si fermement dirigé jusqu'alors par une administration scrupuleuse, par des juges tout au service de règles séculaires. Une des premières tâches fut naturellement de surmonter les incompréhensions, les désaccords nés de la méconnaissance des rites et des coutumes, des différences considérables de genre de vie, de langue et de religion. Obligation donc, pour ces nomades, de s'informer sur tout. Ce fut là pour les empereurs leur souci majeur qui, de plus, prit encore une autre dimension avec la conquête et la soumission, sur le plan administratif du moins, de la Chine du Sud où les cultures et les traditions paraissaient plus étranges, irréductibles; ceci dans les années 1280, précisément au moment où les trois Vénitiens se présentent à l'empereur et où Marco se déclare son homme fidèle, son vassal.

Nécessité aussi d'envoyer des officiers non plus seulement s'enquérir mais diriger les bureaux, surveiller les négoces, tenir les douanes solidement en main et faire acheminer vers la cour les revenus considérables prélevés sur les mouvements des navires, sur les transactions, sur les mines et sur les salines. D'autres missions, au voisinage des frontières souvent mal définies, aux limites extrêmes de l'avance des armées devaient, elles, s'inquiéter et rendre compte de l'état des royaumes voisins, de leurs potentiels de défense, de leurs dispositions et des chances des dynasties en place; elles pouvaient, de la sorte, préparer une campagne ou une suzeraineté, négocier une alliance.

Dans cette voie, Kubilaï n'hésite pas. Nous le voyons s'attacher à rompre toute l'armature traditionnelle héritée des Song, à tarir le recrutement habituel des agents du gouvernement; il sait que, dans l'esprit même du peuple chinois, les mandarins lettrés incarnent alors l'idée de résistance aux barbares. Les examens littéraires et les concours officiels pour choisir les juges et les administrateurs furent espacés, oubliés, supprimés. Marco Polo note en effet, ici et là, des postes importants confiés soit à des Tartares eux-mêmes, soit à des Chrétiens, nestoriens, soit encore à des Sarrasins, en particulier dans les provinces du Sud; et lui-même fit partie de ce groupe d'étrangers auxquels les postes clés furent toujours confiés. Cette politique bien arrêtée conduit l'administration dans l'empire tout le temps où nos trois Vénitiens y résident et servent; ceci malgré quelques aménagements, le rétablissement de certains examens; malgré quelques gestes pour amorcer un rapprochement entre les deux cultures et comme une insertion de la nouvelle famille des vainqueurs dans la tradition chinoise : ainsi la fondation, en 1263, d'un temple dynastique, selon les rites du pays, à Pékin.

Ce n'est que plus tard, après Kubilaï († 1294) et son successeur Temur (1295-1307), donc après le retour des Polo, que des règlements administratifs différents furent édictés pour les Chinois, pour les Mongols, et pour les étrangers non Mongols. Pendant tout le séjour de Marco Polo, l'empire fut régi d'une seule loi, sans distinction, sans respect des usages, par des conquérants, et Marco se présente bien à nous comme l'un des agents très actifs d'une telle mainmise.

L'HOMMAGE ET L'ENGAGEMENT

Le *Devisement* dit très joliment que l'empereur engagea le jeune homme, quelque temps sans doute après son arrivée, parce qu'il « vit que il estoit sages, et de si bon portement », et lui confia une première mission. C'est que, à de si belles qualités, à sa grande prudence et non moins grande curiosité, à l'expérience déjà acquise lors d'un voyage de trois années à travers tout le continent, Marco joignait alors certainement une bonne connaissance des usages des Tartares que son père et son oncle avaient pu attentivement observer lors de leur première expédition. Il savait, nous dit le livre, parfaitement leur langue et leur façon d'écrire : « Or il advint que Marc, le filz de Messire Nicolas, aprit si bien la coustume des Tartares et leur languaige et leurs lettres, et leur archerie [= leur façon de tirer à l'arc] que ce fu merveilles. » De fait, il affirme aussi avoir, en peu de temps, appris quatre langues et quatre « écritures » (« et il sut de quatre

lettres de leurs écritures »). Toutes connaissances qui
répondent bien à ce que nous appellerions maintenant
le profil du parfait fonctionnaire, administrateur; ces
langues étant, très vraisemblablement, celles couramment usitées à la cour et à travers l'empire : le tartare,
la langue oïgour – ce peuple d'Asie centrale établi
dans la région des grandes oasis en particulier autour
de Turfan –, le persan et l'arabe. Quant aux façons
d'écrire, on sait aussi que cette administration
employait plusieurs types d'écritures et d'alphabets
qui ne correspondaient pas forcément à la langue
elle-même, et qui pouvaient être, outre l'arabo-persan
et le chinois, un alphabet dit oïgour de type syriaque
introduit dans les pays tartares puis en Chine par les
Nestoriens et, enfin, un autre alphabet inventé de
toutes pièces pour faciliter et simplifier les rédac-
tions : l'alphabet du lama Passepa, conseiller de
l'empereur.

La démarche de Passepa s'inscrit dans tout un
contexte de tentatives pour « alphabétiser » l'écriture
chinoise et s'affranchir de l'écriture traditionnelle. Ce
Passepa (Pa'-sse-pa = le saint enfant), moine du Tibet,
d'une famille qui s'était déjà illustrée dans la propagation du Bouddhisme en Asie centrale, accueilli à la
cour mongole à l'âge de 15 ans et nommé par Kubilaï
« précepteur du royaume », présente, en 1260, un
ensemble de nouveaux caractères alphabétiques au
nombre de 41. Le décret impérial, analysé par M. G.
Pauthier, daté de 1269, enjoignait l'emploi de ses
signes pour tout texte officiel et rendait obligatoire
leur enseignement dans des écoles ouvertes à cet effet.
L'empereur souligne les problèmes que posaient la
diffusion de la langue mongole et la rencontre des

deux cultures : « Nous avons pensé qu'il n'y avait que les caractères de l'écriture qui servent à peindre la parole, qui, elle-même, sert à enregistrer les actions mémorables des hommes, ainsi que cela a été compris par l'Antiquité... Notre état ne faisait d'abord usage que de simples planchettes de bois. Anciennement, on n'avait pas senti la nécessité de former des caractères propres à notre langue. Tous ceux dont on s'est servi n'étaient que des caractères chinois ou encore l'écriture des Oïgours, et c'est par leur usage que l'on a propagé la langue de notre dynastie, et ces caractères qui n'étaient pas assortis aux lois constitutives du génie de la nation ne peuvent réellement lui suffire. C'est pour ce seul motif qu'il a été ordonné au précepteur du royaume, Passepa, de former de nouveaux caractères mongols avec lesquels on pourra transcrire d'autres langues et reproduire toutes les compositions littéraires. »

Très certainement Marco Polo domine ces nouvelles techniques et, agent de la cour, participe à cette vaste entreprise de propagation de la culture et des lettres tartares.

Ainsi, outre le bagage habituel à tout fils de marchand, outre le savoir acquis grâce à des années d'observations des mœurs et des rites chez tant de peuples, la maîtrise des outils de gouvernement et, surtout, cette qualité de protégé de l'empereur, de fidèle, d'étranger à tous les clans, partis ou sectes, ont été autant d'atouts décisifs pour engager et conduire une belle et fructueuse carrière dans cet empire de conquérants, soucieux de renouveler les cadres de l'administration.

Et pourtant, considérée par un observateur non

prévenu, cette culture semble souffrir d'une grave
lacune : Marco ignorait sans doute le chinois ou, du
moins, était incapable de le bien comprendre; il n'a
pas vraiment vu la Chine ou seulement, pour reprendre l'expression de P. Demiéville, « à travers l'écran
mongol ». Ni Kubilaï ni ses conseillers et officiers ne
savaient parler la langue de leur nouvel empire; toute
la correspondance administrative se faisait en mongol;
dans la province maritime du Fou-kien, par exemple,
par un seul des fonctionnaires en place, à tous les
niveaux de la hiérarchie locale même, ne connaissait
la langue indigène; tous les ordres et les édits
impériaux étaient publiés dans la langue de cour,
flanqués d'une traduction, et ce n'est qu'en 1293, donc
après le départ des Vénitiens, que furent autorisées les
publications en chinois seul. Cette méconnaissance se
perçoit très bien dans le *Devisement :* Marco Polo, au
moment où il dicte son conte, n'a que des souvenirs
« mongols » de la Chine. Tous les toponymes dont il
émaille, d'une façon très inégale, son discours, pour
les villes et les provinces, pour les fleuves, sont
transcrits en vénitien, sa langue à lui, ou en français,
celle de son écrivain, mais à partir du toponyme
mongol; ceci, on le comprend aisément, d'une façon
souvent des plus approximatives allant parfois jusqu'à
des déformations aberrantes, incompréhensibles. De
ce point de vue, chacun le voit aussitôt, le livre pose
bien des problèmes qui ne sont pas tous résolus, loin de
là.

Pour désigner Pékin la ville de cour des conquérants, Marco écrit *Kambaluc :* c'est le nom mongol de
Khân-balig, c'est-à-dire « la ville du Khan » qui
s'appliquait à la nouvelle capitale construite par

Kubilaï, tout près de l'ancienne capitale de la précédente dynastie, détruite par les armées de Gengis Khan. Il ne retient donc que le dernier nom mongol de cette grande cité qui s'était d'abord appelée Tai-tou (= la résidence impériale supérieure) puis, à partir de 1272, Tchoung-tou (= la résidence impériale secondaire). La référence à l'empereur lui-même, dans le nom de Khân-balig, souligne bien, dans son esprit, révérence et fidélité.

Autre indication d'une même attitude : pour lui, la Chine du Nord n'est que le Cathay, ou Cataï, c'est-à-dire le pays des Kitaï, nom de la première dynastie des Mongols qui, dès le X° siècle, avaient ouvert la voie aux invasions dans le Nord; tandis que pour la Chine du Sud, au-delà du Fleuve Jaune, nous le voyons hésiter et écrire, indifféremment, Manzi ou Magi ou encore Magy, reprenant en fait deux traditions différentes : Magi étant sans doute la déformation populaire d'un mot *(Matchui)* qui, pour les historiens persans, désignait la « Grande Chine », l'empire des Song tout entier y compris les provinces méridionales; tandis que Manzi, que Marco emploie d'ailleurs plus souvent, est un mot chinois, *Man-tse* qui devient effectivement Manzi dans la transcription en persan, mot à teinte nettement péjorative qui veut dire « fils de barbares »; mot employé couramment, bien avant l'invasion mongole, par les Chinois du Nord pour parler de ceux du Sud où leur administration et leur civilisation avaient pénétré bien plus tard. Le *Devisement* reprend donc délibérément cette attitude, au profit cette fois de conquérants venus des steppes et il est vraisemblable que Marco n'a pas pris conscience d'une quelconque unité du monde chinois :

il assimilait les pays du Manzi à des royaumes étrangers, lointains, aux mœurs bizarres. De nombreuses indications du récit vont dans ce sens.

ENQUÊTES ET MISSIONS

Quant aux services rendus, à l'empereur et à son administration, nous n'y voyons rien qui découle d'une quelconque expérience professionnelle de marchand, d'homme d'affaires, de financier, ni même d'homme de la mer. Kubilaï n'emploie pas ces Vénitiens pour assurer, près de lui, la gestion des comptes, ni pour veiller à la trésorerie ou à l'émission des papiers-monnaies, ni même pour lancer ou garantir de grands emprunts... ou sortir de l'argent de leurs propres coffres. Leurs compétences financières, leur habileté dans le maniement des grands ou médiocres trafics des monnaies et des métaux nobles ne leur servent de rien. Nous ne les voyons pas davantage intermédiaires ou fournisseurs attitrés de la cour pour les objets de luxe, les draps ou toiles, les belles pièces d'orfèvrerie, les cristaux même dont les marchands avant de partir pour la Chine s'inquiètent si souvent à Venise.

De même, Génois et Vénitiens installés à la cour mongole – et les Polo pas davantage que d'autres – n'ont joué aucun rôle dans le développement et la mise sur pied d'une puissante flotte de navires marchands pour le commerce avec l'Inde et de navires de guerre au service des grandes expéditions armées. Quel étonnant essor pourtant, et quelle adaptation, si rapide et parfaite, de ces nomades des steppes aux choses de la mer! Dès l'effondrement des Song, la cour des Yuan mettait en route un gigantesque programme de constructions, à plusieurs reprises confirmé et amplifié – 1 500 bâtiments en 1279, 3 000 deux ans plus tard, et 4 000 en 1283 – qui aurait mobilisé une armée que les chroniqueurs enthousiastes chiffrent à 17 000 hommes pour seulement transporter les fûts d'arbres abattus dans les montagnes de la province de Jehol (Tchengteh), au nord de Pékin. Les chantiers navals, de plus en plus nombreux, s'alignaient sur le littoral jusqu'à Canton au sud; on en trouvait aussi en Corée et loin en amont sur les grands fleuves. Pour l'invasion du Japon, en 1281, la flotte mongole aligna, dit-on, plus de 400 navires de bonne taille; et 800 encore pour le Tonkin, en 1283, et 1 000 encore lors de l'expédition infructueuse contre Java, en 1293. Et tout ceci se réalise sans étrangers : simplement grâce à l'héritage des Song, dont les techniciens, les maîtres charpentiers et les capitaines se remettent à l'œuvre. D'autre part, les Mongols ont volontiers confisqué, pour leurs lointaines entreprises, des navires marchands et, par ailleurs, rassemblé sous leurs pavillons quantité de bâtiments pris à l'ennemi ou aux pirates. Les gens d'Occident ne participent pas et, de l'aveu même de Marco Polo, les Chinois, sous la domination mongole, restant fidèles aux anciennes traditions, construisent toujours leurs jonques de la même façon, très différente pour les matériaux, les formes et les techniques de celle d'Italie.

De telle sorte que, ni financiers, ni armateurs ou amiraux, nos trois Vénitiens représentent ici un type d'insertion dans la cour et dans la société très éloignée de celle qui, pour les royaumes d'Occident

en France ou en Angleterre et dans ces mêmes
années de la fin du siècle, nous paraît si ordinaire.
Alors que les rois de France confiaient la gestion de
leurs finances et la garde du trésor à des financiers
italiens, alors qu'en Espagne et au Portugal des
« amiraux » venus de Gênes faisaient construire des
flottes et en prenaient le commandement, ici, les
hommes du pays, Chinois ou conquérants, tiennent
bien en main les rouages de la vie économique. Les
services des Italiens ressortent strictement de la
politique et du gouvernement.

Ce que l'empereur attend d'abord de ses familiers,
conseillers, ambassadeurs, chargés de mission, et donc
du jeune Marco, apparaît clairement à la lecture du
Prologue même du *Devisement* : « Comment le Seigneur envoia Marc pour son message » et « Comment
Marc retourna de son message » : deux titres de
chapitres qui disent déjà tout l'intérêt que l'empereur
portait aux grandes missions d'information et de
gouvernement. Il s'agissait de voir, prendre note et
rendre compte ; surtout de satisfaire les curiosités du
maître et, au-delà de l'action politique proprement
dite, de lui décrire l'état des pays, leurs ressources, les
mœurs des habitants, leurs cultes et leurs rites, et
aussi les étrangetés, les *histoires*. Ce que Marco
prétend avoir très bien compris : « Et pour ce que il
avoit veu et seu plusieurs fois que le Seigneur envoioit
ses messagers par diverses parties du monde, et quant
il retournoient, il ne lui savoient autre chose dire
que ce pourquoy ils estoient alé ; si les tenoit touz à
folz et incapables. Et leur disoit « je aimeroie mieux
ouïr sur les nouvelles choses et les manières de
diverses contrées que ce pourquoy tu es alez.

Car mult se delectoit à entendre estranges choses. »

Exigences auxquelles pouvait seulement répondre un homme curieux de son temps, habité d'une sorte d'humanisme, de souci encyclopédique et, en ce sens, le *Devisement* s'offre à nous, tout au long du discours, comme un simple prolongement ou un recueil des meilleurs morceaux de ces comptes rendus que notre Vénitien, à son retour à la cour, devait soumettre à l'empereur : « Quant Marc fut retourné de sa messagerie, si s'en ala devant le Seigneur et li denonça tout le fait pourquoy il estoit alez, et comment il avoit bien achevé toute sa besoigne. Puis il lui conta toutes les novissetés [= nouveautés] et toutes les estranges choses que il avoit veu et seu et bien sagement. »

Mais prétendre que lui seul se montrait capable de contenter l'empereur par des récits plus circonstanciés, plus pittoresques, c'est là beaucoup exagérer. C'était, au contraire, une habitude des souverains mongols que de se tenir bien informés, sur toutes sortes de problèmes, sur les peuples et sociétés de leurs terres et conquêtes, par des enquêtes de leurs fidèles. Les chroniqueurs mêmes, historiens des hauts faits d'armes, émaillaient leurs récits de guerres et d'intrigues diplomatiques d'observations sur les mœurs et les rites.

Ainsi, par exemple, pour la relation de la conquête de la Perse par l'armée mongole de Houlagou (en 1252), relation rédigée par le Chinois Liu Yu et offerte en 1263 à Kubilaï. Si le livre s'ouvre par l'exposé des campagnes et des batailles, il s'enrichit très vite d'observations qui s'apparentent exactement à celles que nous trouvons dans le discours du Vénitien. Observations sur les animaux : « il y a, dans ce pays, un animal sauvage qui ressemble au tigre dont le poil est très épais et de couleur d'or, mais sans raies... », « il y a un grand oiseau qui a des pieds comme les sabots du chameau, et de couleur bleuâtre; il bat des ailes pour marcher ». Sur les richesses des pays : « le corail provient de la mer méridionale. On le pêche avec des filets de fer; il y a des pousses qui ont jusqu'à trois pieds de hauteur... », « le territoire produit de l'or; on voit, la nuit, des endroits qui sont brillants; on en prend note en les signalant avec de la cendre ou un autre résidu ». Sur les mœurs et les croyances : « il y a encore des femmes barbares qui expliquent le langage des chevaux; elle connaissent ainsi les félicités et les calamités qui doivent arriver », « dans l'intérieur de ces royaumes, il y a de grosses cloches suspendues sur lesquelles frappent ceux qui ont des accusations à porter contre quelqu'un », « les habitations du peuple sont construites avec des roseaux; l'été, il fait de très grandes chaleurs et ils passent leurs journées au milieu de l'eau ». Voici, agrémentant le récit historique d'une entreprise de conquête, tout un ensemble de notations pittoresques, parfois même divertissantes, sur les mœurs, sur tout ce qui pouvait, à cette époque, charmer les hommes curieux de ces étrangetés, ces digressions que l'empereur mongol attend d'un bon envoyé en mission.

L'évocation d'un de ces comptes rendus, en forme de récit, nous aide à comprendre le succès, à la cour et près du souverain, du jeune Marco, riche sur ce point d'excellentes dispositions. Mais alors se pose, tout naturellement le problème de savoir dans quelle mesure notre auteur du *Devisement* a utilisé, démarqué, certains de ces procès-verbaux de campagnes ou de missions, rédigés par des chroniqueurs ou autres officiers de l'empereur.

Si nous voyons la nature de ces missions, leur insertion dans la politique des Mongols, leur intérêt pour un empereur soucieux de s'informer et curieux des étrangetés ou merveilles de ses États, nous nous trouvons, une fois de plus, complètement démunis pour suivre Marco Polo et ses parents tout au long de leur séjour. Le livre ne jette que quelques rares lueurs sur leurs activités et nous laisse, en tout et pour tout, avec cinq seules indications indiscutables, pour une vingtaine d'années! Ce sont donc :

— une première mission « en une terre ou bien avoit six mois de chemin »;

— une « légation » d'un an en compagnie de son oncle Matteo à *Campicion* (Kan-tchéou), ville frontière à un important carrefour de routes, à l'extrémité ouest de la grande muraille;

— plusieurs missions pour contrôler le receveur des taxes de la province de *Quinsay* (Hang-tchéou), la neuvième province de Manzi : « et sachiez, en vérité, que ledit Messire Marc Pol, qui tout ce raconte, fu pluseurs fois envoiés par le grant Khan pour voir le compte de ce que montent les droits et les rentes du Seigneur de ceste IXe partie »;

— un gouvernement de trois ans à *Janguy* (Yang-tchéou) sur le Fleuve Bleu, près du delta : « Et eut ceste seigneurie Marc Pol en ceste cité trois ans accompliz par le commandement du grand Khan »;

— une ambassade en Inde, dont Marco revient tout juste lorsque se présentent à la cour les ambassadeurs du khan de Perse.

Mais il n'en dit jamais plus, ne précise jamais les dates. Si bien que tout reste du domaine des suppositions fragiles ou inventions gratuites. On pourrait bâtir des romans...

Certains auteurs, sinologues, ont patiemment recherché dans les textes mongols ou chinois, dans les *Annales* ou les listes des hauts officiers, des gouverneurs, le nom de Marco Polo ou de l'un de ses parents... mais, par malchance on trouve plusieurs Po-lo différents et le nom semble alors très commun, porté par des hommes d'origines diverses; de plus, aucune date ne correspond.

Marco, au retour de sa première enquête, si bien accueilli, dit-il, par l'empereur qui lui confère sans doute quelque titre de noblesse (« il fut appelez Messire Marc Pol »), ne reste pas inactif. Nous le voyons pendant tout le temps de son séjour en Chine « toute foiz allant et venant de çà et de là en messagerie par diverses contrées où le Seigneur l'envoioit », ou encore : « par ceste cause le Seigneur l'envoioit-il plus souvent en toutes ses grandes messageries et bonnes et plus lointaines ». Visiblement notre conteur veut donner de lui-même, avant toute chose, l'image d'un grand voyageur, constamment par monts et par vaux, parcourant un vaste monde encore inconnu de bien des hommes, découvrant nouveautés, étrangetés et merveilles : « Et ce fut la raison pourquoi ledit Messire Marc Pol en seut plus, et en vit, des diverses contrées du monde, que nul autre homme. »

Mais d'insurmontables difficultés nous attendent, dès que nous cherchons à définir ses itinéraires à la lumière de ces récits et contes qui forment le principal du *Devisement*. Le suivre dans l'ordre des descriptions des provinces ne mène qu'à un tissu d'incertitudes. Comme pour le *Prologue* de son livre, Marco Polo, ici, pose quantité de problèmes insolubles; il ne songe pas vraiment à dire ce qu'il a fait ou vu, mais plutôt à présenter une suite de dissertations très complètes sur les régions du lointain Orient y compris, bien entendu, celles qu'il n'a pas visitées. Il ne néglige rien, passe tout en revue, autant que possible dans un ordre géographique à peu près cohérent; ce qui le conduit à décrire une sorte de circuit idéal et non à s'en tenir à son propre cheminement. Et donc à y inclure, comme pour ses grands voyages aller et retour, sans aucune hésitation ni vergogne, des villes et royaumes qu'il n'a connus que par ses lectures ou par ouï-dire.

L'aventure reste étonnante, unique très certainement (« ... plus que nul autre homme »), mais certains auteurs lui accordent tout de même trop de crédit, confondant la réalité et le simple récit. L'argument qui consiste à dire, à propos de tel ou tel passage mieux documenté que d'autres, que seul un témoin oculaire a pu écrire de tels développements, rassembler autant de renseignements, parfois chiffrés, paraît bien léger et, en définitive, sans valeur : les sources écrites ne manquaient pas pour s'informer et Marco s'en sert admirablement.

Certes, au départ et pour quelques étapes, la route idéale choisie pour ce vaste tableau encyclopédique des richesses et curiosités du monde chinois et des pays voisins coïncide bien, de propos délibéré sans aucun doute, avec celle de la première mission : « Et sachiez que le Seigneur manda ledit messire Marc Pol, qui tout ce raconte, en la

partie vers Ponent. Et ce parti de Cambaluc et alla
bien quatre mois de journées vers Ponent. Et pour
ce vous conterai tout ce que il vit en celle voie
allant et tournoiant. » Mais comment estimer la
limite d'un tel voyage « de quatre mois », pour un
homme qui ne court pas la poste, qui s'informe,
observe, recueille des renseignements, rencontre
même des personnages responsables?

Les premières semaines, la vie semble tracée,
précise, ville après ville, d'une façon logique sinon
parfaitement claire; le *Devisement* indiquant même
tel carrefour de routes ou tel passage sur le fleuve.
De Kambaluc (Pékin), nous gagnons ainsi en compagnie du chargé de mission Tcho-chéou, à 80
kilomètres environ de Pékin, où, dit-il, bifurquent
les deux routes du Cathay (donc de la Chine intérieure) et du Manzi (des provinces méridionales);
puis c'est, plus à l'ouest, *Taiyunan* (Thai-yuan-fou)
et la traversée du Fleuve Jaune, puis au sud-ouest,
très loin, *Quenginfu* (King-tchao-fou ou depuis Si-
ngan-fou), puis les hautes montagnes de la province
de *Cuncun* (Se-Tchouan); *Sindafu* (Tching-tou-fou)
et, enfin, le Tibet abordé ainsi par ses marges
orientales et auquel notre auteur consacre deux
chapitres bien nourris.

Mais peut-on, comme on le fait communément,
affirmer que cette longue randonnée l'a vraiment
porté jusqu'au Tibet... qu'il décrit, bien sûr, mais sans
évoquer aucun souvenir personnel? Il semble permis
d'en douter...

Notons, en tout cas, que, sitôt après le Tibet, Marco
parle du pays de *Gaindu* où l'on trouve des mines de
turquoises dans les montagnes et un lac où l'on pêche

des perles; régions très difficiles à identifier mais que l'on peut, selon toute vraisemblance, situer entre Lhassa et le Yunnan; ce qui impliquerait si l'on veut croire qu'il a effectivement suivi cette route, une traversée complète du pays de Tibet et pas seulement une simple approche ou reconnaissance.

Par la suite, le *Devisement* cite et décrit, dans un ordre géographique toujours correct, en tournant maintenant vers le sud puis vers l'est, la province de *Caraiou* (le Yunnan), le pays de *Zardourdan,* celui des hommes aux dents d'or (Kiu-tchi), dans les montagnes au sud du Yunnan; puis, successivement, le royaume de *Mien* ou royaume d'*Ava* (la haute région birmane), le *Bangola* (peut-être le Bengale... mais cela nous entraîne tout de même assez loin de la route, même idéale). Revenant dans le pays de *Mien,* Marco Polo nous fait sans doute descendre la vallée de l'Irraouaddi pour connaître la capitale de ce royaume, qu'il appelle *Mien* ou *Amien,* ville difficile à situer mais qui pourrait être Pagan, sur le fleuve, non loin du tropique. Puis c'est, vers le Levant, le pays des *Lao,* l'Annam, la province dite de *Tholoman* située au nord de l'Annam, la province chinoise actuelle de Kiang-su, où habitent les peuples montagnards insoumis des Pho, des Lô et des Man chez lesquels l'empereur mongol avait fait installer des offices spéciaux « de pacification ».

Brusquement, le récit abandonne ce premier circuit et nous entraîne sur un chemin où nous ne pouvons le suivre qu'au prix de véritables courses effrénées et d'étonnants raccourcis; ceci pour reprendre une description des provinces du Cathay proprement dit, allant toujours, à partir de Pékin, vers le sud-est. Sont ainsi traversées, et vite, les provinces ou villes de *Cancafu* (Ho-kian-fou), de *Cianglu* (Tchang-fou dans la province de Tsien-Tsin), puis du Chan-toung, pour continuer toujours vers le sud et le plus souvent en suivant la côte, jusqu'aux grands ports de Nankin, de *Siguy* et surtout de *Quinsay* (Hang-tchéou), bien plus longuement décrit que tous les autres. Ce second parcours se poursuivant par la description, au demeurant assez rapide, de *Fuguy* (Fou-tchéou), par deux incursions vers l'intérieur (*Quelifu* = Kien-ning-fou et *Vuguem*) pour prendre fin à *Çayton* (Tshiouan-tchéou) d'où partent les grandes nefs pour les Indes merveilleuses.

Ainsi, cette fois encore, Marco organise-t-il sa description des pays de l'empire selon un schéma relativement simple et commode, mais un schéma qui, de toute évidence, ne correspond pas à ses véritables itinéraires. Il ne résiste pas au désir de parler de ce qui se trouve hors d'une route pourtant déjà idéale et celle-ci ne paraît bien tracée que pour les premières étapes. En fait, plutôt que de tout décrire au long d'un seul et long circuit, il prend le parti de deux itinéraires imaginaires, tous deux au départ de la capitale, de *Cambaluc :* l'un vers l'ouest dit-il mais qui finalement aboutit au midi, dans les provinces de l'Annam et de l'extrême Sud de la Chine : Yunnan et Kouang; l'autre qui s'attache surtout à parler des grands ports et villes marchandes de la côte et des estuaires. Mais, entre ces deux circuits, il ne marque aucun temps d'arrêt, aucun signe.

Ses missions, à n'en pas douter, l'ont mené sur toutes sortes de routes qu'il semble maintenant, en l'absence totale de renseignements, absolument impossible de suivre. Comment retracer les multiples cheminements d'un homme, grand amateur de curiosités et de découvertes, qui servit ainsi l'empereur davantage dans les provinces qu'à la cour, pendant une vingtaine d'années?

Retenons simplement, pour nous en tenir aux certitudes ou aux plus fortes vraisemblances que notre Vénitien a pénétré à plusieurs reprises au cœur même de l'empire vers l'ouest, jusqu'aux confins de la Chine; qu'il a parcouru quelques provinces de la Chine du Sud, peut-être jusqu'aux approches des pays birmans; qu'il a aussi exercé des offices divers à Yang-tchéou et, bien plus au sud, dans la grande métropole marchande de Hang-tchéou et même, très loin à l'intérieur des terres sur la route de Mongolie, à Kan-tchéou. Sans parler d'une mission en Inde, dont nous n'apprenons l'existence que par une simple allusion et qui lui a permis de visiter au passage les pays de *Cyamba* (la Cochinchine), dont il disserte avec une certaine autorité.

Marco Polo, certes, n'a pas vu tout ce dont il parle et surtout pas dans l'ordre qu'il retient pour dicter son *Devisement;* le suivre à la trace relève d'une sorte de jeu gratuit. Mais il fut certainement, comme il se plaît à le rappeler lui-même, l'homme de son temps qui a le plus parcouru les routes de Chine; ignorant ou parlant fort mal le chinois, il fut pourtant, très certainement, un des meilleurs connaisseurs des sociétés et des usages de l'empire : « Et sur touz mettoit-il moult s'entente [= attention] à savoir, espier et à enquerre pour raconter au grand Seigneur. »

Ces services et, à l'en croire, ces exceptionnelles qualités ont-elles valu au Vénitien de grandes libéralités et bénéfices, une situation enviable à la cour?

Parlant de son séjour de trois ans à *Janguy* (Yang-tchéou), Marco dit bien qu'il s'agit d'une très grande ville où résidait l'un des douze premiers barons du khan; c'était le chef-lieu de l'un des gouvernements provinciaux, les *Sing,* qui relevaient directement de la cour et de la capitale; ce qui placerait alors notre homme très haut, tout au sommet de la hiérarchie des titres et des honneurs. Mais rien n'est encore, ici, certain puisqu'il dit aussi que « la seigneurie de cette ville compte 27 cités », ce qui situerait son séjour après 1277, date à laquelle la capitale de cette grande province fut transférée ailleurs et où Yang-tchéou resta seulement à la tête d'un « circuit » plus réduit, effectivement de 27 villes. De telles analyses, toujours aléatoires il faut bien le reconnaître, montrent cependant le rôle important joué par Marco dans l'administration provinciale, placé à la tête d'un pays conquis depuis peu de temps (en 1276), à peine pacifié encore.

Autre signe de grande faveur : les fameuses « tables de commandement ». Le *Devisement* les décrit longuement et leur consacre tout un chapitre, marquant ainsi les hiérarchies : tables ou plaquettes d'argent pour ceux qui ont, dans l'armée ou le gouvernement, commandement (« seigneurie ») sur 100 hommes; tables d'argent doré ou d'or pour ceux qui commandent à 1 000 hommes; tables d'or à tête de lion pour ceux qui ont 10 000 hommes sous leurs ordres. Marco en donne le poids et retranscrit l'inscription gravée sur l'une des faces : « Par la force du grand Dieu et de la grant grace qu'il a donné à notre empire, le nom du khan soit benoist; et tout cil qui ne l'obeiroit soient mort et destruit »; ce qui correspond bien, à très peu près, aux inscriptions de plusieurs tables d'argent découvertes en 1846 dans la Russie méridionale. Or, dit encore notre conteur, en 1292, juste avant leur départ, Kubilaï gratifie les Vénitiens de deux tables d'or.

Toutes ces indications, évidemment trop fragmentaires et d'interprétation délicate, concourent pourtant à cerner d'un peu plus près l'image des trois Polo, administrateurs et vassaux de l'empereur de Chine, largement comblés d'honneurs, parfaitement intégrés dans le corps de ses officiers.

MARCO CONTEUR, HISTORIOGRAPHE, HOMME D'ÉTAT

De Marco lui-même, la lecture du livre suggère une image assez complexe. D'un côté, à tenter de suivre ses déplacements, à reconstituer ses itinéraires, ses gouvernements et missions dans les provinces souvent lointaines à peine conquises et pas encore vraiment administrées par les Mongols, à l'accompagner dans ses enquêtes aux marges de l'empire, dans ses ambassades au-dehors jusqu'en Inde, nous le voyons constamment sur la brèche, homme d'action plutôt que de conseils.

Mais, par ailleurs, la façon dont il parle de ses missions, ce qu'il retient surtout de ses découvertes et visites, ses curiosités et préoccupations traduisent un autre personnage, révèle un autre registre d'intérêts. C'est alors, si l'on examine de plus près la nature et le ton de l'œuvre, une autre figure qui, au fil des pages du *Devisement,* prend forme et finit par s'imposer à nos yeux. Marco apparaît ici homme de cour, passionné par cette civilisation de la cour mongole, par l'organisation de l'État; fidèle serviteur, il s'applique avant tout à plaire à son souverain, à lui rapporter les merveilles et étrangetés rencontrées sur son chemin; il s'y attarde, en donne de vivants tableaux, embellis d'anecdotes et de fables.

Ce talent de conteur, n'est-ce pas, déjà, une vertu de l'homme de cour, de l'officier? Dire des contes pour parler des provinces de Chine et des pays voisins, n'est-ce pas une façon de servir, de se faire remarquer et apprécier? « Et il, comme sages et cognoissans toute la manière du Seigneur, se prenoit moult de savoir et de contenter toutes choses que il cuidoit qui pleussent au grant Khan. Si que, à ses retournées, il contoit tout ordinairement ordenéement; si que, pour ce, le Seigneur, l'amoit moult et moult lui plaisoit. »

Écoutons-le au retour de sa mission en Inde.

Le roi de Ceylan possède le plus beau et le plus gros rubis du monde : « Et il est long bien une grande paume, et bien gros tout comme est le bras d'un homme. Il est la plus resplendissante chose du monde à voir; et n'a nulle tache. Il est vermeil comme feu. Il est de si grant value que à peine lui pourroit on paier de monnoie. » Le roi de Maabar, lui, porte un « fresiau » (un collier sans doute) avec toutes sortes de pierres précieuses, rubis, saphirs, émeraudes et perles; un collier qui, fait d'un léger fil de soie, lui descend jusqu'au nombril, et porte aussi 104 grosses perles, toutes très belles : « si est pour ce que il lui convient de dire chascun jour cent et quatre oraisons de ses ydoles »; c'est le collier bouddhique qui comportait quatre grandes divisions de chacune 26 ou 27 grains.

Plus extraordinaire encore, digne de grand émerveillement, la façon dont les hommes du pays de Mutfily recueillent les diamants qui gisent, dit-il, à foison dans ces terres infestées de serpents venimeux où ils n'osent pénétrer (« car sachiez que il y en a tant par ces valées profondes que c'est merveille »). Ils y lancent des morceaux de chairs fraîches dont les aigles blancs qui, là, surveillent la montagne, vont s'emparer. Les hommes qui les guettent les chassent et retrouvent les diamants accrochés aux viandes ou nichés dans les entrailles des rapaces : « Si que, en telle manière, ont il dyamans assez et moult gros. » Une légende déjà bien connue, rapportée par les voyageurs arabes et reprise par leurs conteurs pendant fort longtemps, jusqu'aux voyages de Sindbad le Marin...

Conteur pour la cour, Marco se fait aussi historien, historiographe plutôt de l'empereur et des siens. Une histoire qui se pare de merveilleux et de fabuleux, qui se corse de traits sensationnels et rejoint inévitablement la légende, en tout cas le panégyrique. C'est là, en réalité, une autre façon de servir : non en décrivant sur le fait une campagne, en tenant registre, sous forme d'annales, des événements et des règnes, mais par une suite de contes encore, assez joliment tournés qui, tous, chantent les vertus du maître, la force invincible de ses armées, l'excellence de leur tenue au combat, la faiblesse, la veulerie ou l'insouciance des autres peuples et de leurs tyrans. Visiblement la fortune est bien du côté des Tartares et récompense leurs chefs.

Trois longs chapitres disent les hauts faits des armées mongoles contre celles du « roy de Mien et de Bangala qui moult estoit puissant roys de terre et de trésor et de genz », pour la domination d'une province frontière, le pays de Vocian, dans le Yunnan. Les Tartares attaquent d'abord avec leurs javelots les éléphants de guerre des Birmans qui, blessés et effrayés, « s'en aloient fuiant, et si grant noise faisaint et si grant bruit, qu'il sembloit que tout le monde dut fondre...; et que plus ne retourneroient pour riens du monde à la bataille. » Et Marco Polo de rappeler que c'est de ce jour que Kubilaï commença à employer un grand nombre d'éléphants, non pas tellement sur les champs de bataille où l'emportaient toujours ses cavaliers, mais pour les travaux de ses chantiers, tout au nord, à Kambaluc et autres cités de sa cour, pour transporter les fûts d'arbres nécessaires aux charpentes immenses de ses palais (« ... et le portent ses olifants; et soit l'arbre tout grant comme il veut; et de ceste manière a les plus beaus arbres du monde »). En tout cas, de cette façon « fut desconfit ce roy par le sens et par la maistrise des Tartares, si comme vous povez avoir entendu ». Le sens et la maîtrise, vertus du souverain sage entre tous, vertus du grand homme d'État...

Mais quelle discrétion pour dire, en une seule phrase très courte, l'échec de l'entreprise des Mongols contre Java! : « Et si vous di que le grant Kaan ne put oncques [= jamais] avoir ceste isle pour la longue voie [= distance] qui y est et pour le coust. »

L'autre échec retentissant, contre le Japon, est naturellement le fait des grands vents du Nord, car « il venta si fort que la navie [= la flotte] du grant Kann ne put durer ». Mais, sitôt décrite l'effroyable tempête et la fuite des navires désemparés, tout un chapitre conte comment une partie de l'armée tartare trouva refuge dans une petite île (Firando, non loin de Nagasaki), s'y installa, puis s'empara d'une belle cité sur la grande île : « Et prirent les forteresses et chacièrent hors tous ceulx qu'ils trouvèrent, fors [= sauf] les belles femmes qu'ils retindrent pour eulx. » Épisode sans lendemain, que ne rapporte aucune source historique chinoise ou japonaise et qui est sans doute de pure invention; mais le conte permet, en guise de conclusion une fois encore moralisatrice, d'exalter la sagesse et la noblesse du souverain, qui fit trancher la tête aux deux principaux barons de l'expédition : l'un pour avoir fui « mauvaisement » au moment de la tempête, abandonnant vilainement les siens; l'autre, pour s'être bien mal conduit, « non comme preudoms [= homme sage] dût faire », lors de l'assaut de cette ville. Les barons du maître des Tartares doivent mériter l'estime de ceux qui écrivent pour la postérité!

Marco consacre de nombreux développements à rappeler les exploits des Mongols, leurs conquêtes, leurs grandes victoires sur les peuples voisins, leurs ruses et intrigues aussi et même les querelles sanglantes qui, parfois, les opposaient les uns aux autres. Ceci sous une forme épico-héroïque, parfois fabuleuse, toujours à la plus grande gloire du khan, son maître. Ce qu'écrit le Vénitien n'est pas l'histoire du peuple

mongol, en remontant à ses origines, mais celle,
immédiate, au service du souverain régnant. Il se
désintéresse du passé un peu lointain, des combats
entre tribus, des premiers conflits de clans et de
dynasties; il ne parle pas, ou presque, de la grande
aventure en Asie centrale, des combats vers l'Occident contre les Chrétiens, ni des grands succès contre
les Musulmans.

Ainsi ramenée aux faits des princes et de leurs
armées, cette histoire se limite, en réalité, à deux
grandes fresques évoquées en deux livres qui, sur le
corps du récit, tranchent nettement par leur propos.
D'une part, c'est l'histoire du Kubilaï lui-même : « Ci
devise des granz faiz du grant Kaan... qui Cublay est
appelez; et deviserai de touz les granz faiz de sa court
et comment il maintient ses terres et ses genz en
justice », et encore : « Ci devise de la grant bataille
que fist le grant Kaan contre Nayan son oncle, pour
entrer en Seigneurie si comme il devoit. » Ce « si
comme il devoit » est tout un programme! bonheur et
gloire au vainqueur! d'ailleurs ce Nayan n'était qu'un
traître... mais un traître dangereux et récalcitrant que
Kubilaï ne peut faire occire qu'au terme du cinquième
des chapitres.

Le second livre historique, tout à la fin du *Devisement,* conte les entreprises de Kaïdu, neveu de
Kubilaï, dans le Turkestan, puis d'Argoum en Perse,
puis enfin de ses successeurs; les derniers chapitres,
surajoutés semble-t-il après coup, viennent se placer
comme un appendice et ne figurent pas dans tous les
manuscrits, absents en particulier de celui publié par
G. M. Pauthier.

Voyons enfin, dans le corps de l'ouvrage, Marco Polo, homme d'État, parler en administrateur et, bien souvent, n'évoquer telle ou telle activité des peuples que pour souligner l'emprise de leurs souverains, leurs droits et leurs richesses.

Les mines et les pêcheries de perles sont dans la main de l'empereur de Chine, ou du roi en Inde. Ils en contrôlent étroitement la production pour surveiller la qualité et, surtout, pour ne pas laisser les cours s'effondrer. Souci plusieurs fois rappelé que de maintenir une offre plutôt rare et des prix élevés et qui, naturellement, peut inspirer au souverain des mesures draconiennes ou, pour le moins, justifier l'établissement d'un strict monopole. Pour les perles du lac de *Gaindu,* « le grant Khan ne veult que l'en les en trouve, pour ce que s'il en faisait tant traire, car moult y en a, on en trairoit tant qu'elles seroient tenues pour trop viles ». Toutes celles pêchées sans son consentement sont détruites aussitôt. De même pour les turquoises : « Le grand sir ne les en laisse traire, fors par son commandement. » Quant aux rubis du Balacian, le roi se les réserve pour en faire seulement cadeau aux autres rois, par amitié; il interdit d'en faire commerce et c'est bien pour cela que ces pierres sont de si haut prix; « car se il en laissoit caver [= creuser] à chascun, il en trairoient tant que tout le monde en seroit plain et seroient vil tenues », de sorte que « nul autre homme n'oseroit aller caver en celle montaigne que le roy ». Du royaume de Maabar, on ne peut sortir aucune perle qui pèse plus d'un demi « poids » (ou *saie,* ou *saggio*), car le roi les veut toutes garder pour lui : « et encore que chascun an, plusieurs fois, il fait crier son ban partout son royaume, que qui aura aucune perle ou pierre qui soit de grande value, qu'il l'apporte... » De l'Inde même, « la flor des dyamans et des grosses pierres et des grosses perles » sont toutes portées au « gran Khan, et aux autres roys et princes » de ces diverses parties, lesquels « ont tout le grant trésor du monde ».

En fait, ce profil de l'homme d'État, à la lecture du *Devisement,* s'impose à chaque instant. Le Vénitien, jeune homme instruit par des parents marchands certes mais déjà chargés d'ambassades, déjà familiers des cours d'Orient et habitués à fréquenter les grands du monde ou leurs officiers, porte ses regards sur cet immense empire, tout neuf, vaste champ d'expériences politiques et administratives. Ses préoccupations d'alors percent encore, bien des années plus tard, dans son récit sans cesse truffé de réflexions sur les pouvoirs, sur les façons de gouverner, sur les mœurs publiques.

La description ou plutôt, le plus souvent, la simple énumération des richesses des provinces ou des villes, ne cherche pas, avant tout, à informer des marchands compatriotes sur les ressources d'un marché, ou les qualités d'une industrie, mais sur les profits que les officiers des taxes et douanes peuvent en tirer. Les curiosités de l'auteur ne sont pas celles d'un négociant, mais d'un agent du fisc... ce qu'il fut d'ailleurs comme il le dit volontiers.

C'est, on le sait déjà, d'un officier chargé de percevoir les « droitures » de l'empereur qu'il tient des renseignements chiffrés sur le mouvement des navires qui remontent le Fleuve Bleu. Quant à lui, c'est pour évaluer les ressources des douanes du maître qu'il se montre le plus précis, dans tous les cas. Ainsi à *Sindafu* (Tching-tou-fou), capitale du Se-tchouan dans le Bassin Rouge, un grand pont traverse le fleuve immense; Marco lui consacre une longue description d'une bonne dizaine de lignes : pont de pierre, large de huit pieds et long d'un demi-millier, couvert d'une toiture de bois portée par d'innombrables colonnes de marbre; un pont marchand aussi dont la chaussée est, tout au long, bordée de maisons et d'échoppes de bois mises en place le matin et enlevées le soir. Mais surtout : « encore a sus ce pont le couvert [= bâtisse] du grant khan ouquel le droit et la rente du seigneur est reçue. Et vous dit que le droit de ce pont vaut au seigneur mil poids de fin or chascun jour et plus. »

A *Çayton* (Tshiouan-tchéou), l'empereur perçoit la dîme sur toutes les marchandises qui arrivent dans le port, comme, par exemple, les pierres précieuses et les perles; mais ces droits du souverain se montent à 44 % sur le poivre et 50 % sur le bois d'aloès et sur le santal. Au nord de cette ville, se trouve *Tiunguy* (Tek-kouâ), dans le Fou-kien où, nous dit le *Devisement,* « l'on fait moult d'escuelles et de pourcelaines qui sont moult belles. Et en nul autre part on n'en fait, fors que en cestuy »; ceci étant dit surtout pour rappeler que de ce pays du Fou-kien, le Grand Khan « a bien aussi grans drois, et aussi grans rentes... et plus encore qu'il n'a du royaume de Quinsay ». La mention des porcelaines et de leur étonnante qualité, produites dans cette ville, n'est amenée que pour donner nouveau prétexte à parler des revenus et des taxes perçues au profit de l'État.

A ces taxes, Marco consacre, pour *Quinsay,* un chapitre entier de son livre : « Ci devise de la grant rente que le grant khan a, chascun an, de ladite noble cité de Quinsay et de ses appartenances. » Suit alors un véritable tarif fiscal et un bilan des revenus. Pour chaque produit, il donne une estimation de la production annuelle ou du volume des transactions, puis le pourcentage et le montant de la rente perçue, enfin l'équivalent en poids d'or. Ainsi, par exemple, pour le sel, puis pour le sucre (« car sachiez que on fait moult grant planté de sucre en ceste cité »), pour le charbon et pour la soie. Sur tout ceci Marco se sait très bien informé. C'est, insiste-t-il lourdement, une rente considérable : « une des plus desmesurez nombre de moinnoie de rente qui oncques fut oïs [= entendu]. » Et l'on comprend bien que, « pour le grant prouffit que le grans Sire a de ceste contrée, l'aime-t-il moult; et moult la fait soigneusement garder et tenir ceulx qui y habitent en grant pais ». Là encore, une leçon de morale politique, des affirmations tirées d'une expérience d'administrateur. Nulle part ailleurs, il ne donne d'informations aussi précises.

Autre et dernier sujet d'analyse et de réflexion qui nous éclaire sur la personnalité de Marco Polo, telle du moins qu'elle apparaît dans ce livre, sur les regards qu'il porte sur ce vaste empire : la façon dont il parle des villes, milieu où s'épanouit la civilisation « marchande » qui devait lui être si familière. Certes, le *Devisement* leur accorde une place privilégiée; il n'y est pratiquement jamais question des paysages ruraux et encore moins de la vie des champs, des travaux des paysans pour eux-mêmes. Ces communautés villageoises, les soins aux rizières, les labours et les récoltes, il les ignore et ne cite, d'une façon plus que rapide, totalement abstraite, que les productions. D'où, à la lecture, un contraste, un déséquilibre frappant et pourtant peu étonnant.

Mais la ville est-elle vraiment mieux partagée? Des mentions bien sûr et des noms, pour indiquer les chefs-lieux de provinces; quelques qualificatifs, souvent les mêmes, et des indications de pure forme qui n'engagent pas beaucoup et se répètent inlassablement d'un chapitre à l'autre : « ... en ceste cité fait l'en grans marchandise et grans mestiers... » ou encore : « la cité de... qui moult est grant et belle. » Rien de plus.

Deux seules cités méritent de sa part une plus grande digression : *Kambaluc* et *Quinsay*, chacune gratifiée d'un chapitre un peu plus long. Encore s'en tient-il, pour Kambaluc, à de vagues généralités, insipides, ou tout au plus à des remarques sur les dimensions de l'enceinte (forme carrée; 24 milles de long), sur les défenses, les palais, les châteaux ou les auberges. Et, pour Quinsay, ce qui le frappe surtout est ce lac de 30 milles de tour, les grands magasins de pierre pour y abriter les trésors et les grains de crainte du feu, les « trois mille bains qui sourdent de terre, de quoy les gens ont moult de délit et de netteté ». Ailleurs, dans les autres villes, par extraordinaire, il nous montrera les ponts; ainsi à *Quelifu* (Kien-ning-fou), dans le Fou-kien, qui a trois ponts de pierre « les plus beaux que l'on sache au monde... Et sont tous de marbre à coulombes belles et riches... ». Quelques traits de mœurs, des curiosités, les animaux domestiques étranges... Rien des préoccupations d'un négociant soucieux de voir agir les gens du pays dans leurs affaires; rien sur les marchés, sur la façon

d'exposer et de vendre; et, par ailleurs, rien, sur
l'aspect physique des hommes et des femmes, sur
leurs costumes et leurs ornements.

Lorsque, par exception, il nous conduit près des
marchands de *Quinsay,* c'est d'abord et surtout pour
parler de l'organisation des métiers et, une fois de
plus, des pouvoirs de l'empereur : douze métiers dans
la ville, chacun d'eux ayant douze mille maisons (...)
« où ceulx qui ouvroient demeuroient », avec, comme
compagnons ou ouvriers, soit deux, soit vingt, soit
quarante hommes. Une vision toute abstraite, administrative, d'un dirigisme poussé à l'extrême. Certes,
ces marchands et ces maîtres des métiers sont souvent
riches (« ... et comme se il feussent roys ») et ne
travaillent pas de leurs mains; mais c'est qu'il « estoit
establi et ordonné de par le seigneur que nul ne fist
autre mestier que celui de son père, eût-il tout l'avoir
du monde ». Encore le poids, la main du gouvernement, de l'État.

Décidément, le *Devisement* n'est pas le livre des
marchands, mais bien celui d'un officier attaché à la
fortune de l'État, apliqué à le servir. C'est, au
contraire de l'attente qui voudrait, par une de ces
simplifications abusives si fréquentes sous la plume de
ceux qui parlent des sociétés de notre passé, que tout
Vénitien ne songe qu'aux affaires, l'œuvre d'un
homme profondément marqué par un service de vingt
années, administrateur et agent du fisc; un homme qui
ramène de Chine les souvenirs de ses charges et
missions, qui garde les curiosités, les préoccupations,
les réflexes pourrait-on dire de cette longue expérience. Ce sont ces années-là qui l'ont formé.

Un bon gouvernement : la monnaie, la poste

Lors même que le discours se porte sur ce qui paraît être, et est effectivement, outil de la vie économique, des transactions et des échanges, l'optique, et, en tout cas, la façon de présenter les problèmes restent celles d'un agent de l'État, d'un officier chargé d'emploi et de responsabilité. Ainsi, exemples significatifs entre tous, pour la monnaie, pour les taxes, pour le réseau des voies et des postes.

Pour les pays qu'il traverse, comme pour ceux qu'il n'a pas visités, Marco parle volontiers de différentes sortes de monnaies et de leurs emplois. C'est, à ses yeux, la marque d'un État, d'un degré de civilisation. Il dit aussi parfois, on l'aura déjà noté, la façon de convertir certains prix en monnaies de Venise ou de Gênes, ou en marcs d'argent, en différents « poids » d'Occident. Mais, à l'opposé des manuels de marchands, ce n'est pas là son principal propos. Ce qu'il veut, avant tout, c'est marquer, face à l'excellence du système mongol, étendu sur d'immenses provinces, la persistance de pratiques toutes différentes, archaïques, primitives, celles des « idolâtres »; et aussi, préparer la façon de réduire ces pratiques marginales, de tout ramener, sous la férule des officiers mongols, à une seule façon de conduire les négoces, d'évaluer et de payer.

Certes, l'or exerce toujours sur l'homme de Venise sa fascination. Que l'on songe au chapitre bien connu où Marco décrit Cipangu, les îles du Japon, dans lequel « leur habonde l'or oultre mesure », car ils font peu de commerce « pour ce que c'est si loin de la terre

ferme »; là où les grands palais sont tous couverts d'or
« en la manière comme sont couvertes nos églises de
plomb ». En Chine même, tout au Sud, à la frontière
ouest du Yunnan, lors d'un grand marché qui se tient
trois jours par semaine, les gens des montagnes
échangent l'or contre l'argent, donnant un poids d'or
contre cinq poids d'argent seulement; grand profit
bien sûr pour les étrangers et sujet d'émerveillement
pour notre Vénitien qui pense aux cours de l'Occident
où il faut dix à douze poids d'argent, pour le moins.
Mais ces gens qui ont tant d'or, personne ne les
connaît vraiment, ne sait d'où ils viennent et ne peut
les approcher « parce que ils demeurent en lieux
desvoiables [= loin des routes] pour peur de masles
gens; si que nul ne leur peut mal faire, tant ont leur
habitation en lieux fors et sauvages ». Légende de l'or
mystérieux, inaccessible, qui répond à plusieurs
autres, celles qui déjà courent les ports de la Méditerranée en Occident, sur les terres ou les îles de
l'Afrique inconnue, sur le commerce de ces pays si
lointains.

D'autres peuples primitifs, idolâtres, dans le pays
de *Ghendou* « ont monnoie de telle manière » qu'ils se
contentent de peser des lingots ou des monnaies
« conguiées » c'est-à-dire frappées. Pour les petits
échanges, ils se servent de pains de sel qui pèsent
chacun environ une demi-livre; et 80 pains de sel
valent l'équivalent d'un *saggio* d'or fin, soit un sixième
d'once, ou un soixante-douzième de livre; ce qui
établit un rapport de 1 à 2 880 entre le sel et l'or;
rapport que Marco, très certainement, s'est appliqué à
définir lui-même en pesant les verges d'or et les pains
de sel en poids de Venise.

Un peu plus loin, de l'autre côté du fleuve, à cinq journées de marche environ, on rencontre villes et châteaux, de bons élevages de chevaux, une grande cité, Li-kiang-fou, habitée par des marchands et des artisans. Sarrasins et Chrétiens nestoriens, qui emploient comme monnaie les « pourcelaines blanches que l'on treuve en la mer »; ce sont évidemment les petits coquillages amenés souvent des îles Moluques, les *couries,* les *kati* ou *kari,* utilisés alors au Bengale et même autrefois en Chine. Ici, 80 coquillages valent un poids d'argent fin, soit deux gros d'argent de Venise; et il faut sept poids d'or pour un seuls poids d'argent.

Mais toutes ces pratiques ne se rencontrent, le *Devisement* le marque bien, que dans les régions marginales, plus ou moins isolées, dans les pays de montagnes où les peuples vivent dans une économie particulière quasi fermée, nourrie de faibles échanges en tout cas; et ils ne reconnaissent pas l'autorité du Grand Khan. Tout au contraire, partout où ce pouvoir s'affirme, circule obligatoirement une monnaie faite de coupons ou de bons d'échanges de différentes valeurs dont Marco étudie la fabrication et les cours et aussi la façon dont ils sont reçus par les marchands : « Comment le grand Khan fait despendre pour monnoie escorce d'arbres qui semblent chartretes [= feuilles de papier] par tout son pays. » Ce chapitre, qu'il aurait aussi bien pu intituler « De l'art et de la manière de faire de l'argent avec rien et d'accumuler de grandes richesses », disserte des règlements monétaires appliqués à tout l'empire et de la façon dont le souverain réussit à faire rentrer d'énormes quantités de métaux précieux dans ses coffres : « et est estable

cette Seque [= *zeccha,* atelier monétaire] en telle
manière que l'on peut bien dire qu'elle ait l'arquenne
parfaitement et selon raison »; l'*arcanna* ou *arquenne*
étant l'art mystérieux des alchimistes. A l'atelier de
Kambaluc, on ne délivre que des coupons faits avec
une partie de l'écorce du mûrier, arbre si commun en
Chine « que toutes les contrées en sont chargiées et
pleines »; coupons tous marqués du sceau de l'empereur et que chacun, quel qu'il soit, étranger même
sitôt arrivé, doit accepter en paiement : « Et nulz, si
chier comme il s'aime, ne les ose refuser; car il seroit,
de maintenant, mis à mort. »

Les marchands qui viennent de l'Inde portant or et
argent, perles ou pierres précieuses, ne les vendent
qu'aux officiers de l'empereur, aux « douze barons
esleus sur ce, sages hommes et congnoissans de ce
faire »; ils reçoivent en paiement cette monnaie
d'écorce, qui leur permet de régler tous leurs achats
dans le pays. Lorsque l'une de ces « chartretes » est
trop usée, on la rapporte à la monnaie impériale qui en
redonne une neuve, retenant 3 % de profit.

Ces indications, ici très précises et que reprendront
tous les voyageurs et missionnaires en Chine puis les
manuels à l'usage des marchands, correspondent
exactement à ce que l'on peut savoir des émissions et
des pratiques monétaires de l'empire mongol, telles
que les décrivent les *Annales* de la dynastie, longuement analysées sur ce point et en partie transcrites par
M. G. Pauthier dans une note très documentée de son
édition du *Livre de Marc Pol, citoyen de Venise.*
C'était, à vrai dire, non une propre invention des
Mongols, mais, au contraire, une pratique très
ancienne et couramment admise pour pallier le

manque d'argent et de métaux précieux. En tout cas, dès 1260, première année du règne de Kubilaï, on mit en circulation des coupons d'échange, de soie sans doute; puis on multiplia ces émissions de coupons tissés ou d'écorce, pour des valeurs d'appoint de plus en plus faibles.

Ici les intentions et la démarche de Marco méritent bien attention car, une fois, de plus, dans ce domaine pourtant si particulier, si technique, elles ne répondent pas vraiment à ce que l'on attendrait d'un marchand, préoccupé des intérêts du négoce. C'est à l'État qu'il pense. Certes, il nous confie quelques précisions utiles pour conduire certaines transactions; il rappelle que le plus petit de ces coupons ne vaut qu'un demi-*tournesel* (un demi-sou tournois); un autre, un peu plus grand, seulement un *tournesel* (un sou tournois); puis l'on trouve toute une série de billets qui valent un gros d'argent d'Occident, de Venise plutôt, cinq gros, dix gros; d'autres vont d'un besant à dix besants, pièces d'or de Constantinople. Énumération fastidieuse, forcément rapide, qui rappelle ou annonce celle des manuels. Mais le principal n'est pas là, car il ne se place pas du point de vue de l'homme d'affaires, mais du côté de l'empereur, de ses officiers, de son trésor. Ce qui l'intéresse, ainsi que l'annonçait déjà le titre du chapitre (l'*arcanna* et l'alchimie...), est de montrer comment, par ce procédé, le souverain peut s'enrichir indéfiniment et tirer à lui toutes les valeurs du pays; et de conclure : « Or vous ai conté la manière et la raison pourquoy le grant Sire doit avoir et a plus de trésor que tous ceus du monde, dont vous avez bien ouy et entendu comment et la manière. » Leçon de finances publiques (... sinon d'économie politique), bien simpliste mais qui dit où se situent, chez l'auteur, les véritables préoccupations, même longtemps après avoir quitté ce pays et le service de son prince. Une étude attentive où perce aussi, on doit bien en convenir, l'orgueil de participer, officier et homme lige du maître, à une si belle machine, parfaitement huilée.

Marco Polo parle-t-il de cette fameuse organisation des postes à travers tout l'empire que, inévitablement, l'intention reste la même : non pas renseigner d'une façon précise des voyageurs, mais exalter les bons effets d'un gouvernement qu'il a longtemps fidèlement servi : « Comment de Cambaluc se portent les messagiers et coursiers et vont par maintes terres et provinces. » Ce qui nous vaut aussitôt un tableau très précis, documenté comme à la perfection. Sur les principales routes, tous les 25 ou 30 milles, on a construit un magnifique relais de poste, « un beau palais et grant et riche », avec des chambres « de riches lits moult beaux et bien fournis et tout ce qui leur besoigne avec riches draps de soie »; et, dans chacun de ces postes, on trouve au moins 200 chevaux, parfois 400. Soit 10 000 de ces palais « fournis de riches harnois » et plus de 300 000 chevaux; « et c'est chose si merveilleuse et de si grant vaillance que à peine se porroit compter ne escrire ».

Ces postes et relais, s'ils peuvent loger les voyageurs, servent avant tout pour les messages. L'empereur n'entretient-il pas aussi, par toutes les provinces, une foule de coureurs à pied, chacun portant « une çainture grant et large toute pleine de campanelles » pour se faire entendre sur le chemin lorsqu'il approche du relais? Ces postes-là, bien plus modestes que ceux pour les cavaliers, sont entourées de maisons où logent les coursiers : « Et y a un petit chastiau où il peut avoir entour XL maisons esquelles demeurent hommes à pié qui encore font messagerie du grant sire en ceste manière. » Les hommes vont de jour comme de nuit et, en une seule journée font un parcours de dix jours.

Mais, par contre, le *Devisement* ne dit pas un seul mot de la façon dont voyagent les marchands : rien sur les caravansérails, ni sur l'organisation des caravanes, sur les bêtes et les muletiers ou chameliers, sur les prix. Notre conteur choisit délibérément de s'attarder sur une institution d'État pour en chanter louange.

Tout aussi admiratif, le voici, enfin, montrant, en deux longs chapitres aussi précis que les précédents, la façon dont le souverain et ses officiers interviennent pour peser sur les prix des grains, réfréner les spéculations abusives, prévenir les grandes famines : « Comment le grant Khan fait répendre ses blez pour secourir ses genz en temps de chierté (et entendiez que c'est de touz blez, forment, orge, mil, riz, panise et aultres blez...) » puis : « Comment le grant Sire fait charité aus povres. » Un manuel de marchand, celui de Pegolotti et plusieurs autres, aurait traité des récoltes et des variations saisonnières des prix, pour le meilleur profit des négociants; il aurait donné toutes sortes d'indications pour favoriser des spéculations et montrer comment placer son argent à moindres risques. Marco, au contraire, comme toujours, se place d'un autre point de vue, celui de l'intérêt public et donc du gouvernement; il envisage la disette non comme une occasion de gros bénéfices mais comme une grave calamité, dangereuse pour la paix des peuples sujets et qu'il faut combattre. D'où l'excellence des dispositions de l'administration impériale qui achète et fait stocker de grandes réserves pour son compte.

LES FASTES DE LA COUR : LA CHASSE

En réalité, Marco ne fait pas seulement que servir ; que chercher à plaire. Bon administrateur, officier fidèle, on le sent bien aussi admirer et adopter un style de vie auquel sa Venise natale ne l'avait certainement pas préparé.

Devenu tout naturellement homme de cour, il s'intéresse à tous ses divertissements. Aux chasses impériales, il ne consacre pas moins de cinq chapitres, précis, documentés, qui visiblement témoignent d'informations de première main. Comment ne pas relever cette place étonnante que prennent les descriptions des campagnes de chasse, d'été et d'hiver, dans une œuvre que l'on nous présente encore, parfois, comme les souvenirs d'un « marchand » ?

Tout d'abord : « Comment le grant khan a ordené de ses genz qu'il li apportent des venaisons » (pendant les mois d'hiver, alors que l'empereur demeure dans sa « maistre cité », à Kambaluc, ses officiers doivent chasser pendant chacun quarante jours et lui envoyer tous les gros gibiers, viandes et peaux). Puis, second chapitre : « Ci devise des lyons et des lupars et des lous affaitiez [= apprivoisés] pour chacier » (ce sont des panthères ou des tigres et des loups-cerviers ; ils prennent des grosses bêtes, même des sangliers; de grands aigles sont dressés à prendre loups sauvages, daims et renards). Une autre dissertation. « Ci dist des deux frères qui sont sus les chiens », parle des deux barons, l'un nommé Baia, l'autre Mingam, personnages fort importants qui commandent chacun à 10 000 hommes vêtus tous de la même couleur, pour l'un de vermeil, pour l'autre de bleu; ils veillent sur les grands chiens mâtins; de plus, lorsque l'empereur va, aux premiers jours de mars, vers la mer océane, dans la région du golfe de Pechili et de Moukden, il a près de lui bien 10 000 fauconniers avec 500 gerfauts ou faucons pèlerins et sacrés, ou autours, pour oiseler dans les rivières et les marais. « Comment le grant Khan va en trace » dit la façon de conduire la chasse avec ces faucons, de dresser une magnifique tente de peaux de tigres, d'hermines et de zibelines; ceci de mars jusqu'à mi-mai. Enfin, le dernier de ces chapitres formant à eux seuls comme un traité ou un *Livre de la chasse* parle d'un autre faste de cour, le retour de la grande campagne : « Comment le grant Khan tient grant court quand il est retournez d'oiseler et fait grant feste. »

Aucun aspect de la vie des Tartares, de leur politique ou de leur administration même, ne suscite, dans le livre de Marco autant d'attentions, de développements si précis, si circonstanciés. Ce sont les meilleurs tableaux, les seuls parfaitement achevés, des morceaux de bravoure. Marco signale, avec le plus grand sérieux, toutes les régions où l'on capture et l'on élève les faucons les plus renommés, ceux destinés à la cour. A *Ciandu* (Chang-tou), résidence d'été de Kubilaï, au nord de la Grande Muraille, l'empereur

fait élever sur ses terres quantité de bêtes sauvages
« et les tient pour donner à mangier aus gerfaus et aus
faucons que il tient... qui sont plus de deux cenz
gerfaus sans les faucons; et il mesmes les va voir
chascune semaine ». Et à *Cyaganuor,* autre palais
d'été de Mongolie, là où l'on trouve « moult manières
d'oyseaulx assez », le khan demeure plus volontiers
pour le seul plaisir d'oiseler; et notre conteur de
décrire, avec force précisions, les cinq espèces de
grues de la contrée (« ... la quarte manière sont petites,
et ont aus oreilles pennes longeues, pendants vermeils
et noirs moult beaux »); là aussi est une vallée « en
laquelle le seigneur a fait pluseurs maisonnettes
esquelles il fait tenir grandissime quantité de perdris.
Et y en a si grant quantité que c'est merveille ».

A aucun moment, il ne se donne autant de peine, de
plaisir plutôt et satisfaction, pour décrire un quelconque aspect des arts et du commerce. De toute
évidence, l'organisation des chasses impériales,
l'étude attentive des oiseaux de proie et des gibiers,
des bêtes sauvages dans les montagnes et les marais,
l'intéressent beaucoup plus que celle de l'élevage des
vers à soie et du travail des tissus précieux.

CHAPITRE IX

Élaboration d'un grand livre

Peu d'œuvres, portées plus tard par la renommée à un tel retentissement, ont connu une phase d'élaboration aussi complexe, aussi incertaine pour nombre de ses aspects et, au demeurant, aussi mal connue. On oublie trop souvent ces ignorances et ces ambiguïtés. Des affirmations gratuites, assénées plus de deux siècles après la conception et la rédaction du livre, répondant forcément à quelque idée préconçue, ont été répétées sans sourciller et, prises pour vérités inébranlables, continuent d'avoir cours. Nous finissons par méconnaître et la langue originale de cette œuvre et, surtout, son véritable nom. Qui se soucie de ne citer que le *Devisement du Monde* alors que *Livre des Merveilles* ou *Millione,* titres peu appropriés, inventés ou attribués plus tard, plaisent bien davantage, frappent d'une tout autre façon les imaginations?

LES DEUX PRISONNIERS

Que Marco Polo n'ait pas écrit lui-même, directement, son livre, est une vérité généralement admise, jamais remise en question. Aucun auteur sérieux n'en disconvient et aucun travail scientifique, de recherches d'archives ou d'exégèse même, n'a tenté de réhabiliter en quelque sorte le Vénitien, de lui attribuer tout le mérite de la rédaction. Mais, dès que le commentaire aborde le contenu et les leçons du discours, nous oublions trop facilement cette certitude. Certains travaux – les plus rapides il est vrai – l'ignorent ou feignent de l'ignorer; d'autres, d'une étonnante discrétion sur ce point, se refusent à en tirer les conséquences. Surtout, personne ne s'accorde sur ce qui, dans la composition, le choix ou le rejet des thèmes et des épisodes, la mise en œuvre même, revient, d'une part au voyageur qui conte ou qui dicte et, de l'autre, à l'écrivain, compilateur, professionnel en tout cas. Sans parler, bien sûr, des souvenirs littéraires, des réminiscences de lectures ou d'études qui peuvent guider, inspirer l'un ou l'autre, s'imposer parfois d'une façon irrésistible.

Sans cette rencontre, le *Devisement* n'aurait sans doute pas été écrit car, à notre connaissance, rien n'avait été encore tenté pendant de longs mois pendant plus de trois ans même dans ce sens. Ni Marco, ni son père, ni son oncle, n'avaient, semble-t-il, pris la plume pour conter, de quelque façon que ce soit, leurs aventures si étonnantes, ni, non plus pris langue avec tel ou tel rédacteur, mieux au fait qu'eux-mêmes des exigences de la mode et des façons de forcer la renommée, capable d'écrire le récit de leurs exploits, d'interpréter plutôt leurs souvenirs, de les couler dans un moule conforme aux goûts d'un bon public.

Le cheminement même de Marco Polo vers son

emprisonnement à Gênes et la date donc de la rédaction du livre demeurent sujets à caution et ne paraissent pas complètement éclaircis.

La tradition la plus ancienne, née du dominicain Jacopo di Aqui, contemporain ou à peu près des Polo, auteur du traité intitulé *Imago Mundi,* voudrait que le Vénitien ait été fait prisonnier en Orient, au large du port de l'Ayas, lorsque les Génois, inférieurs pourtant en vaisseaux et en puissance, capturèrent ou envoyèrent par le fond trois belles galées marchandes de Venise, dont celle du capitaine de leur flotte, Marco Basegio, d'une famille que par ailleurs nous savons liée aux Polo. Cette victoire eut un retentissement considérable et inspira aux poètes et troubadours génois de véritables chants de triomphe. Mais on se heurte ici, à suivre Jacopo di Aqui, à une totale impossibilité car cette bataille de l'Ayas se situe en 1294, plusieurs mois avant le retour de Chine! On peut, certes, discuter de quelques mois cette date... ou imaginer un autre engagement plus tardif, ou même la capture d'un seul bâtiment vénétien isolé. De telles arguties n'apportent rien de bien décisif, car il faudrait alors admettre que, à peine rentré à Venise, Marco ait repris la mer pour l'Orient alors que l'association marchande qui le liait à ses parents, la *fraterna* des Polo, était déjà dissoute.

Force est donc, pour une fois, de suivre ici Ramusio, Vénitien sans doute mieux informé des fastes et malheurs de sa cité, qui situe l'engagement funeste le 7 ou 8 septembre 1298, à une date qui nous convient parfaitement, dans la baie de Curzola (ou Scurzola, ou Corcyre), sur la côte dalmate. Ce fut, au cours de l'un des plus graves conflits, nés comme tous les autres pour affirmer leur pouvoir et leur influence en Orient, entre les deux nations maritimes toujours rivales, lors d'une guerre qui vit la flotte génoise, sous le commandement du déjà célèbre capitaine Lamba Doria, croiser dans l'Adriatique, très près du fond du golfe, une des années les plus noires de l'histoire de Venise. Nous savons qu'elle lança en hâte 32 galères de combat, construites ou armées à Chioggia, l'une d'elles menée par Marco Polo lui-même comme *sopracomito*, capitaine. Andreà Dandolo, leur amiral, ne put empêcher une totale victoire des Génois qui détruisirent une bonne part de la flotte vénitienne et firent quantité de prisonniers, plusieurs milliers vraisemblablement. Haut fait d'armes que chantent tous les chroniqueurs génois, exaltant la force d'âme du capitaine Lamba Doria, poursuivant le combat, ses fils près de lui, malgré la mort de l'un d'eux, dénombrant complaisamment tous les navires détruits et les prisonniers arrivant à Gênes, tous enchaînés. Triomphe et butin aussi, salués par de grandes fêtes dans le port, dans la ville et surtout sur la petite Piazza San Matteo, *piazza gentilizie* des Doria, qui immortalisent alors leur exploit par deux glorieuses inscriptions sur plaques de marbre, l'une sur le beau palais de Lamba, l'autre sur la façade de l'église de leur clan, indiquant, elle, une prise de 7 400 prisonniers. On décida que, chaque année, le 8 septembre, jour de la fête de la Vierge, serait porté un *pallium* d'or – un drap d'or – sur l'autel de la Vierge dans la petite église.

Telle est, sans aucun doute, la version la plus vraisemblable. Pour la contredire ou, du moins la modifier, il faudrait admettre un combat plus obscur, un des derniers affrontements avant la signature de la paix, dans les mois qui suivent donc et voir notre homme arriver à Gênes, chargé de chaînes, un peu plus tard, parmi une toute petite troupe de captifs. A juste titre, aucun auteur moderne ne cherche à approfondir davantage.

Malheureusement il nous est très difficile de suivre Marco Polo prisonnier. Nous ne savons rien, ou fort peu de choses, des conditions de captivité en Italie à cette époque, entre nations maritimes plus particulièrement. Un sujet d'enquête pourtant passionnant que celui des droits du vainqueur, de la conduite des pourparlers de trêve et des négociations de paix, des façons de traiter les captifs, de les mettre à rançon... Mais un sujet qui reste encore, pour cette époque, quasi inexploré...

Marco Polo fut-il enfermé dans le bâtiment de la *Malpaga,* vieille prison pour mauvais payeurs et pour rebelles, qui dominait le port, forteresse sévère où devait mourir, en 1312, le seigneur de la Cinarca, Giudice della Rocca, qui avait appelé à la révolte en Corse et armé des troupes contre la Commune de Gênes? Fut-il gardé dans l'une des bâtisses, plus vieilles encore et quelque peu délabrées, proches de la *Darse* (arsenal), tout à l'ouest de l'agglomération, non loin de la Commanderie des Hospitaliers? Mais il fallait, pour les seuls Vénitiens, loger 7 000 hommes... et pourquoi ne pas envisager un autre genre de captivité dont nous savons aussi qu'il se pratiquait couramment à l'époque : les prisonniers, ceux de marque surtout – et Marco était bien de ceux-là –, étaient confiés à des familles qui s'en portaient

garantes, les abritaient dans leurs maisons, les nourrissaient et qui, sans forcément les traiter en esclaves
ou s'en servir comme main-d'œuvre gratuite, pouvaient en tirer divers services et, notamment, prévoir
un échange avec l'un ou plusieurs de leurs parents,
captifs chez l'ennemi. De telles conditions correspondent davantage à ce que l'on peut imaginer des
« prisons » de Marco Polo dans la ville rivale; captivité
certainement bien plus légère, plus favorable à une
rencontre avec un autre prisonnier, à de multiples et
longues entrevues, à la dictée d'un grand récit, et
même, pourquoi pas, à la recherche d'informations
pour suppléer à une mémoire défaillante par de
nombreuses conversations, la lecture de tel ou tel
ouvrage.

Sans doute faut-il abandonner et chasser loin de
nous l'image, pourtant romantique à souhait, du
prisonnier, confiné dans une étroite cellule, dialoguant
avec son écrivain dans une pauvre lumière, à travers
une toute petite baie peut-être...

En tout cas, grâce à l'intervention du pape et, sans
doute à un certain essoufflement de l'effort de guerre
génois, Venise, pourtant vaincue, peut signer une paix
relativement favorable le 25 mai 1299 et l'on dit,
Ramusio le premier, que Marco Polo serait revenu
dans sa ville au cours du mois d'août.

L'autre protagoniste de l'aventure littéraire est un
Pisan, Rusticello (ou Rustichian), que les Français
appellent Rusticien de Pise, personnalité curieuse,
tout aussi attachante que celle de Marco Polo lui-
même. Il fut fait prisonnier beaucoup plus tôt, en
1284, lors de la fameuse bataille navale dite de La

Meloria, du nom d'une petite île juste au large de Porto Pisano. Ce jour-là, la flotte génoise, agressive, assiégeait chez eux les Pisans et remportait une brillante victoire, définitive pensent certains, et qui, pour de nombreux auteurs, aurait sonné le glas des grandes entreprises pisanes en Orient et même dans l'Occident méditerranéen.

En fait, même après ce désastre, les Pisans se maintiennent encore très bien sur différents théâtres d'opérations marchandes. Mais La Meloria, quoi qu'il en soit, reste un événement considérable et le signe d'un déclin inéluctable des flottes toscanes, pour un long temps, jusqu'à l'apparition des convois de galées florentines, au xvᵉ siècle. Gênes avait ainsi réussi à évincer ses concurrents les plus proches. Elle barrait, du même coup, la route aux prétentions déjà bien assises depuis plus d'un demi-siècle des Pisans à dominer les îles de la mer occidentale, assurait son pouvoir sur la Corse (la fondation de Bonifacio par les Génois date de ces années-là) et pouvait même menacer la Sardaigne.

A cette victoire de La Meloria s'illustrèrent déjà les Doria. Oberto Doria, frère aîné de Lamba, commandait l'expédition avec plusieurs de leurs propres galères et 250 hommes de leur clan à bord; Lamba lui-même s'y trouvait, entouré d'un autre frère et, comme plus tard à Curzola, de ses six fils.

On a dit et écrit que les Pisans perdirent ce jour-là 40 galères et 9 000 prisonniers emmenés à Gênes, si nombreux que, parmi tant d'autres lamentations, les hommes et femmes de Pise s'écriaient : « *Che vuol veder Pisa, vada a Genova!* » Les chroniqueurs parlent des hommes maltraités, en tout cas gardés pendant des jours ou des mois dans d'étroites prisons ; beaucoup sont morts en peu de temps. Et les pour-parlers de paix traînent terriblement par la faute surtout du nouveau maître de Pise, Ugolino, nommé tyran et *podestat* pour dix années à partir de février 1285, qui ne se presse pas de conclure mais préfère voir tant de nobles de l'ancien parti, ses ennemis ou simplement chefs respectés de l'aristocratie, mainte-nus ainsi loin de chez eux, à l'écart de la vie publique. Parmi ces prisonniers, on trouvait certainement des hommes de poids, dangereux pour le nouveau pou-voir.

Le conflit entre Gênes et Pise se nourrit de toutes sortes de griefs et de représailles. Gênes accuse sa rivale de soudoyer et même d'entretenir des corsaires de Sardaigne qui, sans cesse, attaquent ses navires en route vers le sud.

A deux reprises, les prisonniers qui tentaient de s'entremettre pour faire aboutir les négociations, s'offrant à déposer de fortes cautions dans les mains des Génois, envoient à Pise une ambassade conduite par leurs chefs délégués pour déterminer Ugolino et vaincre ses réticences. Tout ceci en vain. La paix ne fut signée que le 15 avril 1288... et n'eut pas d'effets immédiats. Une convention d'échanges de captifs n'avait d'abord libéré que 200 Pisans contre 173 Gé-nois. Quelques heureux seulement... et, lorsque les Vénitiens de Curzola arrivent, captifs, dans le port de Gênes, en octobre 1298, nombreux sont encore les Pisans détenus dans la ville. Dont, certainement, ce Rusticello.

Mais les chroniques du temps parlent aussi des dames nobles de Pise qui viennent à Gênes porter réconfort à leurs époux ou parents prisonniers et nous pouvons, là aussi, nous interroger sur les conditions réservées, pendant de si longues années, à ces hommes qui se comptent toujours par milliers. Les nobles Pisans, personnes de qualité, bénéficiant de toutes sortes d'alliances et de recommandations, sont-ils vraiment restés dans ces prisons obscures et insalubres jusqu'à leur départ de Gênes? Ces ambassades, ces pourparlers avec les autorités génoises témoignent bien, au contraire, d'une certaine liberté de déplacement. Ils ont pu, vraisemblablement, paraître devant des magistrats de la Commune, rendre visite à des relations d'affaires et même rencontrer des marchands venus de leur ville. Nous savons qu'ils avaient formé une asociation solide, structurée, dotée de certains pouvoirs, l' « *Universitas Carceratorum Pisanorum Janue Detentorum* ». Cette communauté de Pisans prisonniers à Gênes scelle toutes ses missives d'un sceau dont l'historien anglais Henry Yule donne la reproduction dans son édition anglaise du *Devisement* : deux prisonniers à genoux implorent la Madone, patronne de leur ville.

Nous comprenons mieux ainsi comment ont pu se rencontrer, puis se ménager de nombreuses entrevues, peut-être des entretiens quotidiens, les deux « auteurs » du livre, tous deux prisonniers certes mais allant dans telle ou telle demeure de leurs relations, de leurs protecteurs et garants.

Est-ce là, d'ailleurs, pour des « prisonniers » de l'époque des conditions tellement exceptionnelles? L'image du captif écrivain ou même poète n'est pas tellement à exclure d'une étude de la production littéraire, dans certains genres du moins. Dans un domaine très proche de celui de Marco Polo et du *Devisement,* pensons, par exemple, au destin d'un auteur infiniment moins célèbre mais tout de même assez bien connu, ne serait-ce que pour ses attaches familiales, pour avoir retenu l'attention des chroniqueurs et gagné, de son vivant même, une belle notoriété dans sa ville : il s'agit du Génois Domenico Doria qui, établi au Caire, devint familier du sultan mamelouk; frappé de disgrâce il fut, nous dit-on, « jeté en prison » et y resta pendant un peu plus d'un an, en 1339-1340. C'est là que le rencontra (ou lui rendit visite?) un savant et géographe égyptien qui, à force de conversations et d'échanges de souvenirs, se documenta, rassembla quantité de renseignements sur les principautés turques d'Anatolie (seize au total pour être précis), sur Trébizonde et sur tous les royaumes d'Occident. De cette rencontre est né un de ces traités de géopolitique, sorte de manuel encyclopédique alors si familier aux cercles érudits du monde musulman. Mais, on le voit, son élaboration rappelle d'une façon frappante celle du livre de Marco Polo : rencontre et collaboration entre un grand voyageur, homme d'action, et un savant, professionnel de l'écriture.

Reste, bien entendu pour mieux évaluer et analyser les véritables conditions de la genèse de l'œuvre, à éclaircir quelques obscurités... qui, pour la plupart n'ont pas été, ou très rarement et jusqu'ici sans grand résultat, prises en considération. Qui était exactement Rusticello di Pisa et comment sa vie, sa carrière, ses curiosités l'avaient-elles préparé à s'intéresser au Vénitien et déterminé à écrire une œuvre de ce genre,

sous la dictée ou au prix d'une interprétation plus ou
moins libre? Seconde question, en effet : comment
estimer, d'une façon à peu près correcte, ce qui revient
dans cette élaboration à chacun des deux hommes? Et
que conclure de cette analyse quant à la nature même
du livre?

RUSTICELLO, ÉCRIVAIN DE COUR

Rusticello, homme de Pise, est mal connu ou plutôt
inconnu. Nous ignorons tout de sa famille, de la raison
qui le ramena dans sa ville natale après, semble-t-il,
plusieurs lointaines pérégrinations et nous ne savons
pas à quel titre il combattit ou se trouvait simplement
à bord d'une de ces galères pisanes capturées par les
Génois, en août 1284. Disons aussi que nous ne
pouvons le suivre après sa libération et que, par
exemple, nous ne le voyons jamais dédier le livre, ni le
présenter à quelque prince, ou se recommander de
cette rédaction. Ses concitoyens contemporains ne
parlent pas de lui et, par la suite, personne à Pise n'eut
l'idée de revendiquer le *Devisement* comme l'œuvre
de l'un des fils de la cité.

Nous ignorons d'ailleurs si, dans la ville toscane,
Rusticello est un nom de famille ou un prénom, ou l'un
et l'autre à la fois, comme cela se rencontrait assez
souvent à cette époque. Certes, dans les années
1280-1310, les Rusticelli existent bien; ils forment un
des lignages de l'aristocratie, définis politiquement
non comme des nobles mais comme des membres du
Popolo, c'est-à-dire des grands marchands et maîtres

artisans, des hommes de loi. Plusieurs d'entre eux, en tout cas, ont été du Conseil des Anciens, une des principales magistratures de la cité; d'autres sont, dans le même temps, juges ou officiers nantis de charges notables : Ceo Rustichelli, en 1315, est *Console dei Mercanti,* et Matteo, châtelain de l'un des bourgs de *Contado.* La famille, ces années-là, possédait plusieurs maisons dans la paroisse *(cappella)* de San Paolo all'Orto. Surtout, un Rustichello, fils de Guido Rustichello, est cité par Emilio Cristiani, dans son répertoire des *Famiglie Popolare* en 1277, et le 19 janvier, comme juge et notaire en exercice.

Est-ce là notre homme? Sans apporter aucune certitude, la similitude des noms et la quasi-concordance des dates autoriseraient à le penser. De plus, nous savons très bien quelle part, parfois considérable, les notaires de bonne famille et de bonne éducation ont pu prendre à la création littéraire dans les genres en vogue alors : histoire ou plutôt annales et chroniques, poésies épiques, hymnes, lamentations, ouvrages didactiques. Ainsi surtout à Gênes et dans toute la Toscane, à Bologne et à Ferrare par exemple. Que l'auteur du *Devisement,* de sa mise en forme, ait été notaire de formation et même, à certains moments, de profession, ne saurait en aucun cas nous étonner.

La fortune littéraire de Rusticello, les diverses étapes de sa vie près des princes paraissent plus faciles à suivre que son destin politique. Il fut, à n'en pas douter, un poète de cour, nous pourrions même dire un conteur, un trouvère. Pendant des années, loin de son Italie natale, il a cherché à exercer son art et gagner quelque renommée et protection auprès des souve-

rains d'au-delà des monts. Non comme humaniste
déjà, non pour y diffuser une culture italienne ou
romaine, pour y imposer une mode et de nouveaux
thèmes d'inspiration; tout au contraire, il s'intègre
parfaitement dans ce milieu courtois, répond très
exactement au goût, certains diraient quelque peu
archaïque, des nobles et chevaliers. Son domaine est
toujours le roman chevalerie à la manière de France et
d'Angleterre. Il écrit exclusivement en français.

Nous restent de lui, sous son propre nom, au moins
deux ouvrages de ce genre, très représentatifs de cette
littérature de cour. L'un est *Gyron le Courtois
avecque la devise des armes de tous les chevaliers de
la table Ronde,* l'autre : *Meliadus de Leonnoys.
Ensemble plusieurs autres nobles proesses de chevalerie faictes par le Roy Artus, Palamedes et Galliot
du Pré.* Ces deux titres disent suffisamment où se
situent ses ambitions : conter d'une façon agréable les
belles histoires et les exploits des preux chevaliers;
une inspiration qui suit une forte tradition et ne
semble innover en rien.

Cette cour accueillante à l'exilé fut celle d'Angleterre, du roi Henri III (qui meurt en 1272) et de son
fils, le prince Édouard, futur Édouard Iᵉʳ. Près
d'Henri, fils de Jean sans Terre, roi si contesté par ses
barons, tout un cercle d'écrivains et de poètes anglo-
normands, souvent de familles nobles, se faisant
volontiers appeler de noms d'auteurs choisis pour la
circonstance, Gasses le Blunt, Luces du Gart, Robert
et Hélie de Boiron, chantaient les hauts faits des héros
de la Table Ronde; ils rassemblaient tout ce qui avait
été chanté et écrit sur Tristan, sur Lancelot, sur Giron
le Courtois. Ces extraits, compilés, aménagés, liés tant

bien que mal dans un cadre parfois fantaisiste et
parfaitement artificiel, furent, pour la plupart, présentés dans des recueils attribués au maître Rusticien
de Pise; certainement très largement diffusés, on en
trouve des éditions imprimées dès la fin du XVᵉ siècle.
De plus, il semble que Rusticello, compagnon
d'Édouard d'Angleterre, ait entrepris la mise au point
d'un ou plusieurs livres dédiés au prince alors que
celui-ci se rendait à Jérusalem. Édouard passe l'hiver
1270-1271 en Sicile et arrive en Terre sainte en mai
suivant; il fait à nouveau escale, sur le chemin du
retour, en Sicile en janvier 1273. Ce qui donnerait
quelque autorité à une thèse qui veut que Rusticien de
Pise ait vécu à la cour de Charles d'Anjou, à Naples,
et ait pu rencontrer le prince anglais à Palerme ou
dans une des cités de l'île. D'autres auteurs pensent
même que le Pisan, compagnon d'armes des chevaliers anglo-normands, des Boiron en particulier, les
accompagna à la suite de leur maître jusqu'en
Orient.

Nous le voyons présenter à la cour d'Angleterre des
chansons de gestes, des traditions épiques orales, tout
un fonds de romans de chevalerie et d'aventures
merveilleuses, d'abord recueillis par plusieurs compagnons d'armes, hommes de cour curieux de leur passé
culturel et soucieux de l'exalter, d'en récolter toutes
les bribes déjà un peu oubliées, mais alors reprises et
mises en forme, au goût du jour peut-être, par un
spécialiste appointé, familier lui aussi du souverain.
Notre auteur, le Pisan, ne se pique d'ailleurs d'aucune
rigueur et se complaît dans une aimable fantaisie,
dans les fables et le merveilleux. Remerciant d'abord
Dieu et la Vierge de lui avoir donné « grâce, sens,

force et mémoire, temps et lieu de mener à fin si haulte et si noble matière », il répond à l'avance aux critiques que l'on pourrait lui objecter pour avoir, dans son *Gyron le Courtois,* parlé de Tristan avant son père Méliadus et s'en tire par une aimable pirouette : « ... je respons que ma matière n'estoit pas congnueu. Car je ne puis pas scavoir tout, ne mettre mes paroles par ordre »; un désordre que nous retrouverons, parfois, dans le *Devisement*. En tout cas, il lui faut des hommes capables de lui préparer la « matière », à lui étrangère.

Ainsi l'écrivain que Marco rencontre à Gênes et qui, vraisemblablement, le décide à faire connaître son aventure, se présente-t-il à nous comme un auteur déjà bien apprécié, renommé même, mais pas original, plus occupé généralement à rassembler d'anciens textes et à les remettre dans une autre forme qu'à créer lui-même. Tel se profile le second homme de l'entreprise et l'on comprend que ce nouveau travail, qui s'inscrivait dans la droite ligne de tâches pour lui déjà familières, ait pu le tenter. De plus, Rusticien est, lui aussi, plus modestement certes, un voyageur, un homme qui s'est intéressé à la Terre sainte et à l'action chrétienne.

Quant à déterminer d'une façon un peu précise la part de chacun, du Vénitien et du Pisan de culture française ou anglo-normande, dans l'élaboration de l'œuvre, dans sa mise en forme aussi, la chose ne semble pas aisée et les conclusions restent bien souvent incertaines. Si Pise n'a pas revendiqué, au cours des siècles, l'œuvre de son concitoyen, Venise l'a fait pour le sien, à partir du XVIe siècle, avec beaucoup

d'esprit de suite, de détermination, et parfois hors
mesure.

Dans la façon dont on se plaît à présenter l'œuvre,
d'autres considérations ont bien souvent pesé d'un
certains poids et des arrière-pensées, des prises de
position bien ancrées viennent alors fausser les données du problème. Insister sur le rôle de Rusticello
c'est mettre en évidence une œuvre de cour et donc
dire les mérites d'une culture et d'une civilisation qui
se nourrissent de la fréquentation des princes, tandis
que soutenir la part de Marco Polo, c'est, pense-t-on
généralement, exalter une culture de ville, parfois dite
« marchande », ou bourgeoise, ou « communale »... et
pourquoi pas « républicaine »; cette seconde optique
rencontrant une bien plus grande faveur, tout au long
du XIXᵉ siècle et de nos jours encore chez les historiens
des civilisations, préoccupés avant tout de promouvoir
et chanter les louanges, les lustres et les bienfaits
d'une culture « bourgeoise », citadine, et enclins à
minimiser sinon ignorer celle des cours. Plus naturellement, un certain nationalisme, bien compréhensible,
soutient l'une ou l'autre thèse : le *Devisement* de
Rusticello serait une œuvre de tradition et d'esprit
français; le même livre, appelé *Milione* et attribué
uniquement à Marco Polo, appartient tout entier au
patrimoine italien. Et nos amis italiens, historiens
surtout, ont, bien sûr, plutôt tendance à insister sur
l'apport de leur illustre Vénitien, réduisant ou négli-
geant même celui du Pisan qui paraît bien davantage,
par sa vie, sa culture, ses formes d'expression se
réclamer de milieux d'outre-Alpes.

C'est ainsi que Leonardo Olschki, spécialiste incon-
testé de Marco Polo et de son œuvre, ne parle, dans

son livre intitulé l'*Asia di Marco Polo,* paru en 1957, que du *Milione* et non du *Devisement*; pour lui Marco est bien l'auteur et même le seul auteur; Rusticello n'étant alors présenté que comme le *redattore,* un écrivain professionnel, public en quelque sorte (*letterato professionale*), simplement capable de mettre en ordre une masse considérable plus ou moins informe de souvenirs; ce qui, évidemment, réduit son rôle à fort peu de chose et lui dénie toute influence dans le choix des thèmes, dans la construction de l'ouvrage, dans le ton et la nature intrinsèque de l'œuvre.

Si bien que la question reste toujours à débattre...

D'AUTRES CONFIDENTS?

L'essentiel de la documentation, la totalité peut-être pour les pays situés dans l'Asie profonde, au-delà des étapes régulièrement fréquentées alors par les gens d'Occident, missionnaires ou marchands, vient certainement de Marco lui-même. Mais de quelle façon? Une tradition, rapportée pour la première fois par Ramusio, et donc sans doute de source tardive, dit que, pour dicter son livre, il avait fait demander à son père, à Venise, des notes de voyages laissées dans sa maison; le père et l'oncle en avaient peut-être aussi de leur côté. Hypothèse qui, sur le plan des faits et même face aux habitudes de l'époque, ne soulève aucune contestation majeure mais qui ne résiste pas cependant à un examen même rapide du *Devisement*. Trop d'informations imprécises, de noms incorrects et complètement déformés par diverses altérations phonétiques montrent bien que, pour cette rédaction, les auteurs ne devaient pas s'appuyer sur un texte écrit. D'autre part, que de lacunes et d'importantes erreurs, sur les dates surtout, sur les faits historiques eux-mêmes, tels par exemple, les règnes, les conflits, batailles et conquêtes! Tout ceci plaide forcément en faveur d'une dictée, d'une conversation plutôt, à partir soit de notes très disparates, incomplètes, soit plutôt de simples souvenirs. Le livre tient certainement sa source première dans la mémoire, étonnamment riche à cette époque, mais incertaine, on le comprend, dans de telles circonstances.

Marco s'est-il fait aider, d'une autre façon, par d'autres personnes, voyageurs, marchands, savants, officiers de la cour mongole ou des douanes de l'empereur? Il dit lui-même à plusieurs reprises sa dette pour ces gens, officiers du khan mongol, et, de toute façon, cela transperce à lire tel ou tel passage particulièrement bien documenté. De telle sorte, nous avons pu le souligner déjà, qu'il paraît souvent plus disert à parler de ce qu'il ne connaît que par ouï-dire ou pour avoir lu des rapports que de ce qu'il a, de ses yeux, vu. Reste que, ces renseignements recueillis au fil des ans, précieux certainement pour alimenter les comptes rendus présentés à l'empereur ou satisfaire ses propres curiosités, le prisonnier de Gênes n'en a plus copie depuis fort longtemps; la plupart d'entre eux, vraisemblablement, n'avaient jamais été mis sur papier.

Une autre tradition, due encore à Ramusio, dit que, lors de sa captivité, il aurait rencontré à Gênes, parmi plusieurs de ses nouveaux amis et relations, un noble

génois qui l'aurait beaucoup aidé à mettre au net, à
vérifier ses souvenirs et impressions et l'aurait même
assisté pour la rédaction de son livre. Nous voyons
bien la difficulté d'identifier ce savant-géographe, ce
voyageur au moment où écrit Ramusio, quelque deux
cents ans plus tard. Mais, plutôt que d'avouer une
totale ignorance sur ce point, on a avancé (mais quand
exactement?) et retenu le nom d'Andalò di Negro.

Hypothèse séduisante, en tout cas fort intéressante :
l'homme appartient effectivement à une grande
famille noble génoise et a beaucoup fait parler de lui
pour ses voyages lointains et sa connaissance de
l'univers. Astronome et astrologue, un peu mathéma-
ticien aussi et cosmographe, grand curieux, il conduit,
comme Rusticello, une part de sa carrière aventureuse
dans les milieux de cour. Il vécut longtemps à Naples,
dans l'entourage de Robert d'Anjou, et il y est mort en
1334. Andalò est, dans son temps déjà, honorablement
connu pour deux traités sur les mouvements des
planètes et leur interprétation : *Tractatus planetarum*
et *Introductorius ad iudicia astrologie*; il disserte de
la fortune et des destinées de l'homme et va jusqu'à
donner des conseils pratiques pour mener ses affaires :
étude des « élections », c'est-à-dire des heures les plus
favorables pour entreprendre un voyage et faire du
négoce. Cette curiosité très variée lui avait valu, à
Naples même, quelques fidèles disciples, tel Boccace
qui parle de lui avantageusement dans son *De genea-
logia deorum gentilium*. Un humaniste donc et aussi
un voyageur : il est certainement allé en Asie, au
moins jusqu'à Trébizonde, pour le compte de la
Commune de Gênes, en 1314. Et c'est Boccace qui dit
de lui qu'« il est arrivé à connaître le mouvement des

étoiles non pas seulement par l'étude des textes
antiques comme on le fait généralement, mais après
avoir voyagé presque par tout le monde et ainsi, grâce
à l'expérience rassemblée durant tous ces voyages,
dans tous les climats et sous tous les ciels, il
connaissait pour l'avoir vu de ses propres yeux ce que
les autres ne connaissaient que par ouï-dire ». Phrase
que reprend encore, à très peu près, un siècle et demi
plus tard, un autre noble génois, dans le préambule de
son récit de voyage, ici pèlerinage en Terre sainte,
invoquant d'illustres prédécesseurs, grands voyageurs,
Marco Polo le tout premier et, aussitôt après, Andalò
di Negro.

Nous pouvons aisément imaginer une rencontre
entre le Vénitien et le Génois dans cette année 1298...
ou, tout aussi bien penser qu'Andalò avait quelque
temps auparavant connu non Marco, mais Rusticello
en Sicile. Tout ceci reste, on s'en doute, pure
spéculation. Mais une collaboration, au cours de leur
captivité, de nos deux auteurs avec d'autres voyageurs
ou savants, pour recueillir quelques renseignements ne
peut, *a priori,* s'exclure. Cela ne s'inscrit en aucune
façon contre les habitudes du temps.

LE « DEVISEMENT » D'ABORD ÉCRIT EN FRANÇAIS

Seule une étude attentive du contenu du livre
permet de mesurer la nature et l'étendue de la
participation de Rusticello; encore faudrait-il distinguer les différentes parties de l'œuvre, les différents
genres qui la composent. Mais cette participation

s'affirme déjà, à l'évidence, par la langue. Pendant longtemps l'a emporté, chez les érudits, la tradition due à Ramusio (toujours lui...) qui voulait que le *Devisement* ait été écrit, tout d'abord, directement en latin. Puis, on a volontiers soutenu la théorie d'une première écriture en italien, en langue vulgaire, qui ne serait pas, d'ailleurs, le dialecte vénitien, mais plutôt le toscan; le plus ancien des manuscrits en italien se trouve bien, en effet, à Florence. Cette idée d'une veine toute italienne d'inspiration et d'expression – on le vérifie aisément de nos jours encore – s'impose même parfois en France. On parle facilement du *Milione* et peu d'ouvrages ou manuels présentent le *Devisement* comme une œuvre essentiellement française, de France du Nord dans sa forme tout au moins et même dans son esprit.

Pourtant, l'antériorité de la version française ne fait aucun doute. Elle a été démontrée dès 1827 par un érudit italien, le comte Baldelli Boni, dans la présentation de son édition. Comparant les deux textes, français puis italien, il notait de nombreuses divergences qui, à y regarder de près, témoignent d'erreurs de traduction, de l'un à l'autre et dans ce sens-là. Certaines même montrent une grande précipitation et font penser que le traducteur italien responsable, peu érudit, connaissant mal le parler initial, ne devait pas être très au fait des difficultés et incapable de déjouer les pièges qui l'attendaient, même les plus grossiers. Lorsque, par exemple, de la ville de *Saianfu* (Siang-yang-fu), la version française, manifestement originale, dit « et donc voz conterai de le tres noble cité de Saianfu »; cette « *très* noble cité » devient en italien « les *trois* nobles cités » (« ...*delle tre nobili città di*

S. »). Ailleurs, le mot *bue* (= boue) est traduit par
buoi (= bœufs), ce qui rend le passage absolument
incompréhensible. Si le français montre le roi du
Maabar entouré de plusieurs barons « *feels* du Seigneur », c'est-à-dire fidèles, dans le sens des liens de
vassalité, le *Milione,* en italien, traduit le mot par *filz,*
les enfants ou les fils tout simplement. Et l'on pourrait
dresser un véritable florilège de telles erreurs ou
approximations. Sans parler de non-sens qui, plus
encore, montrent une incapacité totale à pénétrer le
sens réel du texte. Henry Yule en cite quelques-uns
particulièrement savoureux. Ainsi *chevail* (= che-
veux) traduit par *cavagli* (= chevaux). Si le pain de la
ville de Kerman, en Perse, est amer, c'est « por ce que
l'eiue y est amer » (= parce que l'eau est amère) mais
cela devient : « *e questi è por lo mare che vi viene* » (à
cause de la mer qui vient là); et nous sommes en plein
désert, à des centaines de kilomètres du golfe Persique! Ailleurs, au moment où Marco parle des peuples
qui se servent du sel comme monnaie, il est écrit, en
français : « mès de sel font-il monnoie » et on lit, en
italien, le mot *sel* devenant le pronom *se* : « *ma fanno
da loro* » (: = ils le font eux-mêmes); c'est-à-dire qu'ils
fabriquent eux-mêmes leur monnaie... ce dont on
pouvait se douter; mais du sel étalon-monétaire il n'est
plus question et ainsi se trouve complètement sup-
primé un des éléments essentiels de l'information.
Chaude, pour une plaine traversée, devient *chauve.* Et
enfin, pour clore ici une liste quasi inépuisable : le mot
aide, nom commun qui, dans son contexte, indique
l'appui donné au capitaine de l'armée qui attaque la
Birmanie, devient *Aide* et désigne un chef de guerre
arrivant fort à propos. Le plus souvent le traducteur,

homme pressé, ne s'intéresse que de très loin à son texte et ne se soucie pas du tout de ménager des vraisemblances. Si bien que, pour une étude attentive, sa version devient, en bien des points, proprement illisible.

Le moins que l'on puisse dire est donc que non seulement la version française a bien précédé l'autre, en langue vulgaire italienne, mais aussi que cette dernière a été confiée à un scribe piètre traducteur, préoccupé surtout de faire vite, ne reculant devant aucun à-peu-près, certainement peu intéressé par son texte même, incapable d'en comprendre quelques passages et d'éviter des fautes tout de même très déconcertantes pour un lecteur tant soit peu averti.

D'autre part, autre indice significatif, nous voyons le responsable de cette seconde version, italienne, prendre, dans certaines occasions et sciemment semble-t-il, de grandes libertés sans aucun souci d'en contrôler l'exactitude. Leonardo Olschki signale comment, au sujet des pierres précieuses offertes par les parents de Marco au khan Barka, lors de leur premier voyage, la version française dit que les gemmes furent données par le souverain « à parer », c'est-à-dire tout simplement à sertir, tandis que le texte italien dit « a vender »; ce qui insiste davantage sur l'image que l'on veut donner d'une entreprise répondant surtout à des buts mercantiles. Ces aménagements qui n'ont plus rien à voir avec des approximations de traduction, montrent bien, en effet, quelque arrière-pensée et, déjà, une volonté de promouvoir une certaine image du livre et de son auteur. Retenons surtout ici ce passage du *Devisement,* déjà évoqué pour d'autres raisons, où Marco Polo décrit le trafic des navires sur le fleuve Kiang, le Yang-tsé-Kiang. Le premier texte indique clairement qu'il tire ses informations d'un officier appointé par l'empereur pour recevoir le produit des douanes : « qu'il oy dire à cellui qui, pour le grant khan... »; mais les textes italien et latin marquent une double transformation qui n'est certainement pas fortuite; d'une part, le discours se présente à la première personne, en forme d'un témoignage immédiat : « *Ergo, marcus Paulus...* » et, surtout, il affirme avoir vu, par lui-même ce mouvement des navires et les avoir comptés : « ... *Vidi in ista civitate...* » Changement de ton et de contenu qui, évidemment, témoignent d'une volonté délibérée d'accréditer davantage le rôle du Vénitien, de le présenter comme un véritable témoin oculaire et donc d'occulter complètement les recours à des sources orales ou écrites. Tout au long de ces versions italiennes et latines, l'emploi du *je,* se substituant au *il* ou à la formule *Messire Pol* montre ce désir parfaitement conscient d'éliminer d'une part tout écrit antérieur, d'autre part tout intermédiaire et, en premier lieu, Rusticello di Pisa dont le nom disparaît du texte en langue italienne. Une politique, insistons, qui s'est manifestée très tôt, dès la rédaction des premières copies et qui devait, pour longtemps, présenter l'ouvrage sous un tout autre jour que celui de l'original.

LE FRANÇAIS, LANGUE DE COUR, LANGUE D'UN PREMIER HUMANISME

La langue de la première version, que l'on doit donc sans aucun doute attribuer à Rusticello est bien un français courant, vulgaire, sans aucune préciosité littéraire, ni semble-t-il aucune sorte de provincialisme. Ce n'est pas de l'anglo-normand ni un dialecte quelconque, mais un français du Nord. De telle sorte que l'on ne pourrait invoquer une communauté linguistique et culturelle, formée par le voisinage et par des liens politiques. Rusticello n'écrit pas en provençal, langue qu'il aurait pu connaître pourtant par l'un de ses voyages et surtout par son séjour – mal documenté il est vrai, de toute façon – près du roi de Sicile, Charles Iᵉʳ d'Anjou, également comte de Provence. Rien de comparable ici avec les circonstances qui ont, par exemple, présidé à l'écriture en franco-provençal des *Fioretti* de saint François d'Assise, parlant la langue qu'il avait apprise dans sa jeunesse en Avignon, dans la maison de son père marchand. Un hasard dans ce cas, un propos délibéré pour le *Devisement*.

Cette rédaction en français du Nord, langue d'oil, à première vue, étonne tellement que, généralement, l'on ne s'y attarde guère; on le signale comme une sorte d'anomalie, comme même une incongruité. C'est que nos manuels et nos lectures privilégient toujours l'éclosion d'un mouvement culturel, humaniste, en Italie, patrie, on le sait, de la seule « Renaissance »; ces mêmes manuels nous conduisent à négliger le rôle fort important, disons même la primauté à une

certaine époque, de la langue française pour quantité
d'écrits et pour la diffusion même d'une culture.
Véhicule apprécié de tous, c'était bien cette langue
qu'il fallait adopter pour se faire largement entendre,
loin de chez soi, et plus particulièrement dans les
milieux de cour et chez les érudits.

   Au temps où nous nous plaçons, et depuis plusieurs
dizaines d'années déjà, les jongleurs et trouvères, les
poètes, écrivains et érudits français s'installaient très
nombreux dans les cours d'Italie, y apportant natu-
rellement leur langue et leurs genres littéraires.
Peut-on oublier, précisément, que, sous les princes
français de la première Maison d'Anjou, la cour de
Naples fut, en quelque sorte, colonisée par des
Français, officiers, juristes, lettrés, artistes mêmes?
Sous Charles Ier (qui meurt en 1285), on trouve à
Naples et près du roi, dans les chancelleries et
tribunaux, des magistrats et des conseillers venus du
Nord : Odon de Lorris, familier du roi, Geoffrey de
Beaumont et Simon de Paris, tous chanceliers; Pietrot
Imbert et Gisbert de Saint-Quentin installés, eux, à la
grande cour de justice. L'enseignement à l'université
porte la marque de l'école épiscopale d'Orléans.
Adam de la Halle, le célèbre jongleur d'Arras, vint à
Naples en 1283 à la suite de Robert d'Artois et y resta
jusqu'à sa mort en 1288; il y fit représenter le *Jeu de
Robin et de Marion,* et avait commencé d'écrire une
Chanson du roi de Sicile. Un autre poète, resté
anonyme celui-ci, venu également dans la *familia* de
Robert d'Artois, y compose un *Jeu du Pèlerin* qui
parle de la Terre sainte et de Jérusalem. Toute cette
activité et ce courant culturel marquent fortement la
société de la ville où l'on peut constater, par exemple,

la fortune du prénom de Péronelle, personnage du drame pastoral, mode importée du Nord.

Charles d'Anjou, allié du pape, maître de Rome, établit évidemment ses gens dans toute l'Italie du centre soumise à son autorité. En 1269, le vicaire général de Toscane est Jean Britand ; il désigne même des « sénéchaux » en Lombardie, pour les opposer au parti impérial : ainsi Guillaume des Roches, ou de la Roche ; sous son règne, à partir des années 1269-1270, sur 125 *justiciers* (gouverneurs) des provinces, 25 seulement furent Italiens et le français devient vraiment la langue de gouvernement.

Le parler français du Nord, celui des trouvères et donc international, s'impose alors à tous les écrivains à la fois comme une nécessité et un privilège, comme une marque de distinction. Ceci tout particulièrement dans les deux zones culturelles précisément fréquentées par notre Rusticien. Ce français était, on le sait bien, très apprécié à la cour d'Angleterre et dans tout le pays ; et de même, naturellement, à la cour d'Écosse qui entretient déjà avec la Flandre et Paris des liens privilégiés ; en 1328, les étudiants des collèges d'Oxford devaient converser entre eux et avec leurs maîtres soit en latin, soit en français.

Cette culture de cour est fort bien mise en évidence par Henry Yule lorsqu'il s'interroge sur la langue de Rusticien et montre à quel point l'usage du français avait même gagné des hommes qui ne le pratiquaient pas parfaitement comme leur langue maternelle. Rien de plus significatif à cet égard que cet exergue à l'une des versions d'un roman de la Table Ronde, écrit par l'un des familiers du roi d'Angleterre Henri III : « Je, Lucess chevalier et sires du Chastel du Gast, comme

chevaliers amoureus enprens à transalater du Latin en
Français une partie de cette estoire, non mie pour ce
que je sache grammant [= grandement] de François,
ainz [= mais] apartient plus ma langue et ma
parleure à la manière de l'Engleterre que à celle de
France, comme cel qui fut en Engleterre né, mais tele
est ma volentez et mon proposement, que je en langue
française le translaterai. » C'est bien ce que devaient
penser et décider ces poètes de cour en Angleterre et
Rusticien le premier. Voyons même, une génération
plus tard encore, Froissart qui vécut près d'Édouard
III et de la reine Philippa de Hainaut et écrivit, pour
eux, en français, ses *Chroniques*.

Mais surtout cette langue, à la suite des Croisades
et de l'établissement des Francs en Terre sainte, puis
dans les îles grecques, puis en Morée, grâce aussi aux
mariages des seigneurs croisés avec les princesses
arméniennes, s'est imposée dans tout l'Orient latin et
aux marges des royaumes francs comme un outil de
relations par excellence, véhicule de la pensée et de la
culture. Les colons et les chevaliers viennent principalement de Champagne, de Flandre, de Bourgogne
et d'Ile-de-France ou encore de Poitou et des pays de
la Charente; à partir de Louis IX qui, ne l'oublions
pas, résida avec la reine Marguerite et toute la cour,
plus de six ans en Terre sainte, à Saint-Jean-d'Acre en
particulier, les expéditions de secours et les traités
écrits pour préparer le « recouvrement de la Terre
sainte » sont d'origine surtout française. Sur le plan
culturel, littéraire en tout cas et peut-être artistique,
cette colonisation a marqué plus en profondeur
les pays d'Orient que celle, marchande, des Italiens.

Le français est naturellement parlé par les Chrétiens à Jérusalem, à Chypre, à Constantinople même et dans le Péloponnèse grec; ceci sans doute, sous réserve d'emprunts de toutes sortes au grec des îles, à l'italien des marins et des négociants, au latin des missionnaires que nous retrouvons d'ailleurs dans certains vocables ou formules plutôt hermétiques du *Devisement*. Un français donc très particulier parlé, selon l'heureuse expression de Jean Richard, « par des polyglottes redoutables capables d'écorcher trois langues avec une égale virtuosité »; une sorte de sabir, « un mélange, avoue un auteur d'Orient, franc lui-même, tel que personne ne peut comprendre notre language ». Mais, malgré tout, un parler qui fut sans doute à l'origine de la *lingua franca,* constamment usitée par la suite en Méditerranée et que pratiquaient non seulement les seigneurs des îles mais, fort loin de là, les Chrétiens dans tout le Proche-Orient, et même des princes musulmans.

Que le prince d'Arménie, Héthoum, ait, en 1307, vivant alors dans son couvent de Bénédictins, dicté, à Poitiers, son *Histoire des Mongols,* à Nicolas Faulcon et que celui-ci la rédige en français, cela ne peut surprendre. Mais sir John Mandeville n'écrit-il pas, parlant des Chrétiens, d'après lui fort nombreux, établis à Alep, que « *... loquntur linguam Gallicam, scilicet quasi de Cipro...* » (ils parlent la langue de France, comme les gens de Chypre)? C'est cette langue que le prince Édouard d'Angleterre, protecteur de Rusticien, lors de son voyage vers la Terre sainte, a dû entendre et peut-être pratiquer; en tout cas un parler qui ne pouvait qu'attirer la curiosité et

l'intérêt des poètes ou conteurs de sa suite. Et
Mandeville d'ajouter, par ailleurs, que le sultan
d'Égypte et quatre de ses principaux barons « *spak
Frensche righte wel* ». Le poète Baudouin de Sebourg
qui écrit sans doute peu de temps après la mort de
Philippe le Bel (en 1314), parle d'un royaume de
l'Inde nommé Baudas et d'une belle cité, Falise, où
régnait un roi Polibans : « Polibans sut François, car
on le doctrina : un renoiés (= renégat) de Franche,
sept ans i demora qui li aprist Fransois, si que bel en
parla. »

Ainsi rien d'étonnant à ce qu'un livre, mis en forme
par un trouvère familier de la cour d'Angleterre et, de
plus, dissertant des pays d'Orient, nourri sans doute
d'indications recueillies dans ces milieux francs du
Levant méditerranéen, ait été rédigé en français.
D'autant plus que ses auteurs, Rusticello surtout,
devaient penser à une diffusion la plus large possible,
à un grand succès auprès des princes, des nobles, de
tous les hommes curieux de connaître les merveilles
du monde.

D'autres écrivains, avant et après eux, ont suivi le
même raisonnement, soucieux de se faire davantage
connaître, de rencontrer, par ce seul choix, des
lecteurs plus nombreux. Henry Yule fait encore
remarquer que, dans les mêmes années, la *Chronique
latine* d'Amato du Mont Cassin fut traduite en
français par un autre moine de cette abbaye, à la
demande du comte de Malta (Mélitrée) « pour ce qu'il
sait lire et entendre fransoize et s'en délecte ». Plus
encore, Martino da Canale, Vénitien pourtant, contemporain de Marco Polo, écrit non un ouvrage de
portée universelle et encyclopédique mais une *Chro-*

nique de Venise où l'on trouve entre autres un bon récit de la sinistre bataille de Curzola, et rédige lui-même en français « porce que langue Franceise cort parmi le monde, et est la plus delictable à lire et à oir que nul autre, me suis-je entremis de translater l'ancien estoire des Venecians de Latin en Franceis ». En fait, il ne s'agissait pas, pour le début de cette chronique, de traduire une œuvre déjà composée mais de compilations et d'assemblages de fragments et de souvenirs, exercices auxquels s'était bien habitués quantité d'auteurs de cette époque, dont précisément notre Rusticello di Pisa, lors de ses séjours près des princes anglais. Et, pour le genre même, pour les sources et l'inspiration, pour la langue surtout, on établirait ainsi aisément un parallèle intéressant entre cette *Chronique* vénitienne à prétention historique et le *Devisement* à prétention encyclopédique et géographique.

Enfin, dernier exemple plus significatif encore de cet engouement pour le français qui saisit même les érudits italiens : Brunetto Latini, que nous appelons souvent Brunet Latin, toscan né à Florence, notaire comme pouvait l'être Rusticello peut-être, homme en vue du parti guelfe, chassé de sa ville après la défaite des siens à Monteaperti en 1260 et réfugié en France (on le trouve à Arras en 1263), écrivit aussi son œuvre monumentale, *Li Livres dou Trésor,* en français : « Et, dit-il, se aucuns demandoit por quoi cist livres est escris en Romans, selon le langage des François, puisque nos somes Ytaliens, je diroie que ce est a II raisons : l'une, car nos somes en France; et l'autre porce que le parleure est plus delictable et plus connue à toutes gens. » Paroles qu'aurait pu, tout aussi bien,

inscrire dans son préambule notre Rusticello qui, lui,
pourtant écrit à Gênes.

Brunetto retourna à Florence après la victoire du
parti guelfe, pontifical, en 1267. L'année 1275, il est,
situation tout à fait notable, consul de l' *Arte dei
Giudici e Notai,* un des sept arts majeurs de la cité; il
meurt à Florence en 1295, après avoir repris, toujours
en français, une autre version plus complète du
Trésor. Et lui, qui passe pour avoir été un des maîtres
de Dante, se trouve par celui-ci allègrement placé
dans un des cercles de l'Enfer de la *Divine Comédie,*
celui des Sodomites; ce ne sont, d'après l'ouvrage
monumental que Langlois a consacré à ces deux
auteurs et de l'avis de la plupart des commentateurs,
que des « torrents d'hypothèses cocasses ». Dante, tout
simplement, voulait ainsi le punir d'avoir employé la
langue française; mais Dante, dans ses pérégrinations
d'exilé, n'avait pas quitté l'Italie et l'on comprend que
s'opposent alors deux foyers culturels, deux façons de
concevoir le monde.

En fait, ces observations conduisent à souligner
l'importance, pour les écrivains et pour la production
littéraire, des voyages et des déplacements, des
contacts plus ou moins féconds avec le monde extérieur. Ce qui, par force, nous ramène à la politique et à
ses avatars. Comme pour les hommes d'affaires lancés
sur les routes ou les mers pour atteindre de lointains
marchés, l'exil pour les hommes de partis, pour les
Toscans en particulier, la nécessité de s'installer au
loin, la captivité pour certains, amènent les écrivains,
les érudits ou les conteurs à vivre dans des nations
étrangères, accueillis fréquemment par leurs princes.
Naturellement, dans tous les cas, ils recherchent une

protection et une notoriété. Une certaine forme de
mécénat commence par l'asile donné aux réfugiés. De
telle sorte que, par l'exil, se forme à la cour des princes
un milieu d'écrivains, souvent plutôt compilateurs,
très cosmopolites par leurs origines, mais se rencontrant volontiers par l'emploi d'une langue commune.
Aux alentours des années 1300, cette langue est
encore le français.

MARCO OU RUSTICELLO?

De Marco et de Rusticello, c'est évidemment ce
dernier qui connaît le français du Nord. Rien ne dit
que le Vénitien l'ait pratiqué; tout au plus a-t-il pu en
retenir quelques vocables et formules lors de ses
séjours en Orient, à Acre encore franque et à l'Ayas
arménienne par exemple. Visiblement, tout le mérite
de la rédaction revient au Pisan.

S'est-il simplement contenté de rassembler et de
transcrire? A-t-il ajouté du sien ou modifié, en tel et
tel endroit, l'esprit d'un premier texte?

Plusieurs critiques et commentateurs de l'ouvrage
ont fait justement remarquer que cette collaboration
n'avait alors rien d'exceptionnel et que, en effet,
plusieurs récits de voyage de cette époque, parmi les
plus importants et documentés de tous, ont été dictés
par les héros de l'aventure à des rédacteurs. Ainsi,
outre le *Devisement,* pour l'*Histoire des Mongols* de
Héthoum, prince arménien, mais aussi pour les récits
d'Oderic de Pordenone, d'Ibn Battoutah, du Vénitien
Niccolò dé Conti. Seuls les comptes rendus de

missions et d'ambassade, en forme de procès-verbaux ou plutôt de lettres adressées à un souverain restent, eux, l'œuvre d'un seul homme, le responsable. Pour les récits ou contes non commandés par la fonction même de leur auteur, gratuits, cherchant une fortune littéraire, le recours à un homme de métier semble s'imposer. Mais, naturellement, d'une façon variable et selon des équilibres, entre rôle du voyageur et intervention du relateur professionnel, bien différents d'une œuvre à l'autre.

Madame Bertolucci Pizzorusso, qui a consacré une importante étude à cet aspect de l'élaboration du *Devisement,* marque bien ces inégalités dans l'expression d'abord, dans la façon de conter l'histoire. C'est ainsi, par exemple, qu'Oderic ne cède jamais la parole à son « écrivain », Guglielmo di Soragna, tandis que, pour Ibn Battoutah, le célèbre voyageur arabe qui visite l'Inde et la Chine, son rédacteur, Ibn Giuzavy, utilise, dans le corps de son discours, des formules particulières pour s'annoncer lui-même (« ... et dit Ibn Giuzavy... que »). Par ailleurs, beaucoup plus tard, Niccolò de' Conti dont le voyage en Inde, en Chine et dans les îles de l'Insulinde avec retour par Aden et peut-être l'Éthiopie se situe entre 1401 et 1439, a livré toutes ses informations soit à des cartographes pour qu'ils travaillent en sa présence, soit surtout au célèbre humaniste Poggio Bracciolini – le Pogge des Français – qui incorpora le tout dans son propre ouvrage, intitulé *Historia de varietude fortunae.* Aucune évolution régulière donc avec le temps : tout dépend des personnages, d'un rapport de force, du genre littéraire aussi que les auteurs veulent réaliser et du public qu'ils désirent toucher.

Pour Marco et Rusticello, les choses ne paraissent pas claires, là non plus. Tout d'abord parce que la langue déconcerte par ses particularismes, ses orientalismes, par ses erreurs d'accords et de conjugaison; c'est un français bien souvent truffé d'emprunts à l'italien. Pour le même mot et surtout pour les noms propres, des orthographes différentes se rencontrent à quelques lignes d'intervalle. De plus, c'est visiblement un style oral. Tout cela marque sans aucun doute une réelle dépendance par rapport au récit immédiat, une réelle difficulté parfois à bien le comprendre, en tout cas à le transformer, le couler dans un autre moule. A l'évidence, Rusticello qui, le fait est bien établi, écrit lui-même et a choisi certainement cette langue française, butte sur certains vocables vénitiens que lui dicte son compagnon; il ne peut ni les saisir dans leur véritable contexte, ni les traduire convenablement; il se contente alors de les franciser, le plus souvent en en changeant tout simplement la terminaison, l'assonance. Ainsi, pour ne citer qu'un exemple significatif, le mot *saggio* qui, pour Marco désigne évidemment un poids de métal précieux, devient-il, sous la plume du Pisan, qui paraît bien ignorant du langage technique des hommes d'affaires, tout simplement *saie;* ce qui ne veut absolument rien dire... et conduit, d'ailleurs, le premier éditeur de l'un des manuscrits français, par une mauvaise lecture, à écrire *sac,* et à parler alors de sacs d'or et d'argent là où il n'est incontestablement question que de petits poids!

Cela dit, la part du Pisan dans la genèse de l'œuvre paraît importante, voire considérable : signe probant du « refus de communiquer sans passer par l'intermédiaire d'un lettré ». C'est pourquoi le texte dit une seule fois *mon* livre contre 32 fois *notre* livre. Le voyageur s'efface... S'il retrace dans le *Prologue* les circonstances qui ont porté les Polo, si loin, à bien connaître Kubilaï et les mœurs des Mongols, c'est surtout pour mieux présenter leur témoignage comme digne de foi, pour mieux se définir lui-même comme « home de grant sens et de grant valeurs ». Mais des épisodes qui le touchent de près et qu'il pourrait « raconter » personnellement, Marco ne parle pas ou presque jamais : rien, par exemple, sur d'hypothétiques transactions marchandes, rien, en tout cas, sur la malheureuse affaire de l'emprisonnement à Trébizonde qui, sur la voie du retour, devait compromettre tout le profit de leur épopée et perdre presque tous leurs achats.

Rusticello hésite constamment sur la façon de parler; ce sont les « *voci narranti* » discordantes, les formes verbales changeantes dont parle Madame Bertolucci : des ambiguïtés, surtout des discontinuités et donc de brusques coupures dans le débit; tantôt le *je* qui s'applique vraisemblablement à celui qui écrit (« je vais vous dire... »), tantôt le *il* pour parler des faits de Marco. Mais ces discordances, à vrai dire, s'expliquent aisément et marquent bien l'intervention du Pisan dans l'élaboration du discours.

Incontestablement, c'est lui qui mène le jeu. Il se présente comme le véritable conteur et revendique la paternité du récit, marquant souvent par une formule sans équivoque qu'il conduit le discours, décide des articulations, choisit les thèmes et rapporte les hauts faits de son héros. Marco Polo est alors présenté comme un personnage quasi épique, dont l'auteur dit les aventures et les mérites. Presque toujours le

Vénitien est cité à la troisième personne : « Et si vos di que messier Marc mesme fu... » ; ou encore : « Messer Marc demande à pluseurs gens de cel cité... mais il en apristent [= apprit] ce que je vos dirai. » Rusticello, de plus, n'hésite jamais à attirer l'attention de l'auditeur sur son propre récit : « Entendés... », « Ne entendés que... ». Il se corrige lui-même de quelque oubli et introduit, là où il le désire, ce qu'il a omis de conter à sa place ; parfois, certes, il en rend Marco également responsable : « Or sachiés que nos avavasmes dementiqué [italianisme pour « oublié »] une mult belle batallle » ; mais, en d'autres occasions et plus souvent, il parle pour lui seul : « mais si vos dirai une merveille que je avoie demantiqué » ou bien : « Et encore vos dis qucune cose... que je avoit demantiqué. » Dans l'expression verbale, le *je* l'emporte décidément. On a même l'impression que, par cette série de rectifications et d'explications, il veuille se montrer maître de la trame du conte : « Et retornerons par une autre voie en la cité de Cherman... », ou « Et por ce retornerons a nostres provences vers Baldascian... ». C'est lui qui guide l'auditeur non pas, je pense, sur les traces des voyageurs, mais selon un itinéraire tout abstrait, œuvre d'intellectuel, de conteur, qui sait bien ce qui convient le mieux à ce genre de récit.

Je crois aussi que, sur le fond, il prend liberté d'ajouter, de compléter ; il s'efforce d'expliquer, pour l'homme d'Occident, les mots difficiles d'origines orientales : « ... et porquoy s'appelent Caraonas, por ce que... ». Il lui arrive de donner des prix ou des revenus non seulement en marcs d'argent, mais aussi en livres ou sous tournois, qui sont bien les monnaies de France et de France royale, voire du Nord, en tout cas d'Ile-de-France; ainsi pour les beaux chevaux de Perse : « ... que bien vaut l'un, de celle monnaie tant qui vaut entour deux cens livres de tournois »; une façon de compter, on le conçoit bien, que le Vénitien ne lui a certainement pas apprise; il a fallu que Rusticello l'établisse lui-même ou qu'ils en parlent ensemble.

Enfin, certaines observations ou allusions, hors du contexte proprement oriental ou italien sont, à l'évidence de lui et apportent la preuve la plus manifeste de son intervention parfois décisive dans la rédaction elle-même, dans le choix ou l'invention des propos. Homme familier des pays d'Occident et du Nord, Angleterre et France, il lui arrive de s'y référer. Retenons par exemple, certainement le plus significatif, ce passage un peu noyé dans le discours où il parle des voyages vers le Japon ou la Malaisie et ses îles; il dit alors les raisons pour lesquelles on appelle cette mer la « mer de Chine », précisant « qui vault à dire : la mer qui est contre le Mangy »; c'est, dit-il, qu' « elle a ce nom ainsi comme on dist : la mer d'Angleterre en ce pays »; un autre manuscrit français précise même « et le mer de Rocell [= La Rochelle] ». Réminiscences géographiques du vocabulaire des marins, qui ne peuvent venir qu'à un homme qui connaît bien ces contrées, qui a navigué, précisément, sur la mer océane, vers les îles Britanniques.

Au total, force est bien d'admettre, entre les deux auteurs du *Devisement,* une collaboration étroite. Chacun apporte son propre génie et sa propre expérience. Que la masse documentaire ait été amenée par

Marco Polo, directement de ses observations ou par des informations indirectes, orales ou écrites, cela ne fait aucun doute. Mais Rusticello, sur cette documentation, a certainement beaucoup travaillé et donné cours à ses talents de compilateur nourris déjà et fortifiés par plusieurs entreprises. L'œuvre, par sa genèse même peut revendiquer – on l'oublie trop souvent – une double paternité; elle se présente presque constamment sous un double aspect, traduit deux conceptions différentes de la création littéraire. Évidemment, loin de se laisser enfermer dans une définition toute simple, elle déconcerte bien souvent.

CHAPITRE X

Un recueil de fables?

Le *Devisement du monde* répond à un public et, quelles que soient ses nouveautés et ses originalités, il s'inscrit dans une tradition ou, du moins, dans un genre littéraire. Le moule était déjà en place...

Malheureusement, sur ce point aussi, prévalent parfois des idées toutes faites, traduites en formules immuables qui s'imposent sans autre examen. Parce que Ramusio avait inséré le livre de Marco Polo dans sa collection des *Voyages illustres*, ce livre nous est encore souvent présenté comme un des plus curieux et sensationnels récits de voyage et prend place, communément, dans les collections de récits d'aventures, de découvertes des pays lointains. Mais c'est là une attribution totalement arbitraire, née, en quelque sorte, de ce hasard de publication, quelque deux siècles et demi après la rédaction de l'ouvrage et qui ne résiste pas à la moindre étude attentive.

Dans le *Devisement,* le compte rendu proprement dit des deux expéditions, celle de 1261 et celle de 1271, se trouve, on l'a déjà remarqué, étroitement confiné dans un *Prologue,* dans quelques rares et courts chapitres à vrai dire sans grand intérêt, où tout est rassemblé, condensé, d'une façon lapidaire. On n'y trouve aucune indication précise ou pittoresque sur les circonstances mêmes; les noms de lieux, les étapes sont escamotés. Nous restons, à lire ce *Prologue*, dans l'abstraction ou plutôt le vague le plus complet et nous voyons bien que ces chapitres n'ont été écrits que pour vanter les mérites de Marco et de ses parents. Le conteur ne s'abaisse jamais aux contingences matérielles. Dans les passages mêmes où il parle des ambassades, les raccourcis étonnent par un parti pris d'aller au plus vite, par une sorte de désinvolture, au moins de manque réel d'intérêt pour tout ce qui est extérieur aux hommes. Et ceux-ci, nous ne les voyons ni en route ni au repos sur le chemin, mais seulement reçus en audience par le Grand Khan ou un autre chef mongol. Tout est ici construit en fonction des réceptions et des dialogues, morceaux de bravoure qui forment l'essentiel du discours. En dehors de cela, rien ne compte et tout se ramène à des platitudes.

Et, dans le corps même du livre, on chercherait en vain quelque renseignement vraiment précis sur l'une des pérégrinations ou aventures du héros. Marco reste totalement muet sur quantité de points que ne manquerait pas d'évoquer, en toute première place, l'auteur d'un véritable récit de voyage soucieux de conter son exploit. Rien ici sur l'itinéraire même, sur le calendrier. Visiblement, ce n'est pas son propos.

Un « récit de voyage » où il est question de tout... sauf de voyages.

Ni manuel de marchand, ni récit de voyage, le *Devisement* ne se définit pas aisément et, finalement, ne peut se comprendre que si l'on veut bien oublier ces a priori, que si l'on accepte de tenir compte du rôle joué ici par Rusticello di Pisa, compilateur de romans de la Table Ronde, « abréviateur » de chants épiques et qui, certainement, ne se souciait absolument pas d'écrire un « récit » d'une entreprise vécue, au sens réaliste du mot. De plus et surtout, les deux auteurs tenaient forcément en mémoire quantité d'ouvrages de leur époque crédités de bons succès; d'où de nombreuses réminiscences, des souvenirs, plagiats même émaillant leur œuvre en de nombreux endroits. Tout ceci explique ce que nous appellerions des extravagances ou des fables.

POUR QUEL PUBLIC?

Comment imaginer le public pour qui les deux hommes composent et écrivent le *Devisement?* En fait, les circonstances de son élaboration le disent assez clairement. Rappelons que Marco, livré à lui seul, était resté trois années entières sans conter ses lointaines aventures; nous ne le voyons vraiment pas saisi du démon de l'écriture et tout porte à croire que, sans le malheureux destin qui le conduit prisonnier des Génois, le livre n'aurait pas existé. A Gênes, ni la captivité ni l'inaction ne peuvent expliquer sa décision; c'est la rencontre avec un praticien, curieux certes mais surtout expérimenté, qui le décide. Si bien que, dès le départ, le public attendu du *Devisement* n'est pas le « marchand » vénitien, italien même, mais bien l'homme auquel s'adressait d'ordinaire cet écrivain de métier. Nous voyons mal comment Rusticello aurait accepté la tâche, très lourde, de mettre en forme une telle masse de renseignements et de souvenirs pour n'écrire qu'un simple récit de voyageur, pour ne pas en tirer parti, servir sa renommée auprès d'une clientèle habituelle. Le livre doit manifestement répondre constamment à ses préoccupations et à celles des gens dont il connaît bien les goûts; il y veille, il s'emploie à circonscrire, à modeler le conte certainement assez désordonné, exubérant, sur une forme déjà familière.

Ce livre s'ouvre, comme d'ailleurs la plupart des ouvrages d'auteurs de l'époque, et même de traducteurs, par une apostrophe qui rappelle exactement celle des trouvères et jongleurs, pour attirer l'attention d'un auditoire; et, dès ce moment-là, la nature du discours et son but se définissent clairement. Rusticello s'adresse aux « Seigneurs, empereurs et rois, ducs et marquis, contes, chevaliers et barons... », un public de cour. Ce n'est donc pas un livre pour « bourgeois » mais bien pour gens de cour, pour leurs maîtres et leurs bibliothèques. Ce sont, on le sait, les princes et grands seigneurs qui l'ont fait recopier, en ont assuré le succès à travers tout l'Occident. Le premier manuscrit en français, celui du moins dont on a gardé trace, a été offert, en 1307 à Venise, par Marco Polo lui-même, à un chevalier français, Thiébault de Cepoy pour qu'il le remette à Charles de Valois, frère de Philippe le Bel.

Ces gens de cour, en France et en Angleterre surtout, nourrissent alors de grandes curiosités « humanistes ». La connaissance de l'univers s'impose à eux comme une marque de culture, un signe de bon ton. L'humanisme au sens large du terme, le souci de savoir et de comprendre tout ce qui se trouve dans le vaste monde, le désir de ne pas seulement se contempler soi-même dans son propre pays et son milieu habituel, gagnent déjà de nombreux adeptes chez les princes et dans leur entourage. C'est une mode certes, mais une mode qui répond à une mentalité.

Rusticello, toujours dans cette apostrophe initiale, interpelle tous les gens qui veulent connaître les diverses races et religions du monde, qui veulent entendre parler de grandissimes merveilles. On ne saurait mieux définir soi-même son propos : présenter une encyclopédie, vivante et alerte, des choses connues, des « merveilles » surtout, en s'appuyant, il le dit ensuite, sur les souvenirs d'un homme qui, plus qu'aucun autre, en a parcouru les routes et visité les provinces les plus lointaines et les plus reculées. En ce sens, et l'on ne peut tenir pour négligeable une indication si directe, le titre de *Devisement du monde* dit bien ce qu'il a à dire et convient parfaitement au contenu : un devisement, c'est un discours, présenté d'une façon familière, une agréable conversation. Ce titre nous prévient : « Nous allons vous présenter tout ce que l'on peut, d'une façon assurée, savoir sur ces pays étranges, sur ces merveilles encore inconnues. »

AUTORITÉS OU EXPÉRIENCES? LE POIDS DES FABLES

Les deux hommes portaient évidemment en eux un certain bagage culturel qui a pu guider les curiosités de l'un et la plume de l'autre. Toute observation

pertinente n'est pas, ici, toujours spontanée mais, bien
souvent, une simple référence à ce qui a été lu et
connu; c'est aussi, orientant les objets de la curiosité,
le plaisir sinon la nécessité de retrouver ce dont ont
parlé des auteurs anciens, des autorités, car c'est bien
une des constantes de l'époque que de s'abriter
derrière la certitude de l'écrit ancien, que de chercher
à vérifier plutôt qu'à découvrir et même parfois ne
voir le monde qu'à travers cette espèce de filtre.
Attitude d'esprit, curiosités a priori que nous rencon-
trons communément chez les voyageurs les plus
audacieux, bien plus tard encore jusque chez Christophe Colomb. Une attitude, une disposition qui font
que ces hommes, en quelque sorte, savent déjà avant
de partir ce qu'ils peuvent trouver d'intéressant, ce
dont ils devront parler avec enthousiasme à leur
retour.

C'est ce que nous pouvons lire, par exemple, encore
dans une courte mais fort intéressante relation du
voyage de Plan Carpin, rédigée par l'un de ses
compagnons, Benedetto Polono; pour décrire les
paysages bien étranges des steppes de la Russie
méridionale, celui-ci ne parle, en tout et pour tout, que
d'une seule plante, l'absinthe (*artemisia absinthium*),
dont on trouvait dit-il déjà une description dans les
écrits d'Ovide, exilé sur les bords de la mer Noire.
Tout le reste, le voyageur feint de l'ignorer, ne s'y
intéresse pas assez pour en parler : il sait que de telles
digressions ne rencontreraient pas d'écho.

Marco Polo, ou Rusticello, émaillent eux aussi leur
livre, pour les régions les plus occidentales en tout cas
du voyage, de réminiscences des connaissances antiques, de quelques hauts faits surtout. Sur plusieurs

points précis du récit, qui, à titre de témoignage de cette détermination et de ce choix, méritent examen, apparaissent clairement les différents aspects de cette confrontation entre l'autorité écrite et les apports de l'observation vécue. C'est ainsi que l'un ou l'autre se souviennent du passage d'Alexandre le Grand par le défilé proche de Derbent, le long de la mer Caspienne : « Et ce est la province que Alexandres ne put passer quant il vult aller au ponent, por ce que la voie est estroite et doueuse; car de l'un le [= côté] est une mer et de l'autre sont grant montaignes qui ne se peuvent chevaucher. » Là, dit le livre, le héros « fist fermer une tour moult fort parquoi ces gens ne peuvent passer pour venir sur lui. Et fu appelée la Porte de fer ». Un aussi long développement sur des souvenirs des hauts faits de l'Antiquité étonne quelque peu ici et rompt complètement le cours du récit et le déséquilibre, mais il marque bien l'attachement des lettrés et curieux de cette époque à la légende du conquérant. On trouvait, d'ailleurs, ce même discours, un peu plus long et comme toujours plus circonstancié, plus intéressant, dans Guillaume de Rubrouck qui, lui, décrit la ville de façon beaucoup plus minutieuse : « Elle a quelque demi lieue de long et, sur le haut de la montagne, y a un fort château; ...ses murailles sont très fortes, sans auccun fossé, mais a plusieurs tours basties de bonnes pierres de taille bien polies. »

L'auteur du *Devisement* ne fait donc, là comme en bien des points, que reprendre une tradition. Mais laquelle? historique ou légendaire? Celle de l'histoire des Grecs ou, au contraire, d'un roman forgé depuis peu? Sur ce point, le livre du Pisan ne laisse aucun doute : « Et ce est le lieu que le livre Alexandre conte comment il enclost les Tatars dedens deux montagne. » Ce livre de référence, c'est évidemment, l'*Histoire d'Alexandre*, ou encore *Roman d'Alexandre*, une des œuvres les plus connues et les plus appréciées à cette époque, appelée à connaître, pendant des siècles, un extraordinaire succès. Et c'est bien là un roman farci d'anecdotes et de fables de toutes sortes qui prétendait s'inspirer d'une lettre envoyée par Alexandre à Aristote (?!) mais qui, en réalité, reprenait diverses affabulations de plusieurs auteurs romains sur les merveilles de l'Inde; l'épisode le plus sensationnel étant, bien sûr, la longue poursuite par le héros grec du roi Porus à travers l'Inde : tremblements de terre et tempêtes de neige, colères du ciel, peuples monstrueux tels les hommes à tête de chien, monstres que Marco dit avoir rencontrés et qu'il décrit « nus, velus, fendus jusqu'aux nombril ». D'origine grecque mais accessible en Occident très tôt grâce en particulier à une version latine établie au Xe siècle, celle de l'archiprêtre Leo de Naples intitulée *Historia de proelis*, le *Roman d'Alexandre* avait connu dans les milieux de cour de France et d'Angleterre une grande fortune, notamment par une traduction en langue vulgaire, langue d'oïl, diffusée dans les années 1100, alors que son succès en Italie semble plus tardif.

Aussi ce rappel du livre d'Alexandre désigne-t-il, pour auteur ou inspirateur de ce long passage du *Devisement*, Rusticello, conteur de cour, qui ne manque pas là une belle occasion de faire à son public un clin d'œil facile. Ceci paraît d'autant plus évident que, si l'on suit bien son itinéraire, nous constatons sans mal que Marco Polo n'a pas eu possibilité, lui, d'admirer le défilé des Portes de Fer. C'est un épisode manifestement ajouté, qui n'a rien à voir avec les tribulations et les expériences du voyageur mais témoigne du désir de plaire, de répondre à ce qu'attendent des lecteurs ou auditeurs d'un récit qui parle des pays lointains et de leurs merveilles. Disserter, dans ce genre d'ouvrage, de l'Asie, sans rappeler au moins par allusion, les exploits d'Alexandre, paraîtrait une sorte d'incongruité; ce serait en tout cas bien maladroit.

Cependant, même pour de tels propos, Marco Polo intervient parfois, et alors le *Devisement* porte la marque d'une collaboration étroite entre les deux hommes. Pour les Portes de Fer, et sitôt cité cet épisode repris du *Roman d'Alexandre,* il précise qu'il n'est pas vrai que les ennemis du Grec étaient des Tartares, «car Tartars n'estoient point à cellui temps»; c'étaient des Coumans, «et autres générations assez». Rectification bien maladroite qui ne rétablit qu'une pauvre vérité mais montre ici le désir d'adapter la tradition à ce qu'il peut savoir par ailleurs, de concilier l'écrit et le réel.

De plus, en d'autres occasions, il parle d'Alexandre d'une façon différente, sans citer le roman et sans s'en inspirer directement. C'est d'abord à propos de la ville de Balkh : «et si vous di que, en ceste cité, prist Alexandre à femme la fille de Daire [= Darius] si comme ceux de la ville content»; puis, un peu plus loin, pour la province de Badakhchan dont les rois «sont descendu du roy Zulcarniain, qui vaut dire en françois Alexandre; car c'est pour l'amour du grant Alixandre». Ici, aucune autorité écrite de source occidentale mais une tradition orientale encore vivace

et recueillie sur place, ce qui donne au récit une autre
dimension et introduit le rôle immédiat et décisif du
voyageur, de Marco Polo.

Ainsi, pour Alexandre, dans un cas l'autorité des
livres écrits, dans l'autre le ouï-dire : complexité et
ambiguïté d'un jeu à quatre mains.

LES MODÈLES ET LA TRADITION

D'une façon plus générale, ce livre du Pisan et du
Vénitien, par ses choix et ses sources d'inspiration,
s'abreuve à des sources variées et cette diversité des
réminiscences ou des modèles le marque tout au
long.

C'est que, contrairement à ce que l'on pourrait
penser à la suite de tant de mauvais jugements portés
sur ces temps dits obscurs, les hommes de l'époque,
non pas seulement les érudits mais les simples lecteurs
curieux du monde, disposaient d'un fonds de livres,
manuels, encyclopédies de toutes sortes, étonnamment riches et dont certains, hérités bien sûr en droite
ligne de l'Antiquité mais largement diffusés, faisaient
autorité, retenaient constamment l'attention. Aussi
n'est-il pas bien difficile d'inscrire le *Devisement,* à sa
place avec certes quelques nouveautés et fantaisies,
dans la série des ouvrages didactiques qui peuplaient
alors les bibliothèques. Rusticello du moins savait où
trouver ses références.

Dans les dernières décennies du XIIIe siècle, la
connaissance du monde, thème majeur des curiosités,
s'appuie d'abord sur les *Bestiaires* qui montrent les
animaux des divers pays du monde – y compris bien

entendu les animaux fantastiques et les monstres – et sur les *Lapidaires,* traités des pierres précieuses et de leurs vertus. Ce sont des ouvrages savants qui démarquent souvent les Anciens : du *Physiologus* d'un auteur grec du premier siècle après Jésus-Christ qui fut traduit en latin mais aussi en arménien, en syriaque, en arabe et en langue slave, au *Livre des Gemmes* compris dans les *Étymologies* d'Isidore de Séville, œuvre du VIIᵉ siècle. Tous ces traités furent repris en langue d'oïl, aménagés, sans cesse enrichis, agrémentés de nouvelles anecdotes par leurs traducteurs. Le plus célèbre était sans doute, au temps de Marco Polo encore, Philippe de Taon, un clerc qui vivait près du roi d'Angleterre Henri II et dédia son *Bestiaire* avec quelques fragments succincts d'un *Lapidaire* à la reine Aelis (entre 1121 et 1135) puis à Aliénor d'Aquitaine elle-même. C'est dans ce livre que l'on trouve les fables habituelles sur la mandragore et sur l'onagre ou sur les pouvoirs exceptionnels, miraculeux et troublants des pierres précieuses, en particulier de l'agathe.

Ces croyances se sont trouvées renforcées, toujours dans le cours des années 1100, par la diffusion des *Livres des Merveilles*, composés et présentés comme des exégèses, des compléments ou des imitations de la si fameuse « lettre du prêtre Jean » qui, on y a déjà fait allusion, disait, sous la plume d'un prince mongol chrétien, les beautés et les richesses de ces pays; forgée de toutes pièces, elle eut, chez les clercs mêmes et les compilateurs, un retentissement considérable; « En ce temps-là, sous l'année 1165, Jean, roi des Indes [?] adressa à plusieurs princes de la Chrétienté des lettres fort étonnantes », écrivait alors, dans sa très

sérieuse *Chronique,* Aubri, abbé de Trois-Fontaines.
En fait, ces livres ne faisaient que reprendre un genre
connu dans l'Antiquité et qui remontait aux deux
traités de Ctesias, historien grec du VIe siècle avant
Jésus-Christ, l'un sur la Perse, *Persika,* l'autre sur
l'Inde, *Indika;* tous deux recueils de fables ou de
merveilles largement complétés plus tard par les
comptes rendus de Mégasthènes, ambassadeur en
Inde du souverain hellénistique Seleucis Nicator,
héritier d'Alexandre, et par la suite divulgués en
Occident sous la forme toute d'invention d'une « Lettre d'Alexandre à Aristote et à Olympies sur les
merveilles de l'Inde ». D'autre part, dès la fin du
VIIIe siècle, les érudits d'Angleterre composaient en
latin divers traités sur les bêtes sauvages et les
monstres (*De belluis et monstris*) prétendant, eux,
suivre une lettre adressée à l'empereur Hadrien par un
de ses officiers, explorateur, sur les merveilles de
l'Inde. Alexandre, Hadrien, le prêtre Jean : trois
autorités qui finissent forcément par se concurrencer
ou plutôt par se confondre.

Les *Livres des Merveilles* font fortune pendant des
siècles et présentent les plus étonnants recueils d'anecdotes ou de fables sur les bêtes étranges, sur les
monstres, sur les peuples sauvages aux physiques
stupéfiants, sur les Pygmées, sur les peuples de Gog et
de Magog. On y parle aussi des palais de rêve des rois,
de la récolte du poivre et des perles. De toute
évidence, l'auteur de plusieurs chapitres du *Devisement* s'en inspire d'assez près et il n'est pas assuré
qu'il ait songé à décrire les pêcheurs de perles du
royaume de Maabar si la scène n'avait, depuis
longtemps, été rapportée par tous ces livres des

merveilles. Marco Polo, ou plutôt Rusticello, pour parler des richesses et étrangetés de l'Inde ménage ses effets pour répondre à toutes les attentes.

Les fables sur les géants, la description de l'île de Taprobane (Ceylan) se trouvaient déjà dans un écrit appelé *Mappemonde* dédié au comte Robert de Dreux, par un clerc nommé Pierre, auteur par ailleurs d'une *Vie de saint Eustache*, de plusieurs moralités en vers (*La diète de l'âme et du corps* par exemple) et d'ouvrages pseudo-historiques, tels le *Voyage de Charlemagne à Jérusalem*; un homme qui avait également composé un *Bestiaire* à la demande de Philippe de Dreux, évêque de Beauvais (1175-1217), bien connu pour sa grande curiosité et ses aventures en Terre sainte.

Nos auteurs du *Devisement* pouvaient enfin, plus près d'eux dans le temps, trouver d'autres animaux monstrueux et de très intéressantes descriptions des bêtes sauvages ou domestiques de l'Inde dans un interminable poème de 6 600 vers, l'*Image du Monde*, écrit dans les années 1200 ou environ, en dialecte lorrain, par un ou deux clercs, Gossuin puis Gautier de Metz; le succès en fut si vif qu'il fallut, aussitôt après, pour une nouvelle présentation, y ajouter plus de 4 000 vers.

Mais, de l'avis de tous, l'encyclopédie par excellence et ouvrage de référence, est bien alors, au moment où nos deux captifs conversent à Gênes, le fameux livre de Brunet Latin. Son *Livres dou Trésor*, dit aussi *La Naissance de toutes choses*, dédié à un ami français, protecteur resté anonyme, connut aussitôt un grand succès. Il fut immédiatement traduit en toscan et nous en conservons de très beaux manuscrits

enluminés à peine plus tardifs que la rédaction.
Charles V devait en avoir plusieurs exemplaires dans
sa librairie du Louvre.

Là aussi abondent les fables de toutes sortes sur les
merveilles de l'Inde, les descriptions d'animaux fantastiques tels, par exemple, le basilic. Et pourtant,
déjà, ce *Trésor* n'est qu'une compilation, ce dont
Brunet convient aisément : « Et si ne dis-je pas que ce
livre soit estrait de ma povre sens, ne de ma nue
science; mais il est comme miel cueilli de diverses
fleurs. » L'auteur visiblement s'est inspiré de Pline, de
saint Ambroise, d'Isidore de Séville, soit directement,
soit plutôt en se servant d'une première compilation,
le *Fait des Romains*, élaborée en France sous le règne
de Louis IX.

Ainsi, depuis deux siècles environ, en Occident et
plus particulièrement en France et en Angleterre,
s'étaient multipliés, répondant à de vives curiosités, de
nombreux ouvrages encyclopédiques qui s'efforçaient
de reprendre ou de transcrire l'héritage des Anciens.
Ce fut alors, comme un premier humanisme, une
extraordinaire floraison de traités didactiques, de
manuels, de dictionnaires mêmes, qui, avant tout,
s'appuyaient sur des autorités, sur des traditions et
qui, à aucun moment, ne cherchaient à contredire ou à
mettre en doute les vérités admises, c'est-à-dire, bien
souvent, tout un fonds de fables et de merveilles, part
essentielle du bagage culturel. C'est là un trait de
mentalité collective que, bien entendu, nous rejetons
de nos jours comme un signe d'obscurantisme; mais,
alors, la recherche des connaissances s'accommodait
très bien de la croyance aux merveilles.

Ces merveilles hantent toutes les imaginations et

leurs représentations s'étaient imposées comme des certitudes inébranlables pour les conteurs et les artistes. Les cynocéphales – hommes à têtes de chiens – se trouvent au tympan de l'église de Vézelay et le sinapod – homme à un seul grand pied – à celui de la cathédrale de Sens. On rencontre même ces hommes difformes, monstrueux ou simplement étranges, parmi les figurines qui ornent les cartes géographiques, telle par exemple celle de la cathédrale de Hereford, qui date des années mêmes du voyage de Marco Polo et de ses parents.

Les auteurs du *Devisement,* ni Marco ni Rusticello surtout, ne pouvaient s'affranchir de ce fonds culturel et décevoir chez leurs futurs lecteurs de telles habitudes. Il est bien certain que les deux hommes se sont trouvés devant des choix constamment renouvelés et difficiles. Ils désirent, sans aucun doute, présenter un autre traité des merveilles du monde, plus riche, plus complet que tous les autres, plus attractif aussi; et ils savent bien les règles du genre. Mais, pour la première fois depuis les temps antiques, ils disposent de sources d'informations nouvelles, d'une extraordinaire variété, différentes des ordinaires compilations des auteurs grecs ou romains et de leurs traducteurs. Ainsi pouvaient-ils puiser d'une part dans les observations du Vénitien lui-même sur les innombrables provinces visitées au cours de ses pérégrinations et, d'autre part, dans les légendes orientales, les écrits des auteurs arabes, chinois, ou persans que Marco avait certainement connus et utilisés. Entre respect de la tradition pour ne pas décevoir une attente et désir de se démarquer de l'habituel en offrant de belles nouveautés inédites, le parti à prendre méritait certes réflexion.

En fait, Marco ne néglige ni l'un ni l'autre. Lorsqu'il décrit, bien vite il est vrai, la grande île de Madagascar, il rapporte complaisamment une toute nouvelle fable, celle de l'oiseau monstrueux appelé le Roc, capable de porter un éléphant dans ses serres : c'est, dans la mythologie indienne, l'oiseau *Garuda* dont parlent les auteurs persans et arabes, et que Ibn Battoutah, grand voyageur, dit avoir vu dans les mers de Chine. D'autre part, l'anecdote sur la façon d'extraire, en Inde, les diamants des vallées profondes en y jetant des morceaux de viande que vont chercher des oiseaux rapaces, se trouve en toutes lettres dans une relation de l'expédition mongole contre la Perse écrite par Liu Yu, commissaire chinois qui accompagnait l'armée.

En d'autres occasions, le *Devisement* mentionne les propres observations faites sur le vif par le Vénitien et rectifie même telle croyance, telle image pourtant bien ancrée dans l'esprit des hommes de son époque.

Lorsque Marco parle de Sumatra, qu'il appelle Java la Mineure, il sait très bien décrire le rhinocéros et dire que cette « unicorne » ne ressemble en rien à celle que lui présentaient les conteurs et les imagiers; la bête a les poils d'un buffle et les pieds d'un éléphant et, sur le front, une très grosse tache blanche et, en tout cas, « c'est une moulte laide beste à veoir, et n'est pas telle comme nous disons de ça qu'elle se prend au giron d'une pucelle vierge; mais c'est tout le contraire ». Mise au point décisive, qui contredit l'image fabuleuse communément admise. C'est que notre conteur, il le dit lui-même, est resté cinq mois de suite dans la grande île...

De même aussi pour l'amiante, dont il décrit longuement les procédés d'extraction dans les mines de la région d'Ourantsi; cette salamandre – c'est ainsi qu'il l'appelle – n'est pas du tout une bête comme on le croyait souvent, car nul animal, dit-il, ne peut vivre dans le feu. Et de rapporter très exactement comment il fut mis au fait du travail des mineurs par un de ses compagnons turcs qui était resté dans ce pays pendant trois ans « pour faire traire de ces salamandres pour le seigneur »; et de décrire cette matière qui est comme du filé de chanvre ou de laine, que l'on fait laver puis sécher, et que l'on travaille ensuite comme des filés ou des meiches : « Ainsi est la vérité de la salamandre, non autrement... car qui le diroit autrement ce seroit bourde et fable. »

Affirmation péremptoire, appuyée non sur une observation personnelle mais sur un bon rapport d'un spécialiste et qui, cette fois, ne peut être que le fait de Marco Polo lui-même imposant, contre la tradition dont Rusticello pouvait être le tenant, sa propre connaissance. Ainsi saisit-on, parfois, les règles ou les péripéties de cette collaboration entre deux auteurs.

A vrai dire, le discours oscille et hésite sans cesse entre les deux attitudes, et reflète cette double inspiration, le caractère ambigu de l'œuvre. On peut se demander, hors quelques cas très nets, jusqu'à quel point Marco Polo désirait imposer ses certitudes; jusqu'à quel point surtout Rusticello était disposé à admettre toutes les nouveautés que lui aurait dictées son compagnon d'infortune. Le genre choisi ne se prêtait pas à de considérables innovations ou audaces.

N'oublions pas que si, dit-on, le Vénitien fut traité d'imposteur par nombre de ses contemporains, ce n'est pas tellement à cause des chiffres extravagants de ses estimations lorsqu'il disserte des richesses de la Chine et de l'Inde, ni à cause des merveilles et des fables contées mais bien parce que celles-ci ne correspondaient pas toujours à celles jusque-là rapportées dans les bons livres.

Au total, aucun auteur chrétien n'avait pu disposer, certainement, d'une telle masse de renseignements, étendus sur de si vastes espaces. Mais le *Devisement* n'en tire qu'un parti limité, comme si l'écrivain se sentait constamment retenu ou contrôlé. Ainsi le livre issu de cette confrontation reste-t-il fidèle, conforme à un genre surtout encyclopédique, didactique et qui, dans l'ensemble, en respecte les conventions.

Défini par les conditions de son élaboration, par les apports réciproques de ses deux auteurs, par la nature même du discours, l'ouvrage perd naturellement beaucoup de son intérêt, en tout cas de son originalité. On ne peut le taire : le *Devisement,* à l'examiner vraiment et s'en imposer une lecture continue, ne répond pas à l'idée que l'on pouvait s'en faire a priori. La personnalité du Vénitien, sa vie aventureuse, ce que nous savons de ses voyages sur terre à travers toute l'Asie et sur mer tout autour du continent, tout cela nous faisait rêver d'un beau récit documenté, alerte, pittoresque... Nous restons complètement sur notre faim. Dans ce domaine, d'autres relations, de la même époque pourtant, séduisent davantage. Celle de Guillaume de Rubrouck, par exemple, beaucoup plus courte certes mais tellement plus vive, plus circonstanciée et personnelle, s'impose par une tout autre qualité d'écriture; elle se lit bien et retient l'attention tandis que le *Devisement*, simple ouvrage d'auteur et non compte rendu, sacrifie encore à un genre déjà ancien, celui de la compilation. Et c'est dans ces limites que le livre fut reconnu et apprécié.

UN LIVRE PARMI D'AUTRES

Mais de quelle façon? Peut-on dire qu'il valut au Vénitien une notoriété immédiate? Certainement pas et nous pouvons nous interroger sur cette fortune littéraire qui, de nos jours semble indiscutable mais qui, somme toute, fut limitée ou, en tout cas, relativement tardive.

S'il est évidemment difficile d'apprécier le succès d'un livre à cette époque, du vivant de son auteur, on perçoit tout de même que celui-ci ne se situe pas d'emblée parmi les ouvrages que l'on s'arrachait ou que l'on recommandait comme de grandes et remarquables nouveautés.

Étudiant la fortune du *Devisement*, Henry Yule présente sur ce point diverses remarques significatives. Un grand nombre de copies certes circulaient dès les premières années du XIVᵉ siècle, non dans la langue originale ni dans la version italienne mais plutôt dans un abrégé latin composé par Pipino, érudit vénitien, auteur lui-même d'une *Chronique* dont certains passages, tels ceux où il parle du Vieux de la Montagne et des Tartares, sont manifestement inspirés de Marco Polo. Est-ce cet écrivain déjà connu qui aurait aidé à la diffusion de l'œuvre de son compatriote, pour mieux promouvoir son propre livre et donner ainsi des références nouvelles à ses histoires ou contes? Son autorité était-elle alors suffisamment assise dans le monde des érudits puis humanistes italiens?

Quoi qu'il en soit, des manuscrits de ces premières années 1300, il en resterait, dans nos diverses bibliothèques, environ 80; chiffre appréciable certes mais non remarquable si nous l'opposons aux quelque 500 exemplaires de la *Divine Comédie* – sans conteste le grand succès littéraire du siècle – ou même aux 63 copies du récit, infiniment plus court et plus pauvre, d'Oderic de Pordenone. Le *Trésor* de Brunet Latin, œuvre de seconde main, travail didactique et parfois très abstrait, simple compilation composée à partir d'écrits déjà connus par un homme qui n'avait rien vu, se hausse aux mêmes chiffres que l'œuvre originale de Marco Polo. Et, plus tardif, le *Livre des Merveilles* de John de Mandeville, fut, en son temps, bien plus largement diffusé que le *Devisement*.

Pour confirmer ces indications quelque peu déconcertantes, notons aussi que tous les auteurs du temps qui se targuent de parler de l'Orient et de la Chine à cette époque ne se réfèrent pas forcément à Marco Polo comme à une autorité incontestable et certains, non des moindres, ne semblent même pas l'avoir lu. Certes, nous trouvons son nom, avec celui de Héthoum, le prince arménien, dans Giovanni Villani lorsque celui-ci parle des Tartares, peuples nomades de l'Asie. Pietro de Albano, médecin et philosophe célèbre, dans un savant ouvrage intitulé le *Concilia-tore (Conciliator differentiarum philosophorum precipueque medicorum)* et largement diffusé en Italie dans ses versions latine et vulgaire, fait état d'observations célestes dues à Marco Polo et que ce dernier n'a pas rapporté dans son livre; il dit qu'il a bien connu personnellement le grand voyageur et rapporte l'intégralité d'une conversation au cours de laquelle Marco lui a décrit les étoiles des constellations au sud de l'équateur, plus particulièrement une grande étoile, « en forme de sac », avec une grande queue dont le Vénitien lui aurait même dessiné la figure; pour la croix du sud, il la lui présentait comme un astre de peu d'éclat (« *lumen modicum* »); c'est alors le « fragment de nuage » bien connu des marins et des astronomes musulmans, souvent appelé, beaucoup plus tard, « *la Nube di Magellano* ». Certes, des observations intéressantes mais, on le voit, pas tellement nouvelles et qui, en tout état de cause, n'apparaissent pas dans le *Devisement*.

Dante ne fait aucune mention du Cathay dans la *Divine Comédie* ni du Vénitien. Plus significatif encore le silence de Marino Sanudo l'Ancien qui parle de l'Orient, de l'Asie et de l'*Histoire des Mongols* de Héthoum mais ne souffle pas mot des aventures de son compatriote. Et de même, pour nous en tenir aux noms les plus célèbres, pour Francesco de Barberino (1264-1348), auteur d'un ouvrage intitulé *Del Reggimento e de' Costumi delle Donne* où il est certes question du Cathay mais pas du tout du *Devisement*.

Ainsi une fortune très inégale... Le nom et l'œuvre ne s'imposaient absolument pas. A vrai dire, il semblerait que le livre ait davantage retenu l'attention des « romanciers », des poètes, compilateurs encore, que des véritables savants, curieux de leur temps.

Jacopo di Aqui, auteur de l'*Image du Monde*, traité
d'inspiration et de forme traditionnelles, reprend bien
des passages et des histoires du livre de Marco Polo;
ceci, d'ailleurs, dans un invraisemblable désordre,
confondant tout et ne comprenant rien : « Les Tartares, lorsqu'ils sont descendus de la montagne, se sont
choisi un roi, le fils du prêtre Jean, vulgairement
appelé le Vieux de la Montagne... » délicieux raccour-
ci... Nous retrouvons les mêmes emprunts avec, il est
vrai, plus de discernement, dans le célèbre roman dit
*Li Romans de Bauduin de Sebourc IIIe roy de
Jhérusalem*, qui compte aussi de très nombreux
démarquages du *Devisement* : sur le Vieux de la
Montagne encore, sur le calife des Musulmans, sur la
ville de Samarkand. De même, enfin, pour cet abbé de
Saint-Bertin, appelé Jean de Ypres ou Jean de Lay,
collectionneur semble-t-il de récits de voyage et, en
tout cas, traducteur de plusieurs d'entre eux qui, dans
une *Chronique* écrite vers 1350, parle en plusieurs
lignes des mérites de Marco Polo et, fait exceptionnel,
disserte de ses aventures.

Si bien que l'on incline à penser que la renommée
du *Devisement* s'est, d'abord, surtout affirmée par
tout ce qui liait cette œuvre à la tradition des contes de
cour, des romans de chevalerie et, plus encore, des
traités encyclopédiques; tout ce qui, en somme, serait
dû plutôt à Rusticello di Pisa.

Et c'est bien en effet dans les librairies de cour,
celles des grands seigneurs et des princes, que le livre
s'impose, inévitable, comme une des œuvres à la mode
qu'il faut posséder. C'est un ouvrage séduisant,
enrichi de belles histoires de combats guerriers et de
descriptions des merveilles, qui répond donc parfai-

tement aux goûts des hommes qui font la mode, aux
curiosités des mécènes. L'étude de quelques inventaires de bibliothèques que nous avons conservés montre
tous les princes, en Italie et plus encore en France,
mettre en bonne place le livre, dans l'une de ses
versions au moins, parmi leurs beaux volumes reliés et
enluminés. Ce sont bien souvent des objets de prix, de
luxe même. Charles V en possédait au moins trois
exemplaires, tous trois en français, dont un « bien
escript et enluminé », couvert de drap d'or, qui valait
quinze sous (dix et douze sous pour les autres).

Mais, en dernière analyse, la façon dont s'était, au
cours du temps, effectuée cette diffusion mérite
quelque réflexion. Le livre se présente sous différentes
formes, sous différents titres du moins; on dit le
Devisement du Monde, mais tout autant le *Livre des
Merveilles* et, plus souvent, sans préciser davantage,
le *Livre de Marc Paul*. Ce qui témoigne déjà de façons
diverses de le recevoir, de l'apprécier. Surtout, la
plupart du temps, il ne s'impose pas seul, mais plutôt
comme partie d'une bibliothèque des aventures et des
connaissances, toujours renouvelée et enrichie. Jean
de Berry, par exemple, passionné par tout ce qui parle
des terres lointaines, curieux d'objets étranges et
merveilleux, possède trois exemplaires du livre de
Marco Polo, mais aussi les récits de pèlerinage de
Wilhem de Boldense et de Ricold de Montecroce,
ceux de voyages plus lointains avec Oderic de Pordenone et Jean de Mandeville. Philippe le Bon puis
Charles le Téméraire avaient à plusieurs reprises
envoyé des ambassadeurs dans l'Orient musulman et
en Perse s'enquérir de ces pays; ainsi Bertrandon de la
Broquière et Anselme Adorno. René d'Anjou et de

Sicile gardait dans ses coffres certes les trois exemplaires du *Miroir* de Vincent de Beauvais et un *Livre des merveilles du Monde* qui lui venaient de son aïeul Louis 1ᵉʳ, mais avait lui-même acheté l'*Histoire d'Alexandre*, vaste compilation de textes anciens et chevaleresques, et un volume intitulé *Description des parties orientales*. N'est-ce pas lui qui fit composer aussi par un de ses familiers, Antoine de la Salle, cette *Salade* qui n'est pas seulement un traité d'éducation pour un jeune prince mais aussi une description attentive des terres et des mers, des principales contrées du monde et de leur configuration?

En fait, de nombreux auteurs écrivent à leur tour sur l'Orient lointain et le fabuleux royaume du Cathay, qu'ils ne connaissent que par ouï-dire ou plutôt pour avoir beaucoup lu, inlassablement, les mêmes livres. La plupart de ces écrivains de profession, compilateurs encore plus ou moins bien inspirés, n'ont jamais vraiment voyagé et surtout pas si loin. C'est de cette façon, dans cette ligne, que s'affirme un extraordinaire succès de librairie, celui du fameux *Livre des Merveilles* de Jean de Mandeville. Sir John de Mandeville, anglais né à Saint-Albans, homme de cour lui aussi, écrit en 1371 un livre où il prétend présenter le récit authentique d'un interminable voyage à travers les contrées mystérieuses de l'Asie. Ce n'était, à vrai dire, qu'une sorte de mystification car, à l'évidence, l'auteur n'a rien connu de ce qu'il écrit. Mais habilement composé de pièces et de morceaux, tout à fait conforme aux goûts du temps, rédigé d'abord en latin puis en anglais et en français, cet ouvrage, repris par la suite en 1371 et 1390, connut une fortune qui, très certainement, éclipse de loin celle du *Devisement*; de ce *Livre des merveilles*, il nous reste plus de 250 manuscrits originaux et, imprimé à Lyon, en français, en 1480, on en connaît, pour les années suivantes, 35 éditions différentes.

Pendant plus d'un siècle encore, nombreux sont les écrivains qui suivent, tout simplement, la même veine de ces contes plus ou moins fantastiques, sur les pays lointains, sur les merveilles de l'Inde. C'est ainsi que Christine de Pisan elle-même, que l'on ne s'attendrait pas à rencontrer en telle compagnie de pseudo-aventuriers, auteur surtout connue de nos jours pour son *Livre des faits de Charles V*, femme de cour, nous conduit, par son *Chemin de longue estude* (1402), à travers les déserts affreux de l'Asie, peuplés de bêtes monstrueuses, jusque dans les terres fabuleuses du Grand Khan, jusqu'à « la riche isle de Cathay; puis, allant vers l'Orient toujours, je vis la vigne que le poivre porte »; une évocation toute fantaisiste, exubérante, qui culmine au moment où elle parle de la terre du prêtre Jean : « Bref, y vit d'estrangetés, que ne pourrait le fait conter, en cent ans si je vivais autant. »

Ces écrivains ne se lassent jamais de répéter les mêmes fables et, dans cette littérature surtout d'invention, le livre de Marco Polo s'inscrit délibérément, du fait des choix de Rusticello, comme un ouvrage parmi d'autres, pas vraiment différent, un peu noyé dans cette masse d'écrits, pas davantage apprécié et même moins apprécié que d'autres. Il hérite d'une forte tradition qu'il transmet à son tour, comme d'un relais, à peine enrichie, malgré l'extraordinaire expérience vécue par le Vénitien, d'éléments nouveaux.

Tout naturellement, selon les habitudes de l'épo-

que, ce livre fut soumis à toutes sortes d'aménage-
ment, abrégé, incorporé dans de vastes recueils ou
compilations dont il n'est plus alors qu'un seul
élément, parfois relativement modeste. C'est ce qui
arriva pour ce manuscrit, célèbre entre tous, conservé
encore à la Bibliothèque nationale de Paris, livre
magnifiquement enluminé par plusieurs artistes
renommés tel le Maître de Boucicault et le Maître de
Bedford, et dont les images (265 belles enluminures
au total), souvent reproduites, parlent si bien à nos
imaginations. Ce livre préparé pour le duc de Bourgogne, Jean sans Peur, dans les années 1410, puis
offert par celui-ci à Jean de Berry, se présente, comme
tant d'ouvrages de ce temps, comme un recueil
complexe de différents textes, mais traitant tous des
voyages ou des missions en Orient, des nouveautés et
étrangetés des mondes lointains. On y trouve certes,
mais pas en première place, un abrégé du livre de
Marco Polo, dit ici *Livre de Marc Paul et des
Merveilles*, puis les récits d'Oderic de Pordenone et de
Wilhem de Boldense, le *Livre des Merveilles* de Jean
de Mandeville, l'*Histoire des Mongols* du prince
Héthoum et, enfin, le livre de Ricold de Montecroce
(1294-1309), à peu de chose près contemporain de
celui de notre Vénitien; six auteurs différents, parlant
tous de l'Asie, auxquels on a ajouté, pour bonne
mesure, les lettres écrites au Grand Khan par le pape
Benoît XV et, aussi, un traité sur l'*État du royaume
du Grand Khan* rédigé par Jean de Cor, archevêque
de Sultanieh, en Perse. Un livre fort riche donc, fait
d'assemblages assez curieux, qui se voulait certainement une somme de tout ce qui avait été écrit sur ces
pays fabuleux; le titre lui-même dit bien ce but

recherché : « Les merveilles d'Asie la grant et d'Inde, la majeur et mineur et des diverses régions du monde. » Sans aucun doute le *Devisement* est, là, bien à sa place, modestement.

Le héros ou le drôle?

Cette petite gloire, si mesurée, ne prend un autre éclat, enfin plus brillant, que beaucoup plus tard, lorsque Ramusio, en 1553, fait de Marco Polo une sorte de héros de Venise et même de toute l'Italie, publiant une nouvelle version de l'ouvrage, écrivant de sa main une longue préface, fort pittoresque, enrichie de toute une série d'inventions pour mieux donner corps et vie à un personnage qui, il faut bien le dire, en manquait encore singulièrement. C'est dans cette préface tardive, et là seulement, que nous trouvons les fameuses scènes du retour au bercail, les merveilleuses descriptions des costumes et des bijoux rapportées par les voyageurs. Et c'est ainsi que s'est forgée une légende, de toutes pièces, par une seule initiative d'auteur; cette légende qui nous reste encore...

A Marco, Ramusio fit même élever une statue à Padoue! Tout naturellement, mais par pur artifice, par désir d'exalter un grand moment des entreprises vénitiennes, il fait de son héros le seul auteur, exclusif, du livre, gommant vigoureusement et sans vergogne tout autre participation; Rusticello disparaît, sa personnalité s'enfonce dans un profond oubli dont seuls quelques spécialistes curieux et non conformistes auraient pu le tirer. La renommée fait ainsi du

Devisement – on dit plus volontiers les *Merveilles* ou
le *Milione* – le véritable récit des voyages du héros :
erreur et abus de confiance, appropriation tout à fait
excessive qui cache, on l'a vu, toute une face de
l'œuvre.

Sans doute est-ce aussi dans ces années-là, vers
1550, que s'est accréditée la légende du *Milione*,
nouveau nom appliqué au voyageur, ou à son livre. Un
nom qui devait connaître et connaît encore une
étonnante fortune.

Un sobriquet ? C'est encore Ramusio qui l'affirme.
De fait, il semble bien que, à Venise, lors du Carnaval,
certains masques tenaient le rôle de *Marco Milione*,
déclamant à plaisir des histoires imaginaires, des
merveilles incroyables... Célébration plutôt de l'insolite, des étonnantes étrangetés. Rien, peut-être ne
pouvait mieux convenir et au personnage et à ses
façons de conter. Un homme d'action, avisé sans
doute, en tout cas, habile faiseur de fables.

BIBLIOGRAPHIE

RÉCITS DE VOYAGE

Marco Polo

MÁRSDEN (W.), *The Travels of Marco Polo, translated from the italian, with notes*, Londres, 1818.

MURRAY (H.), *The Travels of Marco Polo*, Edimbourg, 1844.

LAZARI (V.), *I Viaggi di Marco Polo, descritti da Rusticiano di Pisa, tradotti per la prima volta dall'originale francese*, Venise, 1847.

WRIGHT (Th.), *The Travels of Marco Polo*, Londres, 1854.

PAUTHIER (M.G.), *Le Livre de Marco Polo, citoyen de Venise*, 2 vol., Paris, 1865.

FOSCOLO BENEDETTO (L.), *Il Milione*, Milan, Rome, 1932.

OLSCHKI (L.S.), *Il Milione*, Florence, 1928.

MOULE (A.C.), PELLIOT (P.), *The Description of the World*, 4 vol., Londres, 1938.

HAMBIS (L.), *La Description du Monde*, Paris, 1955.

RAMUSIO (G.B.), *Delle Navigazioni e Viaggi*, t. II, Venise, 1550-1559.

YULE (H.), CORDIER (H.), *The Book of Ser Marco Polo, the Venetian, concerning the Kingdoms and Marvels of the East*, 2 vol., Londres, 1871.

PENZER (N.M.), *The most noble and famous Travels of Marco Polo*, Londres, 1929.

T'SERSTEVENS (A.), *Le livre de Marco Polo ou le Devisement du Monde*, Paris, 1953.

Missionnaires et voyageurs d'Occident

D'AVEZAC, « Voyage de Jean Du Plan de Carpin », *in : Recueil des voyages et Mémoires de la Société de Géographie de Paris*, t. IV, Paris, 1839.

BECQUET, HAMBIS (L.), *Histoire des Mongols, (Guillaume de Rubrouck)*, Paris, 1965.

Sinica Franciscana, t. I.

ROCKHILL (W.W.), *The Journey of William of Rubruck*, Londres, 1900.

VAN DEN WYNGAERT (A.), « Giovanni di Montecorvino; Epistola I », *in : Sinica Franciscana*, t. V, Karachi, 1929.

VAN DEN WYNGAERT (A.), « Montecorvino; Lettres », *in : La France franciscaine*, vol. VI, Paris, 1923.

MONNERET DE VILLARD (U.), *Libro della Peregrinazione nelle parti d'Oriente*, Rome, 1948.

CORDIER (H.), *Les voyages en Asie au XIVᵉ siècle du bienheureux frère Oderic de Pordenone*, Paris, 1891.

RICHARD (J.), *Simon de Saint Quentin, Histoire des Tartares*, Paris, 1965.

DE SCALIA (G.), *Salimbene de Adam, Cronica*, Bari, 1966.

BALARD (M.), « Les Génois en Asie centrale et en Extrême-Orient au XIVᵉ siècle : un cas exceptionnel? » *in : Mélanges offerts à Édouard Perroy*, 1976.

LOPEZ (R.S.), « Nouveaux documents sur les marchands italiens en Chine à l'époque mongole », *in : Comptes rendus de l'Académie des Inscriptions et Belles-Lettres*, 1977.

Voyageurs et itinéraires

ZURLA (P.), *Di Marco Polo e degli altri viaggiatori piu illustri*,Venise, 1818.

MARINELLI (G.), *Venezia nella storia della geografia cartogra-fica ed esploratrice,* Venise, 1924.

JAMES (M.R.), *Marvels of the East,* Oxford, 1929.

PENZER (N.Q.), *Travels of Marco Polo,* Londres, 1929.

FRANCHI (S.), *L'itinerario di Marco Polo in Persia,* Turin, 1941.

RICHARD (J.), « European Voyages in the Indian Ocean and Caspian Sea (XII-XVth centuries) », *in : Iran,* t. VI, 1968.

RICHARD (J.), « Les navigations des Occidentaux sur l'océan Indien et la mer Caspienne (XII-XVᵉ siècles) », *in : Sociétés et Compagnies de Commerce en Orient et dans l'océan Indien.* Paris, 1970.

BALARD (M.), « Les Génois en Romanie entre 1204 et 1261. Recherches dans les minutiers notariaux génois », *in : Mélan-ges d'Archéologie et d'Histoire de l'École française de Rome,* 1966.

BALARD (M.), « Les Génois dans l'Ouest de la mer Noire au XIVᵉ siècle », *in : Actes du XIVᵉ Congrès international des Études byzantines* (Bucarest, 1971), Bucarest, 1975.

JACOBY (D.), « Les Juifs vénitiens de Constantinople et leur communauté du XIIIᵉ siècle au milieu du XVᵉ siècle », *in : Revue des études juives,* 1972, t. CXXXI.

ASHTOR (E.), « The Venetian Supremacy in Levantine Trade : Monopoly or Pre-Colonialism? », *in : The Journal of Euro-pean History,* vol. III, 1974.

ASHTOR (E.), « Observations on Venetian Trade in the Levant in the XIVth Century », *in : Ibid.,* vol. V, 1976.

LANE (F.C.),*Andreà Barbarigo, merchant of Venice,* Baltimore, 1944.

Chrétiens d'Orient

HÉTHOUM, « La Fleur de l'Histoire de la Terre d'Orient », *in : Recueil des Historiens des Croisades, Documents arméniens,* vol. II, Paris, 1906.

CHABOT (abbé), « Histoire de Mar Jabalaha, patriarche et de Rabban Cauma », *in : Revue de l'Orient latin,* t. I et II, 1893-1894, tirage à part, Paris, 1895.

BUDGE (E. A. WALLIS), *The Monks of Kûblâi Kan,* Londres, 1928 (trad. anglaise du récit de la mission de Rabban Sauma en Occident).

Musulmans

FERRAUD (G.), *Relations de voyages et textes géographiques arabes, persans et turcs relatifs à l'Extrême-Orient du VIIIᵉ au XVIIIᵉ siècles,* 2 vol., Paris, 1913-1914.
DULAURIER (G.), « Description de l'archipel d'Asie par Ibn Bathoutha », *in : Journal asiatique,* 1847.
DÉFRÉMY (A.), SANGUINETTI (P.), *Les voyages d'Ibn Batouta,* 4 vol, Paris, 1853-1858.

Venise et la famille Polo

RENOUARD (Y.), *Les hommes d'affaires italiens du Moyen Age,* Paris, 1968.
RENOUARD (Y.), *Les villes d'Italie de la fin du Xᵉ au début du XIVᵉ siècle,* Paris, 1969.
ROMANIN (S.), *Storia documentata di Venezia,* vol. II et III, Venise, 1912.
FULIN (A.), *Breve sommario di storia veneta,* Venise, 1914.
CESSI (R.), *Storia della Repubblica di Venezia,* 2 vol., Milan, 1944, 1946.
LUZZATTO (G.), *Storia economica di Venezia,* Venise, 1961.
THIRIET (Fr.), *Histoire de Venise,* (coll. Que sais-je?), Paris, 1952.
BRAUNSTEIN (Ph.), DELORT (R.), *Venise, portrait historique d'une cité,* Paris, 1971.
POMPEO MOLMENTI, *La Storia di Venezia nella vita privata dalle origini alla caduta della Repubblica,* t. I et II, Bergame, 1927.
ORLANDINI (G.), « Marco Polo e la sua famiblia », *in : Archivio Storico Tridentino,* t. IX, 1926.

GALLO (R.), « Nuovi documenti riguardanti Marco Polo e la sua famiglia », *in : Atti dell'Istituto di scienze, lettere ed arti. Classe di scienze morali, lettere ed arti,* t. XI, 1957-1958.

Vénitiens et Italiens en Orient

EVANS (E.), *Francesco Balduccio Pegolotti. La Pratica della Mercatura,* Cambridge (Mss.), 1936.
SAPORI (A.), *La Crisi delle Compagnie mercantili dei Bardi e dei Peruzzi,* Florence, 1926.
KUUN (G.), *Codex Cumanicus,* Budapest, 1880.
BONDI SEBELLICO (A.), *Felice de Merlis prete e notaio a Venezia ed Ayas (1315-1348),* vol. I, Venise, 1973.
HEYD (W.W.), *Histoire du Commerce du Levant au Moyen Age,* 2 vol., Leipzig, 1929.
HEYD (W.W.), *Le colonie commerciali degli Italiani in Oriente nel Medioevo,* 3 vol., Venise, 1868.
SOTTAS (J.), *Les messageries maritimes de Venise,* Paris, 1938.
LUZZATTO (G.), « Capitalismo coloniale nel Trecento », *in : Studi di Storia economica veneziana,* Padoue, 1954.
THIRIET (Fr.), *La Romanie vénétienne au Moyen Age : le développement et l'exploitation du domaine colonial vénitien (XIIᵉ-XVᵉ siècles),* Paris, 1959.
BALARD (M.), *La Romanie génoise (XIIᵉ-début du XVᵉ siècle),* 2 vol., Paris, 1978.

Les Italiens en Asie centrale et en Chine

CECHETTI (B.), « Testamento di Pietro Vilioni veneziano fatto in Tauris MCCLXIV. 10 dec », *in : Archivio Veneto,* t. XXVI, 1883.
PETECH (L.), « Les marchands italiens dans l'empire mongol », *in : Journal asiatique,* 1962.

LOPEZ (R.S.), « China silk in Europe in the Yuan Period », *in : Journal of the American Oriental Society*, t. LXII, 1952.

LOPEZ (R.S.), « European Merchants in the Medieval Indies : the Evidence of Commercial Documents », *in : Journal of Economic History*, t. III, 1943.

LOPEZ (R.S.), « Nuovi luci sugli Italiani in Estremo Oriente prima di Colombo », *in : Studi Colombiani*, t. III, 1951.

BAUTIER (R.H.), « Les relations économiques des Occidentaux avec les pays d'Orient au Moyen Age », *in : Sociétés et Compagnies en Orient et dans l'océan Indien*, Paris, 1970.

FERGUSON (J.C.), « Marco Polo's Journey in Manzi », *in : Journal North China Branch*, t. XXXVI, 1906.

BERTUCCIOLI (U.), « Marco Polo uomo di mare », *in : Ateneo Veneto*, 1955.

BALAZS (E.), « Marco Polo dans la capitale de la Chine », *in : Oriente Poliano*, Rome, 1957.

HERMANN (H.), *Atlas of China*, Cambridge (Mss.), 1935.

STEIN (A.), *On ancient Central-Asian Tracks*, Londres, 1933.

L'empire mongol

OLSCHKI (L.), *L'Asia di Marco Polo*, Florence, 1957.

GROUSSET (R.), *L'empire des steppes*, Paris, 1939.

GROUSSET (R.), *Le conquérant du monde*, Paris, 1944.

HAENISCH (F.), *Die Geheime Geschichte der Mongolen*, Leipzig, 1948.

HEISSIG (W.), *I Mongoli. Un popolo alla ricercha della propria storia*, 1982.

VLADIMIRTZOV (B.), (trad. de M. CARSOW), *Le régime social des Mongols*, Paris, 1948.

LEWISS (B.), *Les Assassins, terrorisme et politique dans l'Islam médiéval*, Paris, 1982.

PELLIOT (P.), « A propos des Comans », *in : Journal asiatique*, 1920.

FRYE (R.N.), *The History of Bukhara*, Cambridge (Mss.), 1954.

HENNIG (R.), *Terrae incognitae*, 4 vol., Leyde, 1936-1939.

QUATREMÈRE (M.E.), *Histoire des Mongols de la Perse*, t. I, Paris, 1936.

SPULER (B.), « La situation de l'Iran à l'époque de Marco Polo », *in : Oriente Poliano*, Rome, 1957.

GROUSSET (R.), *L'Asie orientale*, Paris, 1931.

BACKER (L. DE), *L'Extrême-Orient au Moyen Age*, Paris, 1877.

YULE (H.), CORDIER (H.), *Cathay and the Way Thither*, Londres, 1915.

STEIN (A.), *Ruins of Desert Cathay*, Londres, 1912.

GRANET (L.), *La civilisation chinoise*, Paris, 1929.

ROTOURS (R. DES), « Les grands fonctionnaires des provinces en Chine sous la dynastie des T'ang », *in : T'oung-Pao*, 1927.

FRANKE (H.), *Geld und Wirtschaft im China unter der Mongolenschaft*, Leipzig, 1949.

LIBN-SHENG-YANG, *Money and Credit in China*, Cambridge (Mss.), 1952.

OLBRICHT (P.), *Das Postwesen in China unter der Mongolenherrschaft*, Wiesbaden, 1954.

SUNG-PANG-LO, « The Emergence of China as a Sea Power during the late Sung and early Yuan Periods », *in : The Far Eastern Quaterly*, 1955.

PELLIOT (P.), « Une ville musulmane sous les Mongols », *in : Journal asiatique*, t. CCXI, 1927.

ROCK (J.-F.), *The Ancient Na-Khi Kingdom of South-West China*, 2 vol., Cambridge, (Mss.), 1947.

Chrétiens en Chine et en Asie centrale

DEMIÉVILLE (P.), « La situation religieuse en Chine au temps de Marco Polo », *in : Oriente Poliano*, Rome, 1957.

OLSCHKI (L.), « Manicheism, Buddhism and Christianity in Marco Polo's China », *in : Asiatische Studien*, t. V, 1951.

DAUVILLIER (J.), « Les provinces chaldéennes " de l'extérieur " au Moyen Age », *in : Mélanges Cavallera Toulerve*, 1948.

CHAVANNES (E.), PELLIOT (P.), « Un traité manichéen retrouvé en Chine », *in : Journal asiatique*, 1912.

NAU (F.), « L'expression chaldéenne en Asie », *in : Annales du Musée Guimet*, 1914.

PELLIOT (P.), « Chrétiens d'Asie centrale et d'Extrême-Orient », *in : T'oung Pao*, 1944.

PELLIOT (P.), « Recherches sur les Chrétiens d'Asie Centrale et d'Extrême-Orient », *in : Œuvres posthumes de Paul Pelliot*, 1973.

PELLIOT (P.), *Mongols et Papes aux XIII et XIV siècles*, Paris, 1922.

PELLIOT (P.), « Les Mongols et la Papauté », *in : Revue de l'Orient Latin*, t. XXIII, 1922-1923.

SAEKI (P.Y.), *The Nestorian Documents and Relics in China*, Tokyo, 1951.

RICHARD (J.), *L'Esprit de Croisade*, Paris, 1969.

RICHARD (J.), « La Papauté et les missions catholiques en Orient au Moyen Age », *in : Mélanges d'Archéologie et d'Histoire de l'École française de Rome*, 1941.

NAMIO EGAMI, « Olon-sume et la découverte de l'Église catholique romaine de Jean de Montecorvino », *in : Journal Asiatique*, t. CCXL, 1952.

ROULEAU (A.), « The Yang-chou Latin Tombstone as a Landmark of Medieval Christianity in China », *in : Harvard Journal of Asiatic Studies*, t. XVII, 1954.

LAURENT (M.H.), « Grégoire X et Marco Polo », *in : Mélanges d'Archéologie et d'Histoire de l'École française de Rome*, t. LVIII, 1941-1946.

WITTE (J.), *Das Buch des Marco Polo als Quelle für die Religionsgeschichte*, Berlin, 1916.

MINGANA (A.), « The Early Spread of Christianity in India », *in : Bulletin of the John Rylands Library*, t. V, 1926.

FARQUHAR (J.N.), « The Apostle Thoma in North India », *in : Ibid.*

LENDERTZ (R.), *La Société des Frères Pérégrinants*, t. I, Rome, 1937.

Relations diplomatiques

RÉMUSAT (abbé), *Mémoire sur les relations politiques des princes chrétiens et particulièrement des rois de France avec les empereurs mongols*, Paris, 1822.

MOSTAERT (A.), « La lettre de l'Ilkhan Argun à Philippe-le-Bel », *in : Harvard Journal of Asiatic Studies*, t. XVIII, 1955.

RICHARD (J.), « Sur les pas de Plancarpin et de Rubrouck. La lettre de saint Louis à Sataq », *in : Journal des Savants*, 1977.

DESIMONI (C.), I conti dell'ambasciata ai chan di Persia nel MCCXCII », *in : Atti della Società Ligure di Storia Patria*, t. XIII, 1877-1884.

OLSCHKI (L.), *Guillaume Boucher. A French Artist at the Court of the Khans*, Baltimore, 1946.

RICHARD (J.), « L'idée de Croisade chez saint Louis », *in : Bulletin de littérature ecclésiastique*, t. LXI, 1960.

RICHARD (J.), « Une ambassade mongole à Paris en 1262 », *in : Journal des Savants*, 1979.

MEYVAERT (P.), « An unknown letter of Hulagu, il-khan of Persia to king Louis IX of France », *in : Viator*. II, 1980.

Rusticello. Les modèles

CELESIA (E.), *Dante in Liguria*, 1865.

CRISTIANI (E.), *Nobiltà e Popolo nel Comune di Pisa*, Naples, 1962.

LANGLOIS (Ch. V.), *La vie en France au Moyen Age*, t. III, *La connaissance de la Nature et du Monde d'après les écrits français à l'usage des laïcs*, Paris, 1927.

WRIGHT (Th.), *Popular treatises on Sciences written during the Middle Ages*, Londres, 1841.

DENIS (F.), *Le monde enchanté. Cosmographie et histoire naturelle et fantastique du Moyen Age*, Paris, 1843.

CIAN (V.), *Vivaldo Belealzar e l'enciclopedismo italiano delle origini*, Turin, 1902.

PANNIER (L.), *Les lapidaires français du Moyen Age*, Paris, 1882.

SUNDEY (S.), *Vita e Scritti di Brunetto Latini*, trad. italienne de R. RENIER, Florence, 1884.

BRUNETTO LATINI, *Li Livres dou Trésor*, éd. CARMODY (F.J.), Berkeley, 1948.

CHABAILLE (P.), *Il Tesoro di Brunetto Latini vulgarizzato da Bono Giamboni*, Bologne, 1977.

BERTOLUCCI PIZZORUSSI (V.), « Enunciazione e Produzione del Testo del Milione », *in : Studi Mediolatini e Volgari*, vol. XXV, 1977.

PRIOR (O.H.), *L'Image du Monde de maître Gossain*, Lausanne, 1913.

RISTORO d'AREZZO, *La Composizione del Mondo (1282)*, éd. NARDUCCI, Rome, 1859.

Le Devisement et les fables

WITTKOWER (R.), « Marco Polo and the pictorial tradition of the Marvels of the East », *in : Oriente Poliano*, Rome, 1957.

WITTKOWER (R.), « Marvels of the East », *in : Journal of the Warburg and Courtauld Institute*, vol. V, 1942.

FOSCOLO BENEDETTO (L.), « L'art de Marco Polo », *in : Mélanges Hoepffer*, Paris, 1949.

MEYER (P.), *Alexandre le Grand dans la littérature française au Moyen Age*, 2 vol., Paris, 1886.

ANDERSON (A.R.), *Alexander's Gate Gog and Magog and the Inclosed Nations*, Cambridge (Mss.), 1932.

MONNERET DE VILLARD (U.), *Le leggende orientali sui Magi Evangelici*, Città del Vaticano, 1952.

ETTINGHAUSEN (R.), *The Unicorn*, Washington, 1951.

Li Romans de Bauduin de Sebours IIIᵉ Roy de Jhétusalem, Valenciennes, 2 vol., 1841.

Marco Polo et la géographie

HALLBERG (J.), *L'Extrême-Orient dans la littérature et la cartographie des XIIIe, XIVe et XVe siècles*, Göteborg.

OLSCHKI (L.), *Storia letteraria delle scoperte geografiche*, Florence, 1937.

OLSCHKI (L.), « Marco Polo, Dante Alighieri e la Cosmografia Medievale », *in Oriente Poliano*, Rome, 1957.

ALMAGIÀ (R.), *Il Mappamondo di Fra Mauro*, Rome, 1956.

STEVENSON (E.L.), *Terrestrial and Celestial Globes*, 2 vol., New Haven, 1921.

FERRAND (G.), *Introduction à l'astronomie nautique arabe*, Paris, 1928.

BROC (N.), *La géographie de la Renaissance (1420-1620)*, Paris, 1980.

BOCCACE, *De geneologia deorum gentilium*, éd. V. ROMANO, t. II, Bari, 1951.

BERTOLOTTO (G.), « Il trattato sull'astrolabo di Andalo di Negro », *in : Atti della Società Ligure di Storia Patria*, t. XXV, 1892.

REPÈRES CHRONOLOGIQUES

LA FAMILLE, VENISE, L'ORIENT

1054 le Grand Schisme; les Églises de Rome et de Constantinople se séparent.
1082 privilèges commerciaux et fiscaux aux Vénitiens dans
l'empire byzantin.
1099 prise de Jérusalem par les Croisés.
1182 massacre des Vénitiens à Constantinople.
1187 prise de Jérusalem par Saladin.
1190 Philippe Auguste et Richard Cœur de Lion en Terre
sainte.
1204 prise de Constantinople par les Croisés et les Vénitiens.
1254 naissance de Marco Polo à Venise.
1260 départ de Matteo et Niccolò de Constantinople pour la
Crimée.
1261 les Grecs reprennent Constantinople (dynastie des Paléologue); Matteo et Niccolò Polo quittent la Crimée pour
l'Asie.
1265 retour des frères Polo à Venise.
1271 Marco Polo quitte l'Ayas, en Arménie, pour rejoindre la
cour du khan des Mongols.
1275 Marco Polo arrive à Kambaluc (Pékin).
1284 bataille de La Meloria. Rusticello de Pise prisonnier à
Gênes.
1292 Marco, Matteo et Niccolò Polo quittent la Chine.
1295 leur retour à Venise.
1298 bataille de Curzola; Marco Polo prisonnier à Gênes.
1298-1299 rédaction du *Devisement du Monde*.
1324 mort de Marco Polo.

LES MONGOLS. LES MISSIONS

1210 Gengis Khan rassemble les tribus mongoles.

1227 mort de Gengis Khan.

1227-1241 règne d'Ogotaï.

1245 Concile de Lyon; premières ambassades chez les Mongols.

1245-1247 ambassade de Plan Carpin.

1248-1254 Louis IX en Terre sainte et en Égypte.

1253-1255 ambassade de Guillaume de Rubrouck.

1258-1259 sacs de Bagdad, Alep et Damas par les Mongols.

1260-1294 règne de Kubilaï.

1279 les Mongols occupent tout le Nord de la Chine.

1274 première expédition contre le Japon.

1280 arrivée à Rome d'une ambassade du khan mongol.

1281 seconde expédition contre le Japon.

1289 départ de Monte Corvino pour la Chine.

1290 Bar Sauma, ambassadeur du khan de Perse, en Occident.

1291 expédition des Mongols contre les îles de l'Insulinde.

1328 mort de Monte Corvino en Chine.

1339 rédaction de la *Praticha delle Mercatura* par Pegolotti.

INDEX

ROME; 54, 78, 79, 84, 88, 89, 92, 93, 97, 99, 100, 103, 104, 107, 110-112, 116, 125, 136, 187, 188, 191, 192, 195-197, 299.
ROUGE (mer); 65, 124.
ROUMANIE; 212.
RUBROUCK, Guillaume de; 11, 76, 88, 94-96, 120, 133, 144, 188, 192, 319, 330.
RUSSIE; 73, 83, 89, 91, 120, 230, 251, 318.
RUSTICELLO DI PISA; 9, 12, 15, 171, 173, 278, 280, 282-284, 286-289, 291, 292, 296, 297, 299-305, 307-311, 315, 320, 322, 325.

SABA; 113.
SAETALIA (Antalia); 202.
SAIANFU (= Siang-yang-fu); 293.
SAINT-ALBANS; 75, 336.
SAINT-JACQUES DE COMPOSTEL-LE; 165.
SAINT-JEAN D'ACRE; 59, 61, 95, 98, 103, 110, 111, 124, 203, 300, 305
SAINT-JEAN DE LATRAN; 99.
SAINT-QUENTIN, Guillaume de; 90, 298.
SALADIN; 55.
SALIMBENE; 91, 94, 95.
SALLE, Antoine de la; 336.
SAMARKAND; 85, 102, 116, 147, 152, 229, 230.
SAMSOUM; 99.
SANDUR (île); 160.
SANUDO, Marino; 44, 45, 55, 333.
SAPURGAN; 148.

SARACANDO (= Saraitchik); 208.
SARAÏ; 96, 137, 138, 202, 208, 211, 212, 214.
SARDAIGNE; 279, 280.
SARMONE, Antonio; 219.
SAVIGNONE, Andalo; 218.
SAXE; 90.
SCANDINAVIE; 91.
SÉBASTE; 203.
SÉBENICO, 21.
SÉBOURG, Beaudoin de; 302, 334.
SÉLEUCIS NICATOR; 325.
SENS; 91, 327.
SERBIE; 58.
SERONZO, Giovanni, 29.
SE-TCHOUAN; voir CUNCUN.
SÉVILLE; 203.
SIBÉRIE; 153, 154.
SICILE; 44, 46, 286, 292, 297.
SIDON; 124.
SIEN-MA-LIN; 85, 230.
SIENNE; 99, 200.
SIKIANG; 152.
SINDAFU (= Tching-tou-fou); 177, 246, 259.
SINGUY; 152.
SINOPE; 119, 120, 126.
SIS; 125, 130, 190.
SIVAS; 128, 204, 215.
SLAVONIE; 22.
SMYRNE; 123.
SOLDAÏA; 47, 74, 109, 117, 119-121, 124, 130.
SOMMATH; 161.
SONG (dynastie); 72, 82, 87, 88, 232, 237-239.
SORAGNA, Guglielmo di; 306.
SORANZO, Marco; 216.
SOUCAT; voir BORNÉO.
SOUDAN; 58.
SOU-TCHÉOU; voir GUIGIU.

TABLE DES MATIÈRES

Cet ouvrage a été réalisé sur
Système Cameron
par la SOCIÉTÉ NOUVELLE FIRMIN-DIDOT
Mesnil-sur-l'Estrée
pour le compte des Éditions Fayard
le 29 octobre 1983

35-14-7121-01
ISBN 2-213-01344-6
Dépôt légal : octobre 1983
N° d'éditeur : 6673